en

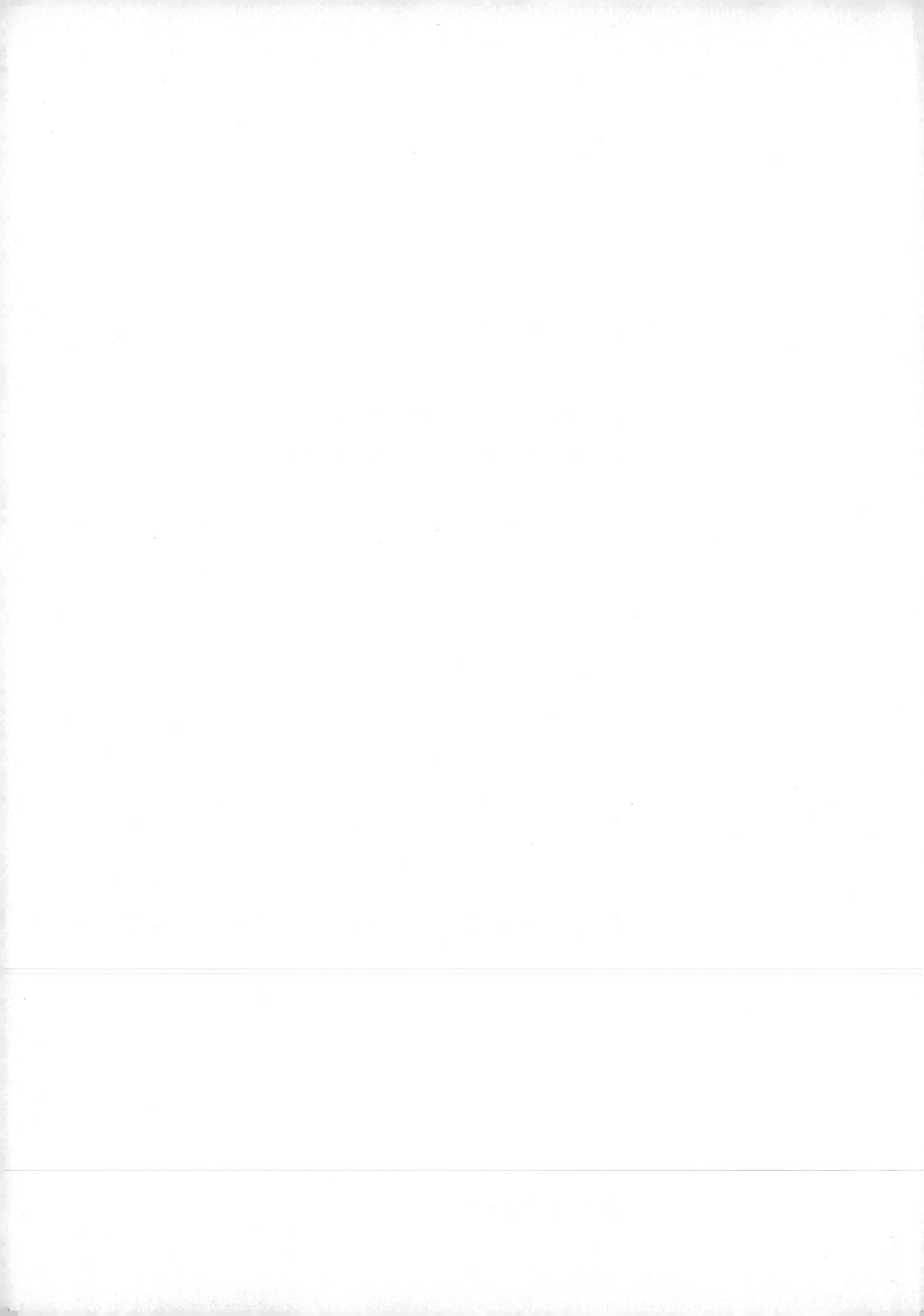

Zinsanlagen

Erfolgreich sparen mit Anleihen, Sparbriefen & Co.

Stiftung Warentest

Thomas Luther

ISBN 3-937 880-06-2

Zu diesem Buch

Sicherheit! Das ist der Mehrzahl der Bundesbürger am wichtigsten, wenn es um ihr Geld geht. Aber das kann nicht die einzige Erklärung dafür sein, warum in Deutschland Milliardenbeträge auf gering verzinsten Sparkonten schlummern. Denn es gibt Anlagemöglichkeiten, die weit höhere Zinsen bieten, ohne dass Sparer dabei gleich Kopf und Kragen riskieren. Diese sind nur häufig zu wenig bekannt, weil sich kaum jemand die Zeit nimmt, um sich ausführlicher mit seinem Geld zu beschäftigen. Dabei lohnt dies durchaus, denn schon ein Zinsplus von ein, zwei Prozent bringt auf Dauer einiges mehr als der Umweg beim Tanken oder das Vergleichen von Sonderangeboten im Supermarkt.

Dieses Buch wendet sich sowohl an Sparer, die sich möglichst einfach einen Überblick über sichere und bequeme Anlagemöglichkeiten verschaffen möchten, als auch an die Anleger, die bereit sind, etwas mehr Zeit für ihr Geld zu investieren, um dafür höhere Zinsen zu kassieren. Egal, zu welcher Gruppe Sie sich zählen: Der Ratgeber hilft Ihnen, die Vorschläge Ihres Bankberaters besser einordnen zu können, und er nennt und beschreibt Ihnen die Anlageformen, von denen Sie besser die Finger lassen, wenn Sie auf Nummer Sicher gehen wollen.

Die ersten Kapitel zeigen, wie die einzelnen Zinssparformen funktionieren. Klar und übersichtlich werden die Vor- und Nachteile der Anlageprodukte erklärt. Zusätzlich erfolgt mithilfe von Pfeildiagrammen eine Einordnung anhand der wichtigsten Kriterien wie „Sicherheit“ und „Rendite“. Die detaillierte Erläuterung zu diesem Einordnungssystem finden Sie auf Seite 166. Auf diese Weise entsteht ein Profil, das Ihnen hilft, die entsprechende Anlageform einschätzen und richtig einsetzen zu können.

Im letzten Kapitel wird anhand von Beispielen erläutert, welche Anlageformen für welche Anlageziele geeignet sind. In Tabellen werden dort diejenigen Zinssparformen aufgelistet, die infrage kommen. So weist Ihnen dieser Ratgeber die ersten Schritte auf dem Weg zu einem durchdachten und gleichzeitig rentablen Vermögensaufbau.

Zahlreiche Internetadressen und weitere Informationsquellen im Serviceteil ab Seite 165 helfen Ihnen dann dabei, sich vertiefend mit einzelnen Themen zu beschäftigen. Vor allem aber bekommen Sie damit die Möglichkeit, immer auf dem Laufenden zu bleiben und stets die aktuellen Zinsentwicklungen und Konditionen im Auge zu behalten.

Inhalt

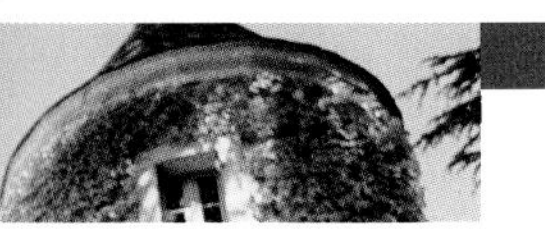

Zinsanlagen: Sicherer Hafen für das Ersparte

Geldanlage mit Tradition

Ein kurzer Blick auf die Statistiken der Banken genügt, um zu sehen, dass Zinsanlagen bei vielen Anlegern sehr beliebt sind. Denn wenn es darum geht, ein paar Euro auf die hohe Kante zu legen, sind Aktien oder Aktienfonds offenbar vielen zu riskant, Immobilien zu teuer und eine Lebensversicherung zu langfristig.

Jeder Sparer möchte sein Geld so gewinnbringend wie möglich anlegen. Aber mindestens genauso viel Wert legen die meisten auf Sicherheit. Sein sauer Erspartes will schließlich kaum jemand leichtfertig aufs Spiel setzen. Zudem haben nur die wenigsten Anleger Zeit und Lust, sich laufend um ihr Geld zu kümmern. Sparkonten, Sparbriefe und festverzinsliche Wertpapiere sind dann häufig eine passende Alternative. Denn regelmäßige Erträge, eine feste Laufzeit und in vielen Fällen der gute Name einer Bank, die hinter dem Angebot steht, machen diese Anlagen sicher und zugleich pflegeleicht. Zudem erfordern Zinssparformen anders als beispielsweise Aktien relativ wenig Vorkenntnisse. So kommen auch in Gelddingen Unerfahrene auf Anhieb damit zurecht. Und nicht zuletzt kann jeder Sparer mit dieser Art der Geldanlage auch kleinere Beträge bei jeder Bank um die Ecke anlegen.

Was sind Zinsanlagen?

Das Grundkonzept einer Zinsanlage ist genauso alt wie das Geld selbst: Wer einmalig oder regelmäßig einen bestimmten Geldbetrag ansparen möchte, legt ihn entweder für einen fest vereinbarten Zeitraum oder zunächst unbefristet bei einer Bank an. Rein rechtlich gesehen, gibt der Sparer dem Geldhaus damit nichts anderes als einen Kredit. Für die Überlassung seines Geldes erhält er als „Honorar“ regelmäßige Zinsen – so lange, bis er seine Einlage kündigt oder das Geld zum vereinbarten Termin zurückgezahlt wird. Die Bank wiederum verleiht die Gelder, die sie von ihren Sparkunden einsammelt, als Darlehen zu höheren Zinsen an Unternehmen und Privatleute. Die Differenz ist ihr Profit. Als Gegenleistung steht sie mit ihrem guten Namen dafür ein, dass den Sparern Zinsen und am Ende auch das Kapital wieder ausgezahlt werden.

Was die meisten Sparer an dieser Art der Geldanlage lockt, ist die Tatsache, dass sie genau bestimmen können, wie lange sie ihr Geld anlegen und mit welcher Rendite sie dabei rechnen können. Das macht das Ganze zu einem vergleichsweise sicheren und kalkulierbaren Investment, was vielen wichtiger ist als die Aussicht auf eine höhere, aber letztlich unsichere Rendite, wie sie etwa Aktien bieten.

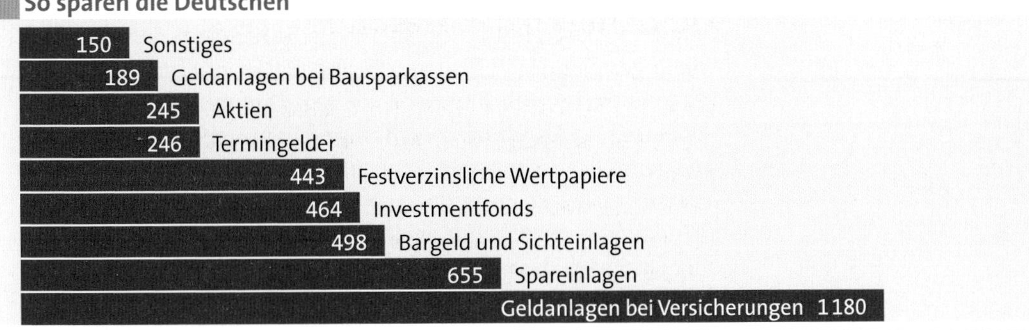

Neue Trends

Lange Jahre mussten sich normale Zinssparer allerdings weitgehend mit Einheitskost begnügen. Die meisten Banken und Sparkassen hatten für sie gerade mal eine Handvoll Angebote im Programm, und wer seinen Bankberater ausdrücklich nach Alternativen fragte, bekam mit etwas Glück und Beharrlichkeit vielleicht noch Bundeswertpapiere (→ Seite 78) genannt.

Doch diese Zeiten sind vorbei. Denn an der Börse und in der Finanzbranche hat der Wettbewerb um Anlagegelder in den vergangenen Jahren enorm zugenommen – wovon die Sparer profitieren. Sie können mittlerweile aus einer breiten Angebotspalette wählen, die vom klassischen Sparbuch (→ Seite 34) über Tages- und Festgelder (→ Seite 43), Sparpläne und -briefe (→ Seite 48), Anleihen (→ Seite 61), Geldmarkt- und Rentenfonds (→ Seite 103) bis hin zu exotischen und mitunter äußerst spekulativen Spezialkonstruktionen reicht. Kaum ein Anlagezweck, der sich damit nicht abdecken ließe. Wer Geld für ein neues Auto oder die nächste Urlaubsreise zusammenspart, kommt damit ebenso zum Ziel wie derjenige, der für die Ausbildung der Kinder vorsorgen oder langfristig etwas für die eigene Altersvorsorge tun will.

Ihr „Langweilerimage" haben Zinspapiere längst abgelegt. Niemand muss sich zum Beispiel mit Minizinsen auf dem kreuzbraven Sparbuch zufrieden geben. Auch wenn das allgemeine Zinsniveau über die vergangenen Jahre hinweg gesunken ist, gibt es eine Reihe von Anlagemöglichkeiten, mit denen auch Zinsanleger hohe Renditen erzielen können – allerdings in der Regel nur dann, wenn sie im Gegenzug bereit sind, ein höheres Risiko einzugehen.

Kehrseite der Medaille

Damit zeigt sich gleichzeitig aber auch die Kehrseite der Medaille: Wer angesichts der Vielfalt an Zinsangeboten und Laufzeiten das Passende finden will, muss sich vor dem Kauf mitunter sehr genau mit einzelnen Angeboten beschäftigen, damit sich der erhoffte Anlageerfolg auch einstellt. Schließlich lauern auch bei den vermeintlich sicheren Zinsanlagen einige Gefahren – etwa die, auf ein unseriöses Angebot hereinzufallen und sein Geld zu verlieren oder das Risiko, dass die Bank oder der Herausgeber einer Anleihe in finanzielle Schwierigkeiten gerät und weder Zins noch Kapital zahlen kann. Zwar sind Spargelder bei Banken in vielen Fällen abgesichert, doch gilt dieser Schutz mitunter nur mit bestimmten Einschränkungen (→ Seite 37).

Zudem ist der Sparer gut beraten, sich Gedanken über ein paar grundlegende Dinge zu machen – etwa wofür und wie lange er sein Geld anlegen will, ob er vor dem Ende der vereinbarten Laufzeit darüber verfügen kann und ob er in diesem Fall Einbußen bei der Verzinsung hinnehmen muss? Die Erfahrung zeigt, dass Anleger, die dabei systematisch vorgehen, es am ehesten schaffen, drohende Klippen zu umschiffen und dennoch Kurs auf ihr Sparziel zu halten. Zu Beginn steht dabei der Kassensturz sowie eine langfristige und umfassende Vermögensplanung. Diese mündet idealerweise in eine Strategie, nach der die einzelnen Zinsanlagen ausgewählt und zusammenstellt werden.

Mit System ein Vermögen ansparen

Gut geplant ist halb gespart

Vom Prinzip her ist Sparen eigentlich eine leichte Sache: Man nimmt sich vor, jeden Monat einen festen Betrag auf die hohe Kante zu legen und mit Zins und Zinseszins wird daraus über die Jahre hinweg ein stattliches Vermögen – so weit die Theorie. In der Praxis sind die guten Vorsätze allerdings nur allzu schnell vergessen, wenn zum Beispiel ein samstäglicher Bummel durch die Innenstadt oder der nächste Urlaub anstehen. Und selbst wenn der gute Wille vorhanden ist, macht einem vielleicht das plötzliche Aus der Waschmaschine oder eine teure Reparatur am Auto einen dicken Strich durch die schönsten Sparpläne. Meist aber ist es viel profaner: Über den Monat hinweg wird für dies und das Geld ausgegeben und am Ende herrscht schlicht und ergreifend Ebbe im Portemonnaie. Dann ist an Sparen natürlich nicht zu denken. Noch schlimmer ist es, wenn das Girokonto am 30. ein unübersehbares Minus aufweist und man sein Sparkonto plündern muss anstatt es zu füllen, nur um wieder in die schwarzen Zahlen zu kommen. Wer seine Finanzen auf Dauer so schleifen lässt, hat es schwer, in Sachen Sparen dauerhaft auf einen grünen Zweig zu kommen. Auf der anderen Seite hat es ebenso wenig Zweck, allein um des Traums vom Millionär willen, mehr Geld vom Monatsbudget abzuzweigen als es die regelmäßigen Ausgaben zulassen.

Sinnvoll sparen

Wie aber sieht eine sinnvolle Sparstrategie aus? Und wie lässt sich sparen, ohne gleich zu knausern? Um diese Fragen zu beantworten, muss man sich zunächst klar machen, dass Sparen, und damit der Aufbau von Vermögen, eine sehr persönliche Sache ist. Das fängt damit an, dass die Einkommenshöhe und die laufenden finanziellen Verpflichtungen individuell unterschiedlich sind. Mit einem Nettoeinkommen von 1500 Euro kann ein Single sehr komfortabel über die Runden kommen, eine vierköpfige Familie wird dagegen jeden Euro zweimal umdrehen müssen. Bereits dieses einfache Beispiel zeigt, dass es kaum möglich ist, mit Faustformeln zu hantieren: Wie hoch die „passende“ Sparrate sein kann, lässt sich nur für den Einzelfall ausrechnen.

Wie viel jemand sparen kann, hängt aber nicht nur von den Einnahmen und Ausgaben ab, es ist auch eine Frage des Typs. Wer Geld von seinem monatlichen Einkommen abzweigt, um es anzulegen, muss schließlich zwangsläufig auf andere Dinge verzichten. Die Berücksichtigung der „Sparmoral“ ist daher bei der Konzeption einer persönlichen Sparstrategie ebenso wichtig wie die Einkünfte und die Lebenssituation. Im Zweifelsfall ist es besser, die Sparleistung lieber etwas niedriger anzusetzen, damit es leichter fällt, bei der Stange zu bleiben und den dauerhaften Sparerfolg nicht zu gefährden. Das funktioniert aber nur, wenn die notwendige Disziplin und der ernsthafte Wille vorhanden sind, den Sparwunsch in die Tat umzusetzen und nicht bei der erstbesten Gelegenheit dann doch wieder die Kreditkarte gezückt wird.

Tipps: So halten Sie Ihren Sparkurs

- **Aller Anfang ist leicht.** Es muss nicht gleich ein Hundert-Euro-Schein pro Monat sein, mit dem Sie Ihr Sparvorhaben in die Tat umsetzen. Auch kleine Beträge lohnen. Selbst wenn es nur 25 Euro sind, die regelmäßig mittels Sparplan (→ Seite 51) über zehn oder zwanzig Jahre auf die hohe Kante gelegt werden, kommt mit Zins und Zinseszins am Ende eine ordentliche Summe heraus.
- **Besser spät als nie.** Es ist immer der richtige Zeitpunkt, um mit dem Sparen anzufangen. Natürlich fällt die Endsumme umso höher aus, je früher Sie beginnen, je länger Sie durchhalten und je höher die regelmäßige Rate ist. Doch auch im fortgeschrittenen Lebensalter lohnt es sich, mit dem Sparen anzufangen. Wichtig ist, überhaupt etwas für den eigenen Vermögensaufbau zu tun.
- **Sparmoral stärken.** Konsumverzicht kann auf Dauer nicht nur sehr frustrierend sein, sondern auch einsam machen. Belohnen Sie daher sich und die Menschen um Sie herum, wenn Sie ein Etappenziel auf Ihrem Sparkurs erreicht haben und kaufen Sie dann etwas (Erschwingliches), was Sie sich schon lange gewünscht haben.
- **Psychologische Tricks nutzen.** Manchmal fällt es leichter, den Entschluss, endlich mit dem Sparen anzufangen, in die Tat umzusetzen, wenn man dies mit einem anderen guten Vorsatz verknüpft – etwa mit dem Rauchen aufzuhören. So kommen in vielen Fällen locker 50 Euro pro Monat zusammen und man tut gleichzeitig etwas für seine Gesundheit.
- **Konsequent sparen.** Richten Sie einen Abbuchungs- oder Dauerauftrag ein, mit dem Sie Ihre monatliche Sparrate zunächst auf ein Spar- oder Tagesgeldkonto (→ Seite 40) umbuchen, unmittelbar nachdem Ihr Gehalt gutgeschrieben worden ist. Sind Miete und andere feste Verpflichtungen beglichen, sehen Sie schwarz auf weiß auf Ihrem Kontoauszug, wie viel Geld Sie monatlich in etwa zur freien Verfügung haben.
- **Sonderzahlungen nutzen.** Grundsätzlich spricht nichts dagegen, Urlaubs- und Weihnachtsgeld für den Zweck auszugeben, für den sie dem Namen nach bestimmt sind. Versuchen Sie trotzdem, auch von Einmalzahlungen etwas abzuzweigen und ergänzend auf die hohe Kante zu legen. Häufig gilt jedoch: Besser regelmäßig kleinere Beträge ansparen als in unregelmäßigen Abständen jeweils eine große Summe.

Der Weg zur Vermögensplanung

Wer sich eine gut durchdachte Sparstrategie zurechtlegen will, kommt trotz Psychologie an harten Fakten und klaren Entscheidungen nicht vorbei. Der systematische Weg dahin heißt „private Finanzplanung". Dieses Konzept ist der Wirtschaft entliehen, denn dort ist es für jedes halbwegs gut geführte Unternehmen selbstverständlich, dass das Management Überlegungen und Prognosen dazu anstellt, wie sich Kosten und Absatzpreise, Einnahmen und Ausgaben und am Ende der verbleibende Gewinn in den kommenden Jahren entwickeln. Zugegeben, ein Unternehmen lässt sich nur sehr begrenzt mit einem privaten Haushalt vergleichen. Zudem dürfte eine Privatperson kaum Interesse verspüren, ihr Leben bis auf den letzten Cent durchzuplanen, ganz abgesehen davon, dass dies im Alltag fast nie möglich ist. Dennoch ist es sinnvoll, zumindest einige finanzielle Eckpunkte für die Zukunft abzustecken. Selbst wenn es am Ende dann doch anders kommt, ist es besser, seine Finanzzügel selbst in der Hand zu halten, als die Dinge einfach laufen zu lassen.

Tipps: Rund um den Kassensturz

- **Hilfsmittel nutzen.** Viele Banken und Sparkassen, aber auch die Verbraucherzentralen halten für ihre Kunden ein Haushaltsbuch bereit: Bei der Verbraucherzentrale Nordrhein-Westfalen kann zum Beispiel die Publikation „Das Haushaltsbuch" für 4,80 Euro online geordert werden (www.vz-nrw.de).
- **Ausgaben überprüfen.** Listen Sie mithilfe des Haushaltsbuches auf, wofür Sie zusätzlich zu Ihren festen Verpflichtungen (Miete, Auto etc.) im Monat Geld ausgeben. Das schafft Klarheit.
- **Sparpotenziale ausloten.** Durchforsten Sie die Liste kritisch danach, auf welche Posten Sie unter Umständen verzichten können oder welche Ausgaben sich senken lassen. Gehen Sie zum Beispiel wirklich so regelmäßig ins Fitness-Studio, dass ein Jahresvertrag lohnt? Vielleicht kommen Sie mit einer Zehnerkarte oder bei einem anderen Anbieter deutlich günstiger weg, ohne dass Sie Ihr Nutzungsverhalten einschränken müssen. Sicherlich: Dem einen oder anderen mag das wie kleinkarierte Pfennigfuchserei erscheinen. Aber selbst, wer sich nicht einschränken mag, denkt zumindest einmal über solche Ausgaben nach.
- **Finanzcheck durchführen.** Prüfen Sie, welche Versicherungen Sie abgeschlossen haben und kündigen Sie gegebenenfalls überflüssige Policen – beispielsweise, wenn Sie mit Ihrem Partner zusammengezogen sind und einige Versicherungen doppelt vorliegen. Kontrollieren Sie bei den anderen Verträgen ebenso wie bei Ihrem Girokonto, ob es günstigere Anbieter am Markt gibt. Oft lassen sich so mehrere hundert Euro pro Jahr sparen. Hinweise und die aktuellen Vergleiche werden regelmäßig in Finanztest veröffentlicht. Sie finden sie auch gesammelt im Finanztest SPEZIAL Versicherungen und im Internet unter www.finanztest.de.

Der erste Schritt: Kassensturz

Zuallererst muss sich der Sparer darüber klar werden, wie viel Geld er – einmalig oder regelmäßig – überhaupt auf die hohe Kante legen kann, ohne dass er dauernd in finanzielle Engpässe kommt. Um das herauszufinden, ist es sinnvoll, sich einen umfassenden Überblick über die eigenen Finanzen zu verschaffen. Dazu werden sämtliche monatlichen oder besser jährlichen Einnahmen den Ausgaben gegenübergestellt und die Differenz ermittelt. Mit einem Haushaltsbuch lässt sich diese Arbeit enorm vereinfachen. Was am Ende der Auflistung (hoffentlich) als Plus übrig bleibt, ist zunächst die Ausgangsbasis für weitere Überlegungen zum Sparen und Vermögensaufbau (→ Kasten links).

Der zweite Schritt: Eine Vermögensbilanz erstellen

Nach der Auflistung der laufenden Einnahmen und Ausgaben folgt die Bestandsaufnahme sämtlicher vorhandener Vermögenswerte und Verbindlichkeiten – das also, was bei einem Unternehmen in der Bilanz steht. Im Unterschied dazu stellt sich die Vermögenssituation eines privaten Anlegers jedoch etwas anders dar. Denn über einige Gegenstände kann er unter Umständen gar nicht so flexibel verfügen, um sie im Rahmen der eigenen Vermögensplanung aktiv einzubeziehen – zum Beispiel eine selbstgenutzte Immobilie. Andere Dinge sind in einem weiteren Sinne durchaus als Vermögen zu betrachten, jedoch in einer Notlage so gut wie gar nicht oder nur zu einem sehr niedrigen Preis zu Geld zu machen. Hierzu zählen etwa Antiquitäten, Briefmarken- und Münzsammlungen. Und dann gibt es zu guter Letzt noch Gegenstände, die der Sparer gar nicht zu Geld machen kann, weil er auf sie angewiesen ist – der Großteil des Hausrats (Möbel, Kleidung etc.) wäre hier in erster Linie zu nennen, aber auch der Pkw eines Pendlers.

Anleger sollten auf der Habenseite nur diejenigen Positionen in ihre Rechnung mit einbeziehen, die im Sinne einer Geldanlage einen Wert verkörpern, wie zum Beispiel alle Guthaben auf Spar-, Tagesgeld- und Festgeldkonten, Bausparverträgen, Sparbriefen, unter Umständen auch auf dem Girokonto, wenn dort größere Geldsummen geparkt werden. Dazu kommt der Wert sämtlicher Wertpapiere (zum aktuellen Kurs), Lebensversicherungen (zum Rückkaufwert) und vermieteter Immobilien (zum ungefähren Verkehrswert); einen Anhaltspunkt dafür geben Immobilienanzeigen in der Tageszeitung oder eine Nachfrage bei einem Makler oder Ihrer Hausbank). Sämtliche Gebrauchsgegenstände bleiben hingegen unberücksichtigt. Das gilt auch für eine selbstgenutzte Immobilie, denn welcher Häuslebesitzer wird schon seine vier Wände veräußern, wenn die Zinsen steigen, damit er sein Geld in Zinspapiere umschichten kann?

Berücksichtigen sollte der Sparer bei dieser Bilanz aber auch die Tatsache, dass er über seine Vermögensgegenstände unterschiedlich schnell verfügen kann. An das Guthaben auf einem Sparkonto kommt er zum Beispiel viel leichter heran als an das angesparte Kapital auf einem Bausparvertrag oder an das Geld, das in einer Lebensversicherung steckt.

Wichtig: Noch laufende Darlehen werden zum aktuellen Schuldenstand von der Gesamtsumme abgezogen. Und auch die Schulden sollten nach ihrer Fälligkeit geordnet werden. Während etwa ein in Anspruch genommener Dispositionskredit auf dem Girokonto täglich zurückgezahlt werden kann, ist ein Hypothekendarlehen oftmals eine langfristige Vereinbarung und die Rückzahlung bindet entsprechend lange Geld.

Der dritte Schritt: Vermögensziele und (Konsum-)Wünsche festlegen

Nach Abschluss der beiden vorangegangenen Schritte besitzt der Sparer vor allem zwei Informationen:

- die Höhe des Betrags, der ihm theoretisch pro Jahr oder Monat zum Vermögensaufbau zur Verfügung steht,
- einen Überblick über das Netto-Vermögen und die Anlageformen, auf die sich sein Vermögen verteilt.

Anhand dieser Daten kann er nun ablesen, welche Vermögensziele ein Wunschtraum bleiben – etwa Millionär zu werden – und welche einigermaßen realistisch innerhalb einer bestimmten Zeitspanne erreichbar sind – etwa ein Eigenheim oder die Absicherung des Lebensstandards im Alter. Davon wiederum ist dann abhängig, wann und in welchem Umfang sich einzelne Konsumwünsche (neues Auto, Urlaubsreise etc.) erfüllen lassen.

Er kann aber auch genau umgekehrt vorgehen: Er legt seine Wünsche und Vermögensziele fest und bestimmt, bis zu welchem Zeitpunkt diese verwirklicht werden sollen. Dann kann er errechnen, wie viel Kapital dafür angespart werden muss. Da allerdings die monatliche Sparsumme nicht beliebig erhöht werden kann, kommt

Je länger, desto einfacher

Diesen Betrag müssen Sie monatlich sparen, um nach x Jahren 100 000 Euro zu haben

Anlage-horizont	Zins 2 %	3 %	4 %	5 %	6 %	7 %
45 Jahre	115	88	67	51	38	28
40 Jahre	136	109	86	67	52	40
35 Jahre	165	136	111	90	72	58
30 Jahre	203	172	145	122	102	85
25 Jahre	257	225	196	170	147	127
20 Jahre	339	305	274	245	219	196
15 Jahre	477	441	407	376	347	320
10 Jahre	753	715	679	645	613	581

der Sparer nicht darum herum, entsprechende Prioritäten zu setzen, was wiederum ein wichtiger Baustein bei der gesamten Vermögensplanung und Sparstrategie ist.

Welcher Anlegertyp bin ich?

Geht es nun daran, aus den gewonnenen Daten und Fakten ein Sparkonzept zu zimmern, muss auch die „Anlagementalität" des Sparers berücksichtigt werden.

Jemand, der sein Geld vorzugsweise in Zinspapieren investiert, ist wahrscheinlich kaum auf den schnellen Euro aus, sondern eher vorsichtig und auf Sicherheit bedacht – ansonsten wäre eine Anlage in spekulativeren Anlageformen wie etwa Aktien und Aktienfonds die bessere Wahl. Dies muss berücksichtigt werden, wenn es darum geht, die gewünschte Rendite und den Anlagehorizont zu bestimmen: Wer wirklich jegliches Risiko meiden will, muss darauf achten, sein Geld nie länger anzulegen als ursprünglich beabsichtigt – auch wenn er dafür im Zweifelsfall auf einen höheren Zins verzichten muss. Ein Sparer hingegen, der stets auf der Suche nach den attraktivsten Renditechancen ist, muss sich fragen, ob er auch bereit ist, die damit verbundenen Risiken zu tragen.

Infos im Netz

Im Internet gibt es die Möglichkeit, eine anonyme, aber individuelle Auswertung des eigenen Anlageverhaltens und -typs vorzunehmen:

- www.adig.de, Menüpunkt „Strategie & Anlage", Unterpunkt „Anlagetyp ermitteln",
- www.capital.de, Menüpunkt „Geldanlage & Aktien", Unterpunkt „weitere Tools", „Anlegertyp-Test".

Bausteine für den Anlageerfolg

Viele vorsichtige Anleger übertreiben es allerdings mit ihrem Streben nach Sicherheit, indem sie den Großteil ihres Geldvermögens in Zinssparformen anlegen. Doch es ist ein weit verbreiteter Irrtum zu glauben, dass eine solche Strategie keinerlei Risiken in sich bergen würde. Nur wenige machen sich zum Beispiel Gedanken darüber, dass ihr Vermögen in diesem Fall überdurchschnittlich stark vom Auf und Ab des allgemeinen Zinsniveaus am Kapitalmarkt betroffen ist. Darüber hinaus hapert es unter Umständen an der Verfügbarkeit des Geldes, sollte der Sparer vorzugsweise auf Sparkonten und -briefe setzen, die nicht jederzeit kündbar sind.

Spätestens, wenn der Anleger etwa 5 000 Euro zusammengespart hat, sollte er sich daher Gedanken über eine durchdachte Aufteilung seines Geldes machen und dabei auch andere Anlageformen mitberücksichtigen. Denn längst gilt es unter Experten als zweifelsfrei erwiesen, dass ein Anleger, der sein Vermögen systematisch und breit streut, unter dem Strich ein wesentlich geringeres Risiko eingeht und dennoch höhere Ertragschancen besitzt als jemand, der einseitig alles auf eine Karte setzt.

Das magische Dreieck der Geldanlage

Wenn man Anleger fragen würde, wie für sie das ideale Investment aussehen würde, dürfte die Mehrzahl es wie folgt beschreiben: „Es bringt eine hohe Rendite, ohne dass ich mir Sorgen um die Rückzahlung des Kapitals machen muss. Und ich kann jederzeit über

Das magische Dreieck der Geldanlage

Rendite, Sicherheit und Liquidität: Zwischen diesen Eckpunkten lassen sich alle Geldanlagen einordnen. Kein Investment erfüllt alle drei Kriterien gleichermaßen. Das klassische Dreieck lässt sich um das Kriterium Bequemlichkeit erweitern.

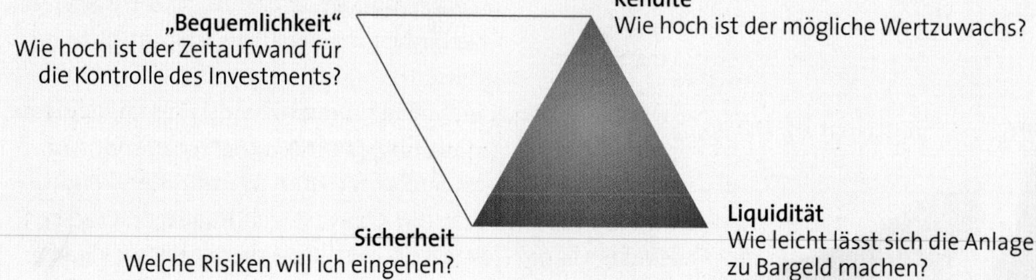

mein Geld verfügen." Immer wieder gelingt es unseriösen Anbietern, mit ihrem Versprechen, diese Träume zu erfüllen, gutgläubige Anleger um ihre Ersparnisse zu bringen. Dies zeigt, wie tief verankert der Wunsch nach einer solchen Anlage bei vielen ist.

Leider ist ein solches Investment reine Utopie, denn damit würden quasi die Grundregeln an den Kapitalmärkten außer Kraft gesetzt. Generell lässt sich jede Art der Geldanlage anhand von drei Kriterien charakterisieren: Sicherheit, Rendite und Liquidität, also die jederzeitige Verfügbarkeit des Geldes. Der Haken ist, dass keine Anlageform alle drei Kriterien in gleicher Weise erfüllt: Je mehr man sich dem einen Kriterium nähert, desto größere Abstriche muss man bei den anderen beiden machen. Aus diesem Grund spricht man auch vom magischen Dreieck der Geldanlage. Bei kaum einer anderen Anlageform ist dabei der enge Zusammenhang zwischen Rendite und Risiko so offensichtlich wie bei Zinspapieren. Beide Größen sind wie zwei Seiten einer Medaille untrennbar miteinander verbunden.

☞ Liquidität
Mit diesem Begriff wird ganz allgemein die Eigenschaft einer Kapitalanlage beschrieben, wieder zu Geld gemacht werden zu können. Speziell an der Börse wird der Begriff dazu verwandt, die Marktgängigkeit eines Papiers, etwa einer einzelnen Aktie oder Anleihe, zu charakterisieren, also zu beschreiben, wie rege das Papier gehandelt wird.

Risiko versus Sicherheit

Unter Sicherheit verstehen Zinsanleger üblicherweise, dass sie ihr eingezahltes Kapital am Ende der Laufzeit oder bei einem Verkauf ihrer Papiere auf jeden Fall in voller Höhe zurückbekommen. Die meisten verbinden demnach mit dem Begriff Risiko die Möglichkeit, einen Verlust zu erleiden – zum Beispiel durch Kursschwankungen, die vor allem bei börsennotierten Anleihen durch eine Veränderung der allgemeinen Marktzinsen (→ Seite 158) auftreten können. Bei den Sparangeboten der Banken brauchen Anleger zwar keine Wertschwankungen fürchten, dafür müssen sie sich aber darauf einstellen, dass das Kreditinstitut Gebühren verlangt oder Strafzinsen berechnet, wenn sie vor dem Ende der Laufzeit an ihr Geld heran möchten. Und nicht zuletzt kann es passieren, dass die Bank oder der Herausgeber einer Anleihe in finanzielle Schwierigkeiten gerät und die Zahlungen einstellt. Mit anderen Worten: Auch Zinspapiere beinhalten eine Reihe von unterschiedlichen Risiken, die es bei der Auswahl zu beachten gilt.

Rendite

Kaum ein Anleger, der nicht bei der Auswahl einer Geldanlage auf die Rendite schaut. Sie ist ganz allgemein gesprochen der Ertrag, den das eingesetzte Kapital innerhalb einer bestimmten Zeit abwirft. Üblicherweise wird der Wert als eine auf das Jahr umgerechnete Prozentzahl angegeben. Was viele Zinssparformen dabei von anderen Anlageformen unterscheidet, ist die Tatsache, dass sich bereits vor dem Kauf berechnen lässt, was sie einbringen, denn die dafür notwendigen Angaben, wie laufende Verzinsung und Laufzeit, stehen oft schon beim Kauf fest (→ Seite 98).

Diese Berechnung gilt allerdings nur für den Fall, dass der Sparer die Anlage bis zum Fälligkeitszeitpunkt hält. Verkauft er vorzeitig, müssen bei der Renditeberechnung nicht nur die bis dahin aufgelaufenen Erträge, sondern auch noch die erzielten Kursgewinne oder -verluste auf Basis des Einstandskurses sowie die Verkaufsspesen berücksichtigt werden. Dies gilt vor allem für Papiere, die an der Börse gehandelt werden. Mit anderen Worten: Eine genaue Renditeberechnung ist in diesem Fall nur im Nachhinein möglich. Fachleute sprechen in diesem Zusammenhang auch von der „effektiven Verzinsung".

Gleiches gilt auch für den Ertrag, den der Anleger mit einem Investmentfonds erzielt, der sein Geld in Anleihen und/oder andere Zinspapiere investiert (→ Seite 110). Neben dem allgemeinen Zinsniveau ist dabei auch das Anlagegeschick des Fondsmanagers

Das Fachchinesisch der Profis

Wenn es um den Ertrag einer Kapitalanlage geht, jonglieren Bankberater und Finanzexperten gerne mit den unterschiedlichsten Begriffen – zum Verdruss ihrer meist unbedarften Kundschaft. Mal ist von „Durchschnittszins" und „Bonus", dann wieder von „Wertzuwachs" und „Prämie" die Rede. In den meisten Fällen hat dieses Begriffswirrwarr nur ein Ziel: Die Banken versuchen, die klägliche Rendite ihrer Produkte in besserem Licht erscheinen zu lassen.

Besonders beliebt ist das bei Sparplanangeboten (→ Seite 51). Durch die undurchsichtige Kombination aus (niedriger) Grundverzinsung und laufzeitabhängiger Bonuszahlung ist es den Geldhäusern nach Belieben möglich, zu tricksen und auch in Geldanlagen erfahrene Anleger glauben zu machen, sie würden eine höhere Rendite erzielen als es tatsächlich der Fall ist.

Ein anderer, ebenso verbreiteter „Kniff" ist die Werbung mit dem „durchschnittlichen Zinssatz" oder „Wertzuwachs". Mit ihm lässt sich vor allem die Rendite von Einmalanlagen schönen, bei denen die Zinsen bis zum Ende der Laufzeit über mehrere Jahre angesammelt werden.

Dazu ein Beispiel: Eine zweijährige Sparanlage über 100 Euro wird mit 5 Prozent verzinst. Nach einem Jahr beträgt das Kapital inklusive Zinsen 105 Euro. Am Ende des zweiten Jahres erhält der Sparer 110,25 Euro (105 Euro + [105 Euro × 5 %]) zurück. Die Rendite entspricht in diesem einfachen Fall dem Zinssatz von 5 Prozent. Die durchschnittliche Wertsteigerung liegt jedoch mit 5,125 Prozent höher. Dazu werden die aufgelaufenen Zinsen einfach durch die Anzahl der Jahre geteilt (10,25 : 2). So wird mathematisch ausgeblendet, dass sich das effektiv eingesetzte Kapital durch die gutgeschriebenen Zinsen jedes Jahr um die anteiligen Jahreszinsen erhöht. Oder anders formuliert: Die Bank benutzt den Zinseszinseffekt zur Beschönigung der Ertragsstärke ihres Produkts. Je länger die Laufzeit, desto größer ist daher der Unterschied zwischen durchschnittlicher Verzinsung und tatsächlicher Rendite.

Tipp für den richtigen Renditevergleich

Lassen Sie sich von hohen Boni und Zinsangaben in Werbebroschüren nicht verwirren. Achten Sie auf die Angabe der effektiven Rendite beziehungsweise den Effektivzins. Nur so können Sie unterschiedliche Angebote miteinander vergleichen. Anders als bei Krediten sind die Banken nicht zur Angabe dieser Kennziffer verpflichtet. Sollte die Information fehlen, fragen Sie ausdrücklich Ihren Berater danach und lassen Sie sich die Höhe des Kapitals einschließlich Zinsen am Ende der Laufzeit ausrechnen.

mitentscheidend dafür, welche Rendite der Fonds abwirft. Zudem besitzt ein Fondsanteil anders als etwa eine Anleihe (→ Seite 65), von wenigen Ausnahmen abgesehen, keine feste Laufzeit. Der Anleger kann somit erst nach dem Verkauf genau ausrechnen, welche Rendite ihm sein Fondsinvestment unter Berücksichtigung zwischenzeitlicher Ausschüttungen, Kursgewinne und seiner Anlagedauer gebracht hat.

Brutto ist nicht gleich Netto

Wer wissen will, wie rentabel seine Anlagen wirklich waren, darf nicht nur die Erträge, sondern muss auch die Kosten berücksichtigen – zum Beispiel für ein Depot, in dem Anleihen und Fonds verwahrt werden, und eventuelle Provisionen für den An- und Verkauf der Papiere. Sie zehren einen Teil der Bruttorendite auf. Das, was unter dem Strich bleibt, ist die Nettorendite.

Mit den Kosten alleine ist es aber meist nicht getan. Auch das Finanzamt verlangt in vielen Fällen von Zinsanlegern seinen Anteil (→ Seite 120). Der Ertrag, der danach letztlich beim Anleger ankommt, ist die Nettorendite nach Steuern. Diese lässt sich nur dann genau berechnen, wenn der Anleger seinen persönlichen Grenzsteuersatz kennt.

Liquidität: Die Verfügbarkeit des Geldes

Neben der Rendite und der Sicherheit einer Anlage ist vor allem auch die Frage relevant, wie schnell und einfach der Anleger wieder aussteigen kann. In der Regel gilt, dass Zinsanleger, die sich für einen längeren Zeitraum festlegen, dafür mit einer höheren Rendite „entschädigt" werden. Schließlich können viele Zinsanlagen, wie zum Beispiel Sparbriefe, während der Laufzeit gar nicht vorzeitig gekündigt, geschweige denn verkauft werden.

Der Vorteil festverzinslicher Wertpapiere, die an der Börse gehandelt werden (→ Seite 70), ist, dass sie grundsätzlich an jedem Handelstag ohne große Formalitäten veräußert und zu Geld gemacht werden können. Allerdings: Nicht jede Anleihe wird so rege gehandelt, dass der Anleger sicher sein kann, zu jedem Zeitpunkt einen Käufer für seine Papiere zu finden. Die Liquidität, wie es in der Fachsprache heißt, ist bei solchen Anleihen niedrig.

Das heißt aber nicht, dass die hohe Liquidität einer Anleihe automatisch mehr Ertragssicherheit bedeutet. Denn der Preis, den der

Anleger erhält, wenn er an einem bestimmten Tag auf jeden Fall verkaufen will, ist nicht garantiert. Er muss den Kurs akzeptieren, der sich aufgrund der aktuellen Zinssituation (→ Seite 150) ergibt. Unter Umständen heißt das, er bekommt weniger Geld zurück als er ursprünglich eingezahlt hat – womit sich wiederum der Kreis aus Rendite, Sicherheit und Liquidität schließt.

Prioritäten setzen und Stärken nutzen

Nicht nur bei seinen Sparzielen, sondern auch bei der Auswahl und Zusammenstellung einzelner Anlagen gilt daher: Der Sparer muss Prioritäten setzen. Wer zum Beispiel sein angespartes Geld in einem Jahr etwa für eine größere Anschaffung oder den Kauf einer Immobilie benötigt, muss auf Nummer Sicher gehen und sich bei der Rendite bescheiden. Sparer, die dagegen langfristig für ihren Lebensabend vorsorgen, können der Rendite einen höheren Stellenwert einräumen und im Gegenzug Abstriche bei der Sicherheit und/oder der Liquidität in Kauf nehmen.

Ziel ist es nun, beim Vermögensaufbau alle drei Größen dieses magischen Dreiecks so gut es geht unter einen Hut zu bekommen. Dabei gilt es, die individuellen Stärken unterschiedlicher Anlageformen zu nutzen und auszubalancieren anstatt einzelne überzugewichten. Ein ausgewogenes Depot zeichnet sich demnach dadurch aus, dass Rendite, Risiko und Liquidität in einem angemessenen Verhältnis zueinander stehen. Eine passable Rendite nützt beispielsweise wenig, wenn sie mit überdurchschnittlich hohen Risiken „erkauft" wird. Umgekehrt gilt: Wer versucht, jegliches Risiko auszuschalten oder zumindest so gering wie möglich zu halten, muss damit rechnen, eine Rendite zu erzielen, die wenig über Sparbuchniveau liegt.

Die Lösung (für Vermögende)

Die zündende Idee zur Lösung dieses Problems hatte Harry M. Markowitz. Er fand Ende der 50er-Jahre heraus, dass es möglich ist, durch den Kauf verschiedener Anlageformen und durch die Mischung mehrerer Titel innerhalb dieser einzelnen Anlageformen das Risiko erheblich zu minimieren, ohne dass die Ertragschancen wesentlich sinken. Für den Anleger bedeutet das, dass er sein Depot nicht wahllos zusammenstellen, sondern von Anfang an systematisch und strukturiert vorgehen sollte.

Der erste Schritt ist, das eigene Gesamtvermögen so auf Aktien, Anleihen, Bargeld beziehungsweise jederzeit verfügbare Anlagen (und gegebenenfalls Immobilien) aufzuteilen, wie es der individuellen Risikoneigung entspricht. Der Fachmann spricht in diesem

Assetklasse
Anlageform; Asset (engl.): Vermögensgegenstand

Zusammenhang von der Aufteilung auf einzelne Assetklassen. Im zweiten Schritt wird das Anlagekapital innerhalb der einzelnen Assetklassen mittels verschiedener Papiere auf einzelne Branchen, Märkte und Währungen verteilt. Dies nennen Finanzexperten die Asset-Allocation. Dabei achten sie darauf, Papiere auszuwählen, deren Kurse sich weitgehend unabhängig oder sogar entgegengesetzt voneinander entwickeln. Allerdings: Wer seine Asset-Allocation so wie von Markowitz gedacht in Eigenregie konzipieren und in die Praxis umsetzen will, muss über ein beträchtliches Vermögen verfügen. Andernfalls lässt sich das Geld kaum auf die notwendige Zahl von Anlageformen und Produkten verteilen.

Spezialfall: Bequemlichkeit

Zugegeben, Vermögensplanung und Asset-Allocation – das alles klingt ziemlich kompliziert und nicht gerade leicht zu handhaben. Wer sich allerdings die Mühe macht, sich mit den Fragen nach Anlegertyp und Asset-Allocation zu beschäftigen, erhält ein Anlagerezept, das auf Dauer gute Ergebnisse verspricht.

Aber nicht jeder Sparer möchte einen so großen Aufwand betreiben. Vielen ist zudem die leichte Verständlichkeit und Bequemlichkeit einer Anlage ebenso wichtig bei der Auswahl: Sie soll einfach zu handhaben sein, nur wenig Aufmerksamkeit während der Laufzeit benötigen und keinesfalls eine Beobachtung des gesamten Marktumfeldes erfordern. In diesem Ratgeber wird daher versucht, bei der Beschreibung der einzelnen Produkte deutlich zu machen, mit welchem Aufwand die jeweilige Anlageform verbunden ist: Muss sie gar nicht, halbjährlich oder gar monatlich überprüft werden?

Die Erfahrung zeigt, dass derjenige, der ein einfaches Produkt sucht und sich wenig Mühe bei der Auswahl einer Bank machen möchte, bereit sein muss, Abstriche bei der Rendite zu machen.

Die drei Säulen der Asset-Allocation

Struktur	Streuung	Risikokontrolle
● Depotaufteilung Aufteilung zwischen Aktien, Anleihen, anderen Wertpapieren und Währungsanteil **● Liquidität** Bemessung der Barreserve und des Börsenbudgets	**● Titeldiversifikation** Aufteilung auf Einzeltitel und Branchen **● Marktdiversifikation** Aufteilung auf verschiedene Märkte	**● Kapitaleinsatz** Festlegung von Höchstbeträgen pro Investment **● Risikobegrenzung** Festlegung von Höchstgrenzen für mögliche Verluste bzw. Schwankungsintensität

Dabei ist zu beachten, dass es auch unter den „bequemen" Produkten Renditeunterschiede gibt. Und manchmal lohnt sich schon ein Quäntchen mehr an Aufwand, um ein Zinsplus zu erzielen. Es muss nicht immer gleich die ausgefeilte Strategie sein. Wenn eingeschworene Sparbuchsparer zum Beispiel den Schritt zum Tagesgeldkonto oder zum Festgeldkonto wagen, ist häufig bereits viel gewonnen. Vielleicht findet der eine oder andere bequeme Anleger ja auch Anregungen in diesem Buch, die ihn in Geldangelegenheiten etwas unternehmungslustiger machen.

Sparhilfe von Arbeitgeber und Finanzamt

Einer der größten Vorteile von Zinsanlagen ist, dass die meisten Angebote keine oder nur geringe Mindestanlagebeträge erfordern. Das erleichtert den Start enorm, denn schon mit einem Euro lässt sich in vielen Fällen ein Tagesgeld- oder Sparkonto eröffnen, auf das danach jeder beliebige Betrag eingezahlt werden kann. Schon rund 50 Euro reichen, um einen Bundesschatzbrief zu kaufen oder einen Sparplan bei einer Bank abzuschließen.

Doch es muss noch nicht einmal „eigenes" Geld sein, mit dem man beginnt, Vermögen aufzubauen. Beim Sparen helfen der Arbeitgeber und unter Umständen auch das Finanzamt im Rahmen der staatlich geförderten Vermögensbildung mit einem Zuschuss. Fast jeder Sparer, der in einem tarifvertraglich geregelten Beschäftigungsverhältnis steht, hat Anspruch auf die „vermögenswirksamen Leistungen" – kurz VL genannt. Je nach Tarifvertrag und individueller Betriebsvereinbarung zahlt der Arbeitgeber zwischen 6,65 und 40 Euro an VL – zusätzlich zum normalen Gehalt.

Der Gesetzgeber hat dabei festgelegt, dass nur bestimmte Anlageformen für die Anlage der VL infrage kommen. Der Katalog ist allerdings vielseitig. Er reicht von Banksparplänen (→ Seite 51) über Bausparverträge (→ Seite 55) und Lebensversicherungen bis hin zu Aktien, Aktienfonds und anderen Beteiligungspapieren. In den meisten Fällen wird der VL-Vertrag sechs Jahre lang angespart und ruht dann bis zu einem Jahr, wobei das Jahr des Vertragsabschlusses voll mitzählt, egal, in welchem Monat die erste Rate gezahlt wird. Nach Ablauf der maximal siebenjährigen Sperrfrist kann der Sparer dann bei einem mit Sparzulage geförderten Vertrag frei über sein Kapital verfügen; in allen anderen Fällen ist das jederzeit möglich.

Zusätzliche Arbeitnehmersparzulage von Vater Staat

Unter bestimmten Voraussetzungen legt der Staat noch etwas auf die vermögenswirksamen Leistungen des Arbeitgebers drauf: die so genannte Arbeitnehmersparzulage. Mit dieser Zulage fördert der Fiskus allerdings nur die Anlage der vermögenswirksamen Leistungen in Bausparverträgen und Beteiligungssparformen wie zum Beispiel Aktien und Aktienfonds. Sie beträgt derzeit bei Bausparverträgen 9 Prozent bis zu einem jährlichen Förderungshöchstbetrag von 470 Euro pro Jahr. Bei den Aktienfonds und anderen Beteiligungspapieren steigt die Zulage auf 18 Prozent der Sparsumme. Allerdings sinkt gleichzeitig der förderungsfähige Höchstbetrag auf jährlich 400 Euro.

Das Besondere: Beide Fördertöpfe können gleichzeitig mit zwei parallel laufenden Verträgen angezapft werden – also mit einem Bausparvertrag und beispielsweise einem Fondssparvertrag. Die vermögenswirksamen Leistungen des Arbeitgebers erhöhen sich in diesem Fall allerdings nicht, sodass der Arbeitnehmer die Sparraten aus seinem Netto-Gehalt entsprechend aufstocken muss, was sich, wenn er innerhalb der Einkommensgrenzen (→ Tabelle, Seite 59) liegt, allerdings allemal lohnt. Zu beachten ist, dass bei diesen Freigrenzen das zu versteuernde Einkommen entscheidend ist. Das Bruttoeinkommen kann je nach Familienstand, Zahl der Kinder und persönlicher Steuersituation weitaus höher sein.

Die Zulage zahlt der Fiskus aber nicht in bar aus. Sie muss vom VL-Sparer im Rahmen seiner jährlichen Einkommensteuererklärung beantragt werden. Der staatliche Zuschuss wird dann erst am Ende des siebten Sparjahres in einer Summe überwiesen. VL-Verträge können in vielen Fällen vorzeitig gekündigt oder beendet werden. Die eingezahlten Beträge werden dann ohne Abschlag ausgezahlt. Auf die staatliche Prämie muss der Sparer allerdings verzichten.

Welche Anlageform für die VL wählen?

In puncto Rendite haben Aktienfonds zweifellos am meisten zu bieten. Zweistellige Durchschnittsrenditen sind bei einer langen Laufzeit in der Vergangenheit keine Seltenheit gewesen. Ob dies aufgrund der Börsenentwicklung auch in Zukunft der Fall sein wird, weiß jedoch niemand mit Sicherheit vorherzusagen.

Wer in den Genuss der staatlichen Förderung kommt, aber das Risiko von Aktien scheut, dem bleibt als Alternative nur der Bausparvertrag. Er lohnt sich auch, wenn der

Tipp: Informationen einholen

Die jeweils aktuellen Konditionenvergleiche der einzelnen VL-Anlageformen (Aktienfonds, Sparpläne, Bausparverträge) werden regelmäßig in FINANZtest (www.finanztest.de, Stichwort „Geldanlage und Banken“, Rubrik Infodokumente) veröffentlicht.

Sparer nicht beabsichtigt, Wohneigentum zu erwerben (→ Seite 58). Wer dagegen über den Fördergrenzen liegt und ganz auf Nummer Sicher gehen will, für den bieten sich neben Bausparverträgen auch Banksparpläne (→ Seite 51) an. Derzeit lassen sich allerdings bei manchen Bausparkassen mit den Rendite-Bausparverträgen die höheren Zinsen erzielen.

Beratung dringend gesucht

Nur die wenigsten Sparer sind Finanzexperten und in Sachen Geldanlage so bewandert, dass sie in der Lage sind, die Dinge selbst in die Hand zu nehmen. Spätestens, wenn sie ein paar Tausend Euro zusammengespart haben und für einen längeren Zeitraum rentabel anlegen wollen, sind sie auf fachmännischen Rat angewiesen. Meist gehen sie dann zuerst zu einem Berater ihrer Hausbank. Interessiert sich der Sparer dabei auch für börsengehandelte Zinspapiere, ist die Bank sogar gesetzlich verpflichtet, eine erste einführende Anlageberatung vorzunehmen. So sieht es das so genannte Wertpapierhandelsgesetz (WpHG) vor. Darin ist festgeschrieben, dass die Kreditinstitute bestimmte Aufklärungs- und Sorgfaltspflichten gegenüber ihren Wertpapierkunden zu erfüllen haben. Dazu gehört in erster Linie, dass sich die Geldhäuser über die Vermögens- und Einkommensverhältnisse, vorhandene Kenntnisse und Erfahrungen mit Wertpapieren und über die Anlageziele informieren müssen. Sinn und Zweck der gesetzlichen Verpflichtung ist es, dass die Banken eine anleger- und anlagegerechte Beratung durchführen.

Allzu große Hoffnungen sollte man als Sparer dennoch nicht daran knüpfen. Die meisten Banken und Sparkassen erledigen die Beratung mithilfe eines standardisierten Fragebogens. Dazu wird den Anforderungen des Gesetzes bereits Genüge getan, wenn die Bank ihrem Kunden einige Informationsbroschüren aushändigt und im ersten Gespräch eine Reihe formaler Punkte abfragt. Darüber hinaus kann man nur in den seltensten Fällen eine umfassende und sachkundige Beratung erwarten. In den vergangenen Jahren haben die STIFTUNG WARENTEST und die Verbraucherzentralen mehrfach die Anlageberatung von Kreditinstituten und Finanzvermittlern unter die Lupe genommen und dabei immer wieder ein zum Teil erschreckend niedriges Niveau festgestellt.

Tipps für ein gutes Beratungsgespräch

- **Ziele abstecken.** Bereiten Sie sich auf das Beratungsgespräch vor. Überlegen Sie sich, für welchen Zeitraum Sie Ihr Geld anlegen wollen und welche Ziele Ihnen wichtig sind – etwa: langfristiger Vermögensaufbau, Finanzierung der Ausbildung für die Kinder und Ähnliches.

- **Termin vereinbaren.** Eine Anlageberatung gibt es meist schon in der Filiale um die Ecke. Viele Kreditinstitute haben aber spezielle Vermögensberatungs- oder Wertpapiercenter, in denen besonders geschulte Mitarbeiter zur Beratung bereit stehen. Nutzen Sie solche Angebote und vereinbaren Sie dort einen Beratungstermin, sodass sich der Bankmitarbeiter ausreichend Zeit für Sie nehmen kann.

- **Aufrichtig bleiben.** Wenn Ihnen der Berater einen Fragebogen vorlegt, füllen Sie ihn am besten zusammen mit ihm aus. Geben Sie nicht, etwa aus Eitelkeit, vor, mehr über das Thema Geldanlage zu wissen, als es tatsächlich der Fall ist. Und betonen Sie es gegebenenfalls ausdrücklich, wenn Sie nicht bereit sind, irgendwelche Risiken einzugehen und kein Interesse an riskanten Anlageformen haben. Auf diese Weise stellen Sie am ehesten sicher, dass der Vorschlag des Beraters Ihrem Anlegernaturell und Anlageziel entspricht. Außerdem verschlechtern Sie sonst Ihre Chancen, die Bank aufgrund einer möglichen Falschberatung nachträglich haftbar machen zu können. Denken Sie aber auch daran, dass Sie nicht verpflichtet sind, alle Fragen zu beantworten.

- **Einblick fordern.** Verlangen Sie eine gründliche Erläuterung des Beraters darüber, ob er Sie in eine bankinterne Anlegerkategorie eingeordnet hat und, wenn ja, in welche. Sie haben ein gesetzlich verankertes Recht, dies zu erfahren.

- **Beratungsgespräch dokumentieren.** Verlangen Sie eine Kopie des Fragebogens, und lassen Sie sich die Anlagevorschläge des Beraters am besten schriftlich geben. Machen Sie sich außerdem Notizen während des Gesprächs – zum Beispiel, welche anderen Anlagevarianten der Berater Ihnen vorgeschlagen hat, wovon er unter Umständen ausdrücklich abgeraten und welche Kosten er genannt hat. Fragen Sie unbedingt, wenn Ihnen etwas unklar erscheint oder einzelne Fachbegriffe unverständlich sind.

- **Begleitung erwünscht.** Gehen Sie, wenn möglich, nicht allein zum Beratungsgespräch. So haben Sie einen Zeugen parat, sollte es später zu einer Auseinandersetzung wegen mangelhafter Beratung kommen.

Ethisch und ökologisch anlegen – auch bei Zinssparformen möglich

Die meisten Anleger wollen für ihr Geld in erster Linie eine angemessene Verzinsung erzielen. Aber für eine immer größer werdende Zahl von Menschen ist es wichtig, dass dies nicht um jeden Preis geschieht. Für sie sind neben den reinen Rendite- und Risikoaspekten auch ethische, soziale und ökologische Gesichtspunkte bei der Auswahl einer Kapitalanlage entscheidend. Beschäftigen müssen sich mit dieser Fragestellung vor allem Aktienanleger. Schließlich sind sie als Aktionäre direkt an einem Unternehmen beteiligt und damit in gewisser Weise mitverantwortlich dafür, wie „ihr" Konzern wirtschaftet.

Aber auch Zinssparer, denen der Öko- und Ethik-Aspekt wichtig ist, müssen fragen: Was geschieht mit meinem Geld? Wird damit unter Umständen ein Rüstungsunternehmen oder ein Tourismusprojekt in einem Naturschutzgebiet mitfinanziert? Auch für sie gilt es, Kriterien zu definieren, die eine Bank oder ein Unternehmen erfüllen muss, damit dessen Sparprodukte oder Anleihen für ein Investment infrage kommen. Die Schwierigkeit ist allerdings, dass „ethisch" und „ökologisch" keine exakt abgegrenzten Begriffe sind. Darunter versteht jeder Anleger etwas anderes. Für den einen reicht es bereits, dass ein Unternehmen seine Produktion so weit wie möglich ökologisch gestaltet, andere wiederum lehnen Banken kategorisch ab, die beispielsweise Unternehmen aus der Kernkraftwerks-, Tabak- oder Automobilbranche zu ihren Kunden zählen.

Kein Ökosiegel für Geldanlagen

Dabei wird viele Anleger weniger die Zusammenstellung ihres Kriterienkatalogs überfordern als vielmehr das Problem, die ins Auge gefassten Banken und Unternehmen daraufhin zu überprüfen, inwieweit sie den gestellten Anforderungen gerecht werden. Leider gibt es bislang noch kein allgemein anerkanntes „Öko- oder Ethik-Siegel" für Geldanlagen – quasi einen „Blauen Engel". Allerdings erstellen viele große Konzerne auf Druck der Investoren mittlerweile einmal pro Jahr einen Sozial- und Umweltbericht, in dem sie Auskunft darüber geben, wie ethisch und ökologisch sie wirtschaften. Zudem arbeiten in Deutschland eine Reihe ökologisch und ethisch orientierter Banken, die genauso wie herkömmliche Institute Sparanlagen und Fondsprodukte anbieten. Die von ihren Sparkunden angelegten Gelder vergeben sie jedoch im Unterschied zu den herkömmlichen Banken zu günstigen Konditionen an ausgesuchte Projekte und Unternehmen in Form von Krediten. Dieses Konzept basiert allerdings in den meisten Fällen darauf, dass die Kunden ihrerseits bereit sind, auf eine marktgerechte Verzinsung ihrer Einlage zu verzichten und auf diese Weise die Kredite und die Alternativbanken zu subventionieren.

Begrenztes Angebot

Das Angebot an ethischen und ökologischen Zinsanlagen ist in den vergangenen Jahren deutlich gewachsen. Seien es Fonds, Tagesgeldkonten oder Sparbriefe – grundsätzlich brauchen Anleger, für die Umweltkriterien von Bedeutung sind, keine Abstriche mehr zu machen. Insofern können Zinssparer die im letzten Kapitel dieses Buchs vorgestellten Anlagestrategien (→ Seite 132) auch unter dem Kriterium ethisches beziehungsweise ökologisches Investment umsetzen. Dennoch sollte sich derjenige, der sein Geld verantwortungsvoll vermehren und dabei Gutes tun will, darauf einstellen, dass die Auswahl im Einzelfall gegenüber herkömmlichen Angeboten relativ gering ist – in erster Linie, weil es zahlenmäßig viel mehr traditionelle Banken, Sparkassen und Herausgeber von Anleihen gibt. Folge: Es kann im Einzelfall schwierig werden, das Geld auf die notwendige Zahl von Papieren und Laufzeiten zu verteilen.

Weitere Informationen

Über Nachhaltigkeitsindizes, Fonds und Riester-Produkte, die ethische, soziale und ökologische Kriterien berücksichtigen, informiert das Finanzportal www.nachhaltiges-investment.org.

Zum Thema ökologische Investments haben das Bundesumweltministerium und das Umweltbundesamt eine Broschüre mit dem Titel „Mehr Wert: ökologische Geldanlagen" herausgegeben. Die Broschüre ist kostenlos erhältlich beim
Umweltbundesamt
Postfach 33 00 22
14191 Berlin
Fax 0 30/89 03 29 12
oder kann unter
www. umweltbundesamt.de
(Menüpunkt „Publikationen" Stichwortsuche „Geldanlagen") heruntergeladen werden.

Es gibt eine Alternative

Eine mögliche Alternative, dieses Dilemma zu lösen, ist, das Geld selbst nicht gezielt nach ethischen/ökologischen/sozialen Kriterien zu investieren, sondern den höheren Zinsertrag, der sich dann in vielen Fällen bei den traditionellen Anlagen ergibt, im Rahmen von gezielten Einzelspenden (oder direkten Beteiligungen, beispielsweise an Ökounternehmen) genau den Projekten und gesellschaftlichen Gruppen zukommen zu lassen, die im anderen Fall einen subventionierten Kredit etwa von einer Ökobank erhalten hätten. Diese Einzelspenden sind steuerlich absetzbar.

Die Sparangebote der Banken und Sparkassen

Sparer, denen die Börse suspekt ist und Fonds zu kompliziert sind, können bei Banken und Sparkassen ihr Geld einfach und sicher anlegen. Denn Sparkonten, -briefe und -pläne gelten als solide Zinsanlagen, mit denen man wenig falsch machen kann.

Wer zudem auf ein paar Dinge achtet, braucht auch nicht um seine Einlage zu fürchten, sollte einmal der seltene Fall eintreten, dass die Bank in finanzielle Schwierigkeiten gerät. Doch die Sicherheit hat ihren Preis: Viele Geldhäuser knausern und tricksen mit ihren Zinsen, wo sie nur können. Bessere Renditen können Banksparer nur dann erzielen, wenn sie sich für längere Zeit fest an ein Geldhaus binden.

Das Sparbuch

Es gibt wohl kaum einen Bundesbürger, der nicht zumindest schon einmal in seinem Leben ein Sparbuch besessen hat. Vielfach legen bereits die Eltern für ihren Nachwuchs unmittelbar nach der Geburt ein entsprechendes Konto an. Später sind es oft die Großeltern, die ihren Enkeln den einen oder anderen Geburtstag versüßen, indem sie ihnen ein gut gefülltes Buch mit auf den Gabentisch legen. Das wird dann vielleicht zunächst für den Führerschein oder die eigene Wohnung geplündert, aber nur selten gekündigt. Verdient der Nachwuchs irgendwann sein eigenes Geld und will etwas davon auf die hohe Kante legen, wird oft das wohl vertraute Buch wieder aus dem Schrank oder der Schreibtischschublade genommen und das Geld darauf eingezahlt.

Wahrscheinlich ist so am ehesten zu erklären, warum das Sparbuch beziehungsweise Sparkonto eine der beliebtesten Anlageformen deutscher Sparer und für die Kreditwirtschaft das ist, was in der Automobilindustrie einst der VW Käfer war: ein Klassiker, der läuft und läuft und läuft. Nach der Statistik der Deutschen Bundesbank lagerten per Ende 2004 immerhin rund 125 Milliarden Euro auf Sparkonten bei Banken und Sparkassen, der überwiegende Teil davon als „Spareinlagen mit

Sparkonto mit dreimonatiger Kündigungsfrist

↘	Renditechance
↗	Sicherheit
→	Verfügbarkeit
↘	Steuereffekt
↗	Bequemlichkeit

Geeignet für:
Die kurzzeitige Anlage kleinerer Beträge; erstes Konto für Kinder und Jugendliche, die den Umgang mit dem Thema Sparen lernen sollen.

Alternative Anlagemöglichkeiten:
→ Tabelle, Seite 141

dreimonatiger Kündigungsfrist", wie die offizielle Bezeichnung für Sparbücher lautet.

Dieser etwas umständliche Ausdruck deutet bereits darauf hin, dass Sparbuchinhaber über ihr Geld nicht nach Belieben verfügen können. Höchstens 2 000 Euro pro Kalendermonat dürfen sie abheben, ohne dass sie dies ihrem Kreditinstitut vorher mitteilen müssen. Für jeden Euro darüber hinaus gilt die genannte Kündigungsfrist. Hält sich der Sparer nicht daran, ist die Bank berechtigt, Vorschusszinsen zu berechnen. Diesen „Strafzins" darf sie allerdings nicht höher ansetzen als ein Viertel des zuletzt gezahlten Habenzinses und das auch nur für die Dauer der nicht eingehaltenen Kündigungsfrist, also maximal für drei Monate. Verzinst zum Beispiel die Bank ihre Spareinlagen mit 2 Prozent, darf sie höchstens 0,5 Prozent Vorschusszinsen in Rechnung stellen – und zwar nur für den Teil des abgehobenen Geldes, der über dem monatlich gewährten Freibetrag liegt.

Tipp für die Kündigung

Lassen Sie sich nicht allein durch die Vorschusszinsen davon abhalten, einen größeren Betrag in eine Sparanlage mit besserer Verzinsung umzuschichten. Meist zahlen die Institute auf ihre klassischen Spareinlagen so niedrige Zinssätze, dass die Strafzinsen kaum ins Gewicht fallen. Ohnehin verzichten die meisten Banken auf die Berechnung, wenn das Geld in hauseigene Sparangebote mit mindestens derselben Festlegungsfrist oder länger umgebucht wird. Auch beim Nachweis einer wirtschaftlichen Notlage oder beim Tod des Sparers sehen die Banken und Sparkassen fast ausnahmslos davon ab. Und zu guter Letzt lassen sich die Vorschusszinsen unter Umständen mit einem einfachen Schachzug vermeiden oder zumindest reduzieren, indem die Verfügung aufgeteilt und zeitlich gestreckt wird: eine Auszahlung zum Monatsende, die zweite dann unmittelbar zu Anfang des Folgemonats.

Einfache Handhabung

Dass Sparbücher bei den Anlegern so hoch im Kurs stehen, ist vor allem mit der einfachen Handhabung zu erklären. Die Eröffnung ist bei nahezu jeder Bank und Sparkasse möglich. Dazu reicht die Vorlage eines gültigen Personalausweises und eine erste Einzahlung von mindestens einem Euro. Darüber hinaus kann der Sparer jeden beliebigen Betrag anlegen. Sogar für minderjährige Jugendliche ist es möglich, ein Sparbuch zu eröffnen und darauf einen Teil ihres Taschengeldes oder den Verdienst vom Ferienjob anzusparen. Die Eröffnung ist ebenso kostenfrei wie die Kontoführung, dazu fallen weder Gebühren oder Provisionen an. Nur wenn das Sparbuch verloren geht, muss der Sparer damit rechnen, dass er für die Ausfertigung eines neuen Buches zur Kasse gebeten wird.

Bis vor einigen Jahren waren die Kreditinstitute verpflichtet, mit der Eröffnung des Kontos ein Buch auszustellen, das dann bei jeder Ein- und Auszahlung am Schalter vorgelegt werden musste. Unbare Überweisungen vom Sparbuch auf ein anderes Konto waren nur in Ausnahmefällen möglich. Mittlerweile sind die Bestimmungen jedoch gelockert worden. So können die Banken zum Beispiel auf die Ausstellung eines Buches verzichten und ihrem Kunden stattdessen eine Plastikkarte in die Hand geben, mit der sich genauso wie bei einem Girokonto am Automaten der Kontostand abfragen und mittels einer Geheimzahl Geld abheben lässt. Und auch der Kauf von Wertpapieren oder die Umschichtung des Geldes in eine andere Kontenanlage ist meist problemlos möglich.

Sicher ist sicher

Ein Manko des Sparbuchs ist indes die eingeschränkte Sicherheit bei einem Verlust oder Diebstahl. Die kontoführende Bank darf, ohne dass sie dafür haftbar gemacht werden kann, grundsätzlich an diejenige Person Geld auszahlen, die das Buch an der Kasse vorlegt, solange die Summe innerhalb des Freibetrages liegt. Erst bei höheren Beträgen ist sie verpflichtet, die Identität zu prüfen. Bemerkt der Sparer also den Verlust, ist Eile angesagt. Meist lässt sich bereits mit einem Telefonanruf bei der Bank das Konto vorläufig sperren. Durch die Vereinbarung eines Kennwortes, das der Kontoinhaber bei jeder Verfügung dem Bankmitarbeiter nennen muss, lässt sich größerem Schaden vorbeugen.

Groß geschrieben wird dagegen bei deutschen Banken und Sparkassen das Thema Sicherheit bei einer Pleite. In den vergangenen Jahren ist es in Deutschland zwar eher selten vorgekommen, dass eine Bank zahlungsunfähig wurde und Konkurs anmelden musste. Tritt der Fall dennoch einmal ein, sind Spareinlagen fast immer hundertprozentig geschützt. Allerdings gibt es Ausnahmefälle, in denen nur der relativ niedrige, staatliche Einlagenschutz greift, und auch bei einigen ausländischen Banken, die über Filialen in Deutschland tätig sind, gelten andere Regeln (nachfolgender Abschnitt → Seite 37).

Knackpunkt: Verzinsung

Bequemlichkeit, einfache Handhabung, hohe Sicherheit und keine Kosten – all das hat freilich seinen Preis: Die Zinsen, die die Banken auf ihre „normalen" Spareinlagen zahlen, sind ausgesprochen mager. Streng genommen sind sie in vielen Fällen sogar unakzeptabel niedrig. Sätze von weniger als einem Prozent sind in der derzeitigen Niedrigzinsphase absolut keine Seltenheit und selbst gute Angebote bringen kaum mehr als 1,5 Prozent. Der Sparer macht damit in jedem Fall ein schlechtes Geschäft. Zieht er nämlich von seiner Verzinsung die Inflationsrate ab, die im Jahre 2004 zum Beispiel bei 1,6 Prozent lag, verliert seine Spareinlage real gesehen laufend an Wert.

Sparbuch trifft Fußballwette

Der Wettbewerb um Spareinlagen verleitet immer mehr Banken dazu, mit mehr oder weniger ungewöhnlichen Werbeaktionen und Angeboten die Aufmerksamkeit des Anlegerpublikums auf sich zu ziehen. Einige davon sind nicht unproblematisch (→ Seite 44), andere wiederum können getrost als Werbegag abgetan werden. Dazu gehört beispielsweise die „FC Bayern Sparkarte" der HypoVereinsbank – ein Sparkonto, dessen eher magere Basisverzinsung nach der Höhe des Anlagebetrags gestaffelt ist. Dazu kommt ein Bonus, dessen Höhe von den Torerfolgen der Fußballmannschaft des FC Bayern bei Bundesligaheimspielen abhängt, und für die Meisterschaft am Ende der Saison lobt die Großbank noch einen einmaligen Sonderzuschlag aus.

Die Kombination Fußball und Sparen ist nicht wirklich neu. Bereits Mitte 2004 hatte die Postbank die Rendite eines Festgeldes an den Erfolg der deutschen Fußballnationalmannschaft bei der Europameisterschaft in Portugal gekoppelt. Da das deutsche Team jedoch schon in der Vorrunde ausschied, fiel die Verzinsung für die Anleger eher erbärmlich aus, was zeigt, dass die Verbindung aus sicherer Sparanlage und Fußballwette kaum für einen kalkulierbaren und systematischen Vermögensaufbau taugt. Zumal es fast immer genügend alternative Angebote gibt, bei denen der Sparer gute Zinsen kassieren kann – ohne, dass er auf das Torglück der Kicker angewiesen ist.

So stellt sich die Frage, warum sich dieser Sparklassiker immer noch so hoher Beliebtheit erfreut und nicht längst zum Auslaufmodell geworden ist, wie sein automobiles Pendant. Für die dauerhafte Geldanlage ist das gewöhnliche Sparkonto jedenfalls ungeeignet. Sowohl für Einmalbeträge als auch für das regelmäßige Sparen gibt es lukrativere Alternativen, die in den nachfolgenden Abschnitten ab Seite 40 vorgestellt werden.

Exkurs: Einlagenschutz – Sicherheitsnetz bei einer Bankpleite

Wer sein Erspartes einer Bank anvertraut, kann von wenigen Ausnahmen abgesehen davon ausgehen, dass sein Geld dort sicher angelegt ist. Zwar ist es in den vergangenen Jahren immer mal wieder vorgekommen, dass einzelne Geldhäuser in finanzielle Schwierigkeiten geraten sind und sogar ihre Schalter schließen mussten. Dennoch muss kaum ein Sparer fürchten, dass in solch einem Fall sein Geld verloren ist. Denn in Deutschland ist seit dem Jahre 1998 der Mindesteinlagenschutz im Zuge der EU-Harmonisierung gesetzlich geregelt – und zwar im Einlagensicherungs- und Anlegerentschädigungsgesetz. Darin ist festgeschrieben, dass Bankkunden bei der Insolvenz ihres Instituts mit 90 Prozent ihrer Einlage, höchstens aber bis zu 20 000 Euro abgesichert sind. Das heißt, ein Kunde mit einer Spareinlage von beispielsweise 10 000 Euro erhält von der gesetzlichen Einlagensicherung, der Entschädigungseinrichtung deutscher Banken (EdB), eine Entschädigung von 9 000 Euro, einem Sparer, der 30 000 Euro angelegt hat, zahlt die Sicherungseinrichtung den Maximalbetrag von 20 000 Euro.

Gäbe es allein die staatliche Grundsicherung, sähe es mit dem Einlagenschutz in Deutschland also recht dürftig aus. In der Praxis stellt dieser gesetzliche Schutz lediglich eine Basisabsicherung dar. Die meisten Banken beziehungsweise Institutsgruppen (Privatbanken, Genossenschaftsbanken, Sparkassen) unterhalten über ihre Verbände freiwillige Schutzsysteme. Sie sorgen dafür, dass bei den allermeisten Instituten die Einlagen der Kunden in voller Höhe geschützt sind. Durch diesen Zusatzschutz kommt für Sparer bei den meisten deutschen Banken und Sparkassen unter dem Strich eine Absicherung auf „Vollkaskoniveau" heraus.

Infos im Netz

Informationen zum Einlagenschutz der einzelnen Institutsgruppen in Deutschland finden sich auf der Homepage der jeweiligen Verbände (Adressen → Seite 171):

- Bundesverband deutscher Banken (www.bdb.de), Menüpunkt „Broschüren", „Verbraucher-Infos",
- Deutscher Sparkassen- und Giroverband (www.dsgv.de),
- Bundesverband deutscher Volks- und Raiffeisenbanken (www.bvr.de).
- Zusätzliche Informationen gibt es auch bei der Bundesanstalt für Finanzdienstleistungsaufsicht (www.bafin.de) und der Entschädigungseinrichtung der Wertpapierhandelsunternehmen (www.e-d-w.de) – wichtig für Sparer, die ein Guthaben-, Fest- oder Tagesgeldkonto bei einem Broker oder Wertpapierhändler unterhalten.

Sparkassen, Genossenschaftsbanken und öffentliche Banken

Gänzlich unbesorgt können Kunden von Sparkassen (auch Landesbausparkassen) und Genossenschaftsbanken (Volks- und Raiffeisenbanken, Bausparkasse Schwäbisch-Hall, PSD-Banken und Sparda-Banken) sein. Das jeweilige Absicherungssystem der beiden Institutsgruppen ist so konzipiert, dass die einzelnen Mitglieder einem in finanzielle Schwierigkeiten geratenen Institut zu Hilfe eilen, bevor es zahlungsunfähig wird. Die Solidargemeinschaft springt dabei für die gesamten finanziellen Verpflichtungen des betroffenen Instituts ein, sodass dessen Geschäftsbetrieb in der Regel ganz normal weiterlaufen kann. Dadurch sind nicht nur sämtliche Einlagen bei dem betroffenen Institut abgesichert, sondern – im Gegensatz zu den Privatbanken – beispielsweise auch ausgegebene Schuldverschreibungen (→ Seite 62). Wegen ihres umfangreichen Schutzsystems sind Sparkassen und Genossenschaftsbanken nicht dazu gezwungen, Mitglied einer gesetzlichen Sicherungseinrichtung zu sein.

Zu 100 Prozent geschützt sind auch die Gelder bei öffentlichen Banken wie den Landesbanken, der Postbank und den öffentlich-rechtlichen Bausparkassen. Sie unterhalten einen eigenen Einlagensicherungsfonds, der im Notfall einspringt.

Privatbanken

Ähnlich wie die öffentlichen Banken haben die im Bundesverband deutscher Banken (BdB) zusammengeschlossenen privaten Geldhäuser (Großbanken, Privatbanken) lange vor der gesetzlichen Regelung einen eigenen Einlagensicherungsfonds aufgebaut, der nunmehr die Mindestabsicherung ergänzt. Der Fonds sichert die Einlagen pro Kunde bis zu 30 Prozent des haftenden Eigenkapitals der betroffenen Bank ab. Selbst bei kleineren Instituten sind auf diese Weise Kundengelder bis jeweils weit über 1,5 Millionen Euro gedeckt. Beim Branchenersten, der Deutschen Bank, kann ein Kunde sogar rund 7 Milliarden Euro anlegen, ohne Verluste fürchten zu müssen.

Gerät eine Privatbank in die Insolvenz, springt zuerst die EdB bis zu 90 Prozent der Einlage beziehungsweise bis 20 000 Euro ein. Der Restbetrag wird vom Einlagensicherungsfonds der Privatbanken ersetzt. Geschützt sind allerdings nur die Einlagen bei der Bank, das heißt Guthaben auf Girokonten, Fest- und Termingelder, Guthaben auf dem Sparbuch, Sparpläne und -briefe. Ausgegebene Anleihen (→ Seite 86) zählen hingegen nicht dazu. Deren Besitzer gehen bei einer Bankpleite in der Regel leer aus. Deswegen ist es wichtig, vor dem Kauf dieser Zinspapiere auf die Zahlungsfähigkeit, auch Bonität (→ Seite 95) genannt, der Bank zu achten, die sie ausgibt. Dazu kommt außerdem: Die Mitgliedschaft im BdB und damit im Sicherungsfonds ist für ein privates Institut keine Pflicht. Es kann sich freiwillig zum Beitritt entschließen. Das heißt, die Gelder bei einer Privatbank sind nicht automatisch in voller Höhe abgesichert. Eine Handvoll Institute bietet lediglich den gesetzlichen Mindestschutz.

Die Risikobanken

Diese privaten Banken sind für sicheres Sparen mit Festgeld, Sparbuch oder Sparbrief ungeeignet. Geht die Bank Pleite, bekommen Anleger nur 90 Prozent dieser Einlagen, maximal 20 000 Euro zurück.

Banken mit nur gesetzlichem Einlagenschutz

- Privatbank Reithinger
- Umweltbank Nürnberg
- Auma Kreditbank
- Bank Companie Nord

Die Liste ist nicht vollständig. Es gibt weitere private Banken, die nur den gesetzlichen Mindestschutz bieten. Viele dieser Banken haben jedoch gar keine Sparprodukte für Privatanleger im Angebot.

Stand: November 2004

Wie im konkreten Einzelfall Spargelder geschützt sind, steht in jedem Fall im Vertrag, meist aber auch im Preisaushang und/oder den allgemeinen Geschäftsbedingungen des Geldhauses. Vorsicht gilt, wenn dort die Formulierung „Die Bank ist Mitglied der gesetzlichen Einlagensicherung“ oder „gehört der Entschädigungseinrichtung der deutschen Banken GmbH an“ zu finden ist. In diesem Fall nehmen Sparer von einem Abschluss besser Abstand.

Ruhig schlafen können die Kunden privater Bausparkassen. Diese Institute sind ebenfalls Zwangsmitglied in der gesetzlichen Einlagensicherung, zudem in einem eigenen Sicherungsfonds organisiert. Dieser sichert Bausparguthaben in unbegrenzter Höhe ab, andere Einlagen sind bis zu 250 000 Euro pro Anleger geschützt.

Ausländische Banken

Skeptisch sind viele Sparer hierzulande gegenüber den Anlageangeboten einiger ausländischer Banken, die mit teilweise lukrativen Angeboten auf Jagd nach Kundengeldern gehen. Daher tauchen ihre Namen regelmäßig in den einschlägigen Zins- und Konditionenranglisten ganz oben auf. Viele der Auslandsinstitute, die mit einer Zweigstelle in Deutschland vertreten sind, gewähren ihren Kunden den Einlagenschutz ihres Heimatlandes und der ist häufig besser als der gesetzliche Schutz in Deutschland. In Österreich und den Niederlanden zum Beispiel sichert der nationale Einlagensicherungsfonds Einlagen bis zu 20 000 Euro ohne Einschränkungen ab. Noch besser sieht es in anderen Nachbarländern aus. In Frankreich sind 70 000 Euro per Gesetz geschützt und in Dänemark 40 000 Euro. Von den Nicht-EU-Staaten belässt es die Schweiz bei 30 000 Franken (rund 19 200 Euro), in Großbritannien sind es dagegen 50 000 Pfund (knapp 80 000 Euro).

Tagesgeldkonten

So flexibel wie ein Girokonto, aber besser verzinst als ein gewöhnliches Sparkonto – auf diese einfache Formel lässt sich die Anlage auf Tagesgeldkonten bringen. Ganz neu sind diese Konten nicht, aber richtig in Mode gekommen sind sie erst, seit in Deutschland immer mehr Direktbanken und Discountbroker ihre Pforten geöffnet haben. Die Besonderheit dieser Institute gegenüber der Filialkonkurrenz vor Ort: Sie sind nur per Telefon oder Internet erreichbar. Folglich gibt es keinen Schalter, an dem Sparkunden ihre Bücher

Tagesgeldkonten

➔	Renditechance
↗	Sicherheit
↗	Verfügbarkeit
↘	Steuereffekt
↗	Bequemlichkeit

Geeignet für:
Kurzfristige Geldanlage, einfache und vergleichsweise rentable „Parkstation" kurzfristig angesparter oder fällig gewordener Gelder (beispielsweise aus Anleihegeschäften) bis zur Wiederanlage, außerdem für laufende Anlage einer jederzeit verfügbaren Finanzreserve.

Alternative Anlagemöglichkeiten:
→ Tabelle, Seite 145

vorlegen könnten, um regelmäßig Geld einzuzahlen oder abzuheben. Daher haben sich viele Direktinstitute darauf verlegt, Zinsanleger mit einem Tagesgeldkonto zu locken, über dessen Guthaben sie per Internet oder Telefon täglich verfügen können.

Die Bezeichnungen für diese Kontenangebote variieren. Mal wird für das „Abrufkonto", ein anderes Mal für das „Plus"-, „Direkt"- oder „Geldmarkt"-Konto geworben. Die Zinsen liegen üblicherweise deutlich über denen, die für Sparkonten mit dreimonatiger Kündigungsfrist gezahlt werden. Jedoch sind diese Sätze alles andere als fest. Jedes Institut kann seine Konditionen theoretisch täglich ändern. Dabei orientieren sich viele Anbieter am Zinstrend des Geldmarkts, an dem die Banken untereinander kurzfristig fällige Gelder handeln. Die dort geltenden Konditionen für täglich fällige Einlagen werden mit einem Abschlag übernommen. Je nach Marktentwicklung ist es somit möglich (aber nicht sehr wahrscheinlich), dass die Verzinsung von Tagesgeldkonten auf das Niveau der Sparkonten rutscht.

Bei der Konditionengestaltung spielt auch die Wettbewerbssituation und Marktstrategie der einzelnen Institute eine Rolle. Einige Anbieter achten auf Kontinuität und versuchen, die Zinssätze stabil oben zu halten. Das ist zwar keine Garantie dafür, dass sie diese Geschäftspolitik auch in Zukunft verfolgen, aber es ist zumindest ein Anhaltspunkt bei der Suche nach einem guten Anbieter. Andere Banken rollen den Markt zunächst mit „Kampfpreisen" auf, um neue Kunden zu gewinnen, und fallen, wenn sie dieses Ziel erreicht haben, ins Mittelmaß zurück. Und wieder andere bieten außer guten Zinsen vor allem neuen Kunden zusätzlich auch noch geldwerte Sachprämien wie etwa Tankgutscheine an. Solche Marketingmethoden zeigen, dass Anleger, die auf der Suche nach den besten Konditionen sind, um einen regelmäßigen und sorgfältigen Vergleich kaum herumkommen (→ dazu auch Kasten, Seite 44).

Flexibilität – das große Plus

Bei Tagesgeldkonten wird Flexibilität groß geschrieben. Der Sparer kann in den meisten Fällen sowohl Einmalbeträge als auch regelmäßige Raten von seinem Girokonto auf das Tagesgeldkonto über-

Tipps für Renditejäger

Die aktuellen Konditionen von Tages- und Festgeldkonten werden regelmäßig von der STIFTUNG WARENTEST zusammengestellt und in FINANZtest veröffentlicht.

Darüber hinaus können Sie die Informationen kostenpflichtig von der Homepage der STIFTUNG WARENTEST herunterladen (www.finanztest.de unter „Geldanlage und Banken", Infodokumente).

Regelmäßige Zinsvergleiche finden sich auch in vielen Wirtschaftsmagazinen und Börsenjournalen – beispielsweise

- Capital (www.capital.de),
- Wirtschaftswoche (www.wiwo.de),
- Börse Online (www.boerse-online.de) und
- Euro am Sonntag (www.finanzen.de).

Hervorzuheben ist, dass die STIFTUNG WARENTEST bei ihren Analysen nur Angebote berücksichtigt, die an keinerlei Bedingungen beziehungsweise Kaufverpflichtungen gebunden sind. Auch Banken ohne hundertprozentige Einlagensicherung und/oder Anbieter, die einmalige oder laufende Kosten für Kontoeröffnung, -führung etc. berechnen, bleiben außen vor.

weisen. Einige Anbieter verlangen einen Mindestanlagebetrag, der in ungünstigen Fällen schon mal 5 000 Euro erreichen kann. Doch das ist die Ausnahme. Die meisten Institute nehmen Beträge in jeder beliebigen Höhe an und verzinsen sie ab dem ersten Euro. Das ist die beste Variante für den Sparer. Bei Auszahlungen gibt es anders als bei Sparbüchern keinerlei Limits oder Kündigungsfristen zu beachten. Überweisungen werden formlos entweder online oder per Telefon in Auftrag gegeben. Sie müssen allerdings aus Sicherheitsgründen auf ein Referenzkonto erfolgen – in der Regel das Girokonto des Anlegers.

Kontoführung kontrollieren

Grundsätzlich dienen Tagesgeldkonten nicht dem privaten Zahlungsverkehr. Es ist also nur in Ausnahmefällen möglich, darauf Schecks einzureichen oder auszustellen oder einen Dauerauftrag einzurichten. Einige Banken bieten aber die Möglichkeit, über das Guthaben auch mittels Kredit- und/oder Bankkarte zu verfügen. Das ist zwar auf der einen Seite ein Plus an Service, andererseits läuft es dem Ziel, das Tagesgeldkonto systematisch zur Geldanlage zu nutzen, tendenziell zuwider. Denn ständige Verfügungen mindern den Saldo. Selbst wenn das Konto durch entsprechende Überweisungen vom Girokonto schnell wieder aufgefüllt wird, sinkt dadurch der Zinsertrag, zumindest wird er kaum kalkulierbar. Einem planmäßigen Vermögensaufbau ist eine solche „Mischnutzung" daher eher abträglich. Besser ist es, die Kreditkartenumsätze über das Girokonto zu leiten.

Tagesgeldkonten sind im Normalfall kostenfrei. Einige Banken berechnen für die Kontoführung und/oder für Überweisungsaufträge jedoch eine Gebühr und stellen für den Versand von Kontoauszügen Portokosten in Rechnung. Diese Kosten zehren an dem ohnehin nicht üppigen Ertrag. Solche Angebote lohnen deshalb nur für die Anlage überdurchschnittlich hoher Summen und sind für normale Sparer nur selten geeignet.

Festgeldkonten

Tagesgeldkonten haben vielen anderen Angeboten in den vergangenen Jahren den Rang abgelaufen. Für Anleger, die eine größere Summe kurzfristig anlegen wollen, gibt es dennoch Alternativen – zum Beispiel eine Termingeldanlage. So bezeichnen Banker ganz allgemein eine befristete Kontenanlage mit Zinsgarantie.

Am weitesten verbreitet ist das Festgeldkonto. Dabei vereinbaren Sparer und Bank beim Abschluss eine feste Laufzeit für die Einlage. Die meisten Kreditinstitute bieten dafür standardisierte Zeiträume an. Üblich sind 30, 60, 90, 180 Tage und ein Jahr. Es sind auch „krumme" Zeiträume möglich, wenn sich die Bank damit einverstanden erklärt, also zum Beispiel 78 Tage.

Neben den Festgeldern gibt es vereinzelt noch das so genannte Kündigungsgeld, bei dem lediglich die Kündigungsfrist vereinbart wird. Die Verzinsung ist jedoch genauso variabel wie beim Tagesgeldkonto. Wegen der aufwendigeren Verwaltung wird diese Art der Anlage Privatkunden jedoch kaum noch angeboten.

Festgeldkonten

→ bis ↘	Renditechance
↗	Sicherheit
↘	Verfügbarkeit
↘	Steuereffekt
↗	Bequemlichkeit

Geeignet für:
Kurz- bis mittelfristige Geldanlage. Einfache und ertragssichere „Parkstation" für höhere Geldbeträge.

Alternative Anlagemöglichkeiten:
→ Tabelle, Seite 145

Vorzeitige Verfügung ausgeschlossen

Festgelder sind ebenso wie Tagesgeldkonten als kurzfristige Anlageform konzipiert. Anders als beim Tagesgeldkonto liegt beim Festgeld der Zinssatz über die vereinbarte Laufzeit hinweg fest. Das heißt, bei fallenden Zinsen hat der Kunde eine Zinsgarantie. Steigen die Marktzinsen in der Zwischenzeit hingegen, hat der Festgeldanleger keine Möglichkeit, sein Geld in eine besser verzinste Anlage umzuschichten, geschweige denn, dass er – etwa wegen eines finanziellen Engpasses – vorzeitig darauf zugreifen kann. Die Bank ist rechtlich nicht verpflichtet, die Anlage vorzeitig aufzulösen. Im schlechtesten Fall bleibt dem Sparer daher nichts anderes übrig, als sein Kapital zu beleihen. Das heißt, er zahlt auf sein eigenes Geld Zinsen. Wer sich für eine Festgeldanlage entscheidet, sollte also ganz sicher sein, dass das Geld bis zur Fälligkeit nicht benötigt wird. Erst am Fälligkeitstermin kann der Sparer frei über sein Kapital verfügen und es dann gegebenenfalls zu besseren Konditionen neu anlegen.

Die Zinssätze sind häufig verhandelbar

Anders als bei den Tagesgeldkonten halten sich viele Banken und Sparkassen bei der Angabe ihrer Festgeldsätze gern bedeckt und nennen diese nur auf konkrete Nachfrage. Nicht zu Unrecht, denn oftmals sind die Unterschiede von Kreditinstitut zu Kreditinstitut beträchtlich. Grundsätzlich gilt, dass die Zinshöhe von der Anlagesumme und der Anlagedauer abhängig ist. Eine Orientierung bilden dabei die Sätze, die für Gelder mit entsprechender Laufzeit am

Achtung Lockvogelangebote für Tagesgeld- und Festgeldkonten!

„Mit Speck fängt man Mäuse", lautet ein alter Sinnspruch, und so kommt es immer öfter vor, dass Banken mit Sonderaktionen Kunden für ihre Anlageprodukte zu ködern versuchen. 4, 5 oder gar 6 Prozent für ein Fest- oder Tagesgeldkonto sind dabei absolut keine Seltenheit. Das lässt jeden Zinssparer hellhörig werden, denn gegenüber den Sätzen, die im Schnitt am Markt zu erzielen sind, ist das ein unschlagbares Angebot – leider in den meisten Fällen eines, das einen, wenn nicht gar mehrere Haken hat, die unbedingt beachtet werden sollten.

1. Einschränkung: Der hohe Zinssatz gilt nur für Neukunden – häufigste und grundsätzlich unproblematische Einschränkung. Denn wer bereits ein solches Konto bei dem Institut besitzt, kann für seinen Partner oder seine Kinder ein neues Konto eröffnen und so in vielen Fällen die Bedingung erfüllen.

2. Einschränkung: Der Sonderzins gilt nur bis zu einem bestimmten Höchstbetrag – zum Beispiel 5 000 Euro. Für jeden Euro darüber hinaus gelten nur die (niedrigen) Normalkonditionen. Es kommt aber auch der entgegengesetzte Fall vor: Der beworbene Zinssatz gilt erst ab einer bestimmten Einlagenhöhe – zum Beispiel 50 000 Euro. Und dann auch nur für den Betrag, der über dieser Grenze liegt. Für alles darunter gibt es wie im anderen Beispiel nur Minizinsen. Gegenstrategie: Die Zinsbedingungen ganz genau studieren und Angebote wie im letztgenannten Beispiel meiden, ansonsten nicht mehr anlegen als den Limitbetrag.

3. Einschränkung: Der hohe Zinssatz wird nur für einen bestimmten kürzeren Zeitraum – meist drei oder sechs Monate – und/oder bis zu einem bestimmten Stichtag garantiert. Danach fällt die Verzinsung auf den dann gültigen Standardsatz zurück. Den entsprechenden

Achtung Lockvogelangebote für Tagesgeld- und Festgeldkonten! Fortsetzung

Termin sollten sich Anleger, die das Angebot annehmen, auf jeden Fall rot im Kalender anstreichen und dann anhand der Marktsituation entscheiden, ob sie ihr Geld weiter auf dem Konto belassen oder zu einem anderen Anbieter wechseln.

4. Einschränkung: Das Angebot gilt nur für online geführte Konten. Das heißt, es ist nur für Anleger geeignet, die über einen Internetanschluss verfügen oder diesen zumindest regelmäßig nutzen können – beispielsweise am Arbeitsplatz. Dies sollte vor dem Abschluss geklärt werden.

5. Einschränkung: Es handelt sich um ein Sparkonto mit dreimonatiger Kündigungsfrist und Sonderzins. Folge: Der Anleger kann nur 2000 Euro innerhalb eines Kalendermonats vorschusszinsfrei abheben. Klarer Minuspunkt bei der Anlage höherer Beträge.

6. Einschränkung: Kontoführung und/oder -verfügungen sind nicht kostenfrei. Es lohnt sich, einen genauen Blick ins Kleingedruckte zu werfen, einen Taschenrechner zur Hand zu nehmen und die Frage für sich selbst zu beantworten, wie häufig vom Konto überwiesen wird. So können die Kosten den Erträgen gegenübergestellt werden. Der Vergleich mit den Konditionen anderer Banken zeigt dann, ob sich das Angebot wirklich rentiert.

7. Einschränkung: Es handelt sich um ein Koppelangebot. Das heißt, um in den Genuss des Sonderzinses zu kommen, muss der Anleger auch andere Produkte der Bank kaufen.

Vergleichsweise harmlose Variante: Er muss zusätzlich ein Wertpapierdepot eröffnen und nicht selten für einen bestimmten Betrag Aktien, Anleihen, Fonds oder andere Wertpapiere ordern. Auch wenn der Kauf von Wertpapieren keine Pflicht ist, fallen für die Depotkontoführung unter Umständen Gebühren an, was wiederum insgesamt die Rendite mindert.

Problematische Variante: Das Angebot gilt nur, wenn der Anlagebetrag aufgeteilt wird: 50 Prozent werden als Festgeld angelegt, die andere Hälfte in Investmentfonds (→ Seite 103), vorzugsweise Aktienfonds. Von solchen Angeboten sollten Sparer besser die Finger lassen. Erstens werden dabei in unsinniger Weise Finanzprodukte kombiniert, die wenig miteinander zu tun haben, denn sie decken ganz unterschiedliche Anlagebedürfnisse und -zwecke ab, die jeweils eine ganz andere Risikobereitschaft erfordern. So besteht die Gefahr, dass Zinssparer in eine Fondsanlage gelockt werden, die sie unter normalen Umständen kaum abgeschlossen hätten. Zweitens: Für den Kauf der Fonds oder anderer Wertpapiere fallen Zusatzkosten an. Bezieht man dies bei der Berechnung der Netto-Rendite für das insgesamt angelegte Kapital mit ein, entpuppt sich der vermeintlich attraktive Zins schnell als Luftnummer.

Fazit: Angebote mit hohen Zinsen sind nicht automatisch unseriös. Dennoch sollten Sparer vor dem Abschluss ganz genau schauen, an welche Bedingungen die üppige Rendite gekoppelt ist. Problematisch sind vor allem diejenigen Offerten, bei denen auch andere Finanzprodukte gekauft werden müssen. Kein Sparer sollte sich durch die Aussicht auf eine üppige Verzinsung dazu verleiten lassen, gegen seine erklärten Anlageziele zum Aktionär oder Fondsbesitzer zu werden. Darüber hinaus hat sich in der Vergangenheit gezeigt, dass Sparer, die einem Anbieter mit beständig guten Konditionen treu sind, auf lange Sicht besser fahren als diejenigen Anleger, die jedem Top-Angebot hinterherlaufen und dazu ihre Bankverbindung ständig wechseln.

Geldmarkt gezahlt werden. Sie finden sich im Kursteil jeder großen Tageszeitung und im Internet (zu den Konditionen → auch Kasten, Seite 44/45). Im Einzelfall ist jedoch alles eine Frage des geschickten Verhandelns. Im persönlichen Gespräch mit dem Bankberater können vor allem Neukunden mitunter konkurrenzlos günstige Sonderkonditionen aushandeln, wenn sie einen entsprechend hohen Anlagebetrag auf den Tisch legen. Der sollte dann schon um ein Vielfaches über der Mindestanlagesumme liegen, die die Banken für ihre Festgelder vorgeben. Übliche Mindesteinlagen sind 2 500 oder 5 000 Euro, aber auch höhere Beträge sind keine Seltenheit.

Gut gemeinter Service

Aufpassen müssen Festgeldsparer dann, wenn der Fälligkeitstermin naht. Geben sie ihrer Bank nicht rechtzeitig eine entsprechende Anweisung, wie sie mit ihrem Geld weiter verfahren wollen, müssen sie damit rechnen, dass das Kreditinstitut die Einlage mit derselben Laufzeit neu anlegt – zu den dann gültigen Standardkonditionen. Die Mehrzahl der Institute behandelt fällig gewordene Termineinlagen jedoch wie Guthaben auf dem Girokonto: Der Kunde kann jederzeit frei über das Geld verfügen, dafür wird es nicht oder nur sehr niedrig verzinst, bis eine neue Vereinbarung getroffen worden ist.

Die Eröffnung eines Festgeldkontos ist ähnlich einfach wie die eines Girokontos. Kontoführung und -auflösung sind kostenlos. In vielen Fällen bekommt der Kunde mit der Fälligkeit der Einlage einen Kontoauszug, auf dem dann zusätzlich die Zinszahlung ausgewiesen wird.

Mittel- bis langfristige Einmalanlagen

Jeder Banker weiß, dass er mit den Magerzinsen für „normale" Sparkonten mit dreimonatiger Kündigungsfrist bei der Kundschaft mittlerweile kaum noch punkten kann. Daher haben fast alle Banken und Sparkassen spezielle Sondersparformen im Programm, die vor allem für Anleger, die einen höheren Betrag für einen längeren Zeitraum festlegen wollen, interessant sind. Vom Grundkonzept lassen sich die meisten dieser Angebote als Kombination aus einer Festgeldanlage mit einem Sparkonto charakterisieren. Bei der konkreten Ausgestaltung ihrer Offerten sind die Geldhäuser jedoch genauso erfinderisch wie bei der Namensgebung. So gibt es fast ebenso viele Details, in denen sich die Sondersparformen einzelner Institute voneinander unterscheiden, wie Fantasiebezeichnungen, unter denen sie am Markt angeboten werden. Um in dieser Vielfalt nicht den Überblick zu verlieren, sind Zinssparer gut damit beraten, das Angebot nach den Kriterien zu sortieren, die für ihre eigenen Anlageentscheidungen maßgebend sind. Die wichtigsten Fragen sind dabei:

- Wie lange will ich mein Geld festlegen?
- Und unter welchen Bedingungen kann ich, wenn überhaupt, vorzeitig aussteigen?

Angebote mit vorzeitiger Kündigungsmöglichkeit

Der Vorteil von Angeboten mit vorzeitiger Ausstiegsmöglichkeit liegt auf der Hand: Der Sparer bleibt flexibel und er kann bei Bedarf sein Geld in eine andere Anlage umschichten, sollten die Zinsen während der Laufzeit steigen. Ein solcher Renditeanstieg muss allerdings unter normalen Umständen schon recht kräftig ausfallen, denn die meisten Angebote, die unter Namen wie „Zuwachssparen", „Wachstumssparen" oder „Spardynamik" laufen, funktionieren nach einem klaren Prinzip: Treue wird belohnt. Das heißt, über die Laufzeit hinweg, die bei den meisten Angeboten zwischen drei und sieben Jahren liegt, wird ein jährlich steigender Zins (Zinstreppe) fest vereinbart. Je länger der Sparer bei der Stange bleibt, desto höher wird seine Rendite. Schichtet er vorzeitig um, muss er bei einem vergleichbaren Angebot wieder unten auf der Zinsleiter beginnen. Vorbild für diese Art der Offerte ist der Bundesschatzbrief (→ Seite 80), dessen Konditionen bei der Auswahl dieser Art von Sparanlage stets zum Vergleich herangezogen werden sollten.

Die Sparanlage kann bei den meisten Banken und Sparkassen frühestens nach zwölf Monaten gekündigt werden. Hier fangen allerdings schon die Unterschiede an: Während einige Banken eine neun- oder zwölfmonatige Kündigungssperrfrist vorsehen, in der der Sparer nicht an sein

Sparangebote mit vorzeitiger Kündigungsmöglichkeit (Zuwachssparen, Wachstumssparen etc.)

→	Renditechance
↗	Sicherheit
→	Verfügbarkeit
↘	Steuereffekt
↗	Bequemlichkeit

Geeignet für:
Anleger, die mittel- bis langfristig Geld zu festen Zinsen anlegen wollen, ohne sich definitiv festzulegen.

Alternative Anlagemöglichkeiten:
→ Tabelle, Seite 141

Tipp zum Renditevergleich

Die Banken sind nicht verpflichtet, die effektive Rendite ihrer Sparangebote zu nennen. Bei einer Einmalanlage mit Zinstreppe können Sie die effektive jährliche Rendite allerdings grob selbst ausrechnen, indem sie die Zinssätze der einzelnen Jahre aufaddieren und durch die Anzahl der Jahre teilen. Oder aber Sie orientieren sich an den Konditionenvergleichen der Stiftung Warentest (→ Seite 42).

Geld herankommt, entfällt diese bei anderen Anbietern. Üblich ist jedoch eine dreimonatige Kündigungsfrist. In der kann der Kunde, wenn auch unter Berechnung von Vorschusszinsen, bereits verfügen. Doch das ist nur eine unter vielen Varianten. In der Praxis gibt es Dutzende von Kombinationen aus unterschiedlich langen Kündigungssperrfristen und Kündigungsfristen. Dazu gewähren einige Institute während der Kündigungsfrist wie beim „normalen" Sparkonto einen Freibetrag von 2 000 Euro pro Monat, andere wiederum berechnen bereits für den ersten vorzeitig abgehobenen Euro Vorschusszinsen. Dies muss bei jedem Angebot ebenso individuell geprüft werden wie die Möglichkeit von Teilverfügungen. Das heißt, der Sparer hebt nur einen Teilbetrag und nicht die ganze Summe ab. Viele Kreditinstitute erlauben bei ihren Angeboten mit vorzeitiger Kündigungsmöglichkeit das Abheben von Teilbeträgen, ohne dass die Sonderzinsvereinbarung für die restlich verbliebene Summe erlischt. Häufig ist die Zahl der Abhebungen jedoch begrenzt und/oder der Sparer muss dabei einen Mindestbetrag stehen lassen. Anderenfalls wird das Konto ab diesem Zeitpunkt nur als niedrig verzinste Spareinlage mit dreimonatiger Kündigungsfrist weitergeführt. Oft ist der Mindestbetrag identisch mit dem anfänglichen Mindestanlagebetrag, der in den meisten Fällen zwischen 1 500 und 5 000 Euro liegt, mitunter werden aber auch 10 000 Euro verlangt.

Am Ende entscheidet bei der Suche nach einem passenden Angebot natürlich vor allem eine gute Rendite. Bei den Angaben zum Ertrag sollten sich Sparer kein X für ein U vormachen lassen. Wie im vorangegangenen Kapitel dargestellt, garantiert nur die effektive jährliche Rendite eine Vergleichbarkeit der Angebote untereinander.

Angebote ohne vorzeitige Kündigungsmöglichkeit: Sparbriefe & Co.

In den vergangenen Jahren haben die Untersuchungen und Konditionenvergleiche der Stiftung Warentest zu den Sparprodukten der Banken und Sparkassen gezeigt, dass Sparer, die bereit sind, sich definitiv für eine feste Anzahl von Jahren festzulegen, die besten Renditen erzielen können. Mit anderen Worten: Wer einen

Sparbriefe, mehrjährige Festgelder

- ↗ Renditechance
- ↗ Sicherheit
- ↘ Verfügbarkeit
- ↘ Steuereffekt
- ↗ Bequemlichkeit

Geeignet für:
Mittel- bis langfristige Geldanlage mit fester Laufzeit, festem Anlagehorizont und vergleichsweise attraktiven Konditionen.

Alternative Anlagemöglichkeiten:
→ Tabelle, Seite 141, 148/149

höheren Ertrag bei Bankprodukten erzielen will, muss – entsprechend dem magischen Dreieck der Geldanlage (→ Seite 20) – Abstriche bei der Verfügbarkeit seines Geldes, der Liquidität, in Kauf nehmen. Anleger, die der besseren Zinsen wegen zu Angeboten ohne Ausstiegsmöglichkeit greifen, sollten sich also sicher sein, dass sie ihre Sparsumme über die gesamte Laufzeit hinweg nicht benötigen. Wer früher an sein Geld will, kann wie beim kurzfristigen Festgeldkonto seine Anlage höchstens beleihen – was je nach Restlaufzeit sehr teuer werden kann.

Somit kommt der konkreten Wahl der Laufzeit wesentlich größere Bedeutung zu als bei den Sparangeboten mit vorzeitiger Verfügungsmöglichkeit. Angeboten wird dabei am Markt das gesamte Spektrum von einem bis zu zehn Jahren. Auch hier gilt: Je länger sich der Sparer festlegt, desto höher in der Regel der Zinssatz, den er erzielen kann. Im Gegensatz zu den flexiblen Angeboten wird bei den Offerten ohne Ausstiegsmöglichkeit statt einer Zinstreppe ein konstanter Zinssatz für die gesamte Laufzeit fest vereinbart. Solche Angebote sind also eine gute Wahl für Sparer, die sich einen hohen Zins über eine möglichst lange Laufzeit sichern wollen.

Ebenso wie bei den Flexi-Angeboten variieren die Mindestanlagebeträge von Institut zu Institut. In Einzelfällen ist ein Abschluss bereits ab 250 Euro möglich, bei den meisten Banken muss der Sparer jedoch mindestens 2 500 Euro auf den Schalter legen, in seltenen Fällen auch 5 000 oder 10 000 Euro.

Sparbriefe

Viele der langfristigen Sparprodukte werden in Form von Sparbriefen angeboten. Sie nehmen rein rechtlich eine Zwischenstellung zwischen einer klassischen Kontenanlage und einem festverzinslichen Wertpapier (→ Seite 61) ein. Formaljuristisch werden Sparbriefe auch als Namensschuldverschreibungen bezeichnet. Einige Banken bieten statt Sparbriefen auch mehrjährige Festgelder an. Diese funktionieren dann ähnlich wie Sparbriefe mit jährlicher Zinszahlung (→ Seite 51, 126).

Wer einen Sparbrief kauft, bekommt von seiner Bank meist einen schnöden Kontoauszug, mitunter aber auch eine richtige Urkunde,

Tipp für Einmalanlagen

Die STIFTUNG WARENTEST stellt regelmäßig eine Rangliste mit den besten Einmalanlagen ohne vorzeitige Verfügungsmöglichkeit zusammen. Sie wird in FINANZtest veröffentlicht. Darüber hinaus können Sie ebenso wie bei den Fest- und Tagesgeldangeboten die jeweils aktuelle Liste kostenpflichtig von der Homepage der STIFTUNG WARENTEST herunterladen (www.finanztest.de unter „Geldanlage und Banken", Infodokumente).

auf der Laufzeit, Zinssatz, der Name des Kreditinstituts und der des Sparers/Eigentümers vermerkt sind. Im Gegensatz zu einer Kontoanlage werden Sparbriefe nicht gekündigt, der Sparer braucht also keine bestimmten Fristen zu beachten. Zum Ende der Laufzeit wird das Kapital automatisch fällig und auf ein vorher angegebenes Konto, meist das Girokonto des Anlegers, ausbezahlt. Der Erwerb, die Verwahrung (soweit die Bank diese übernimmt) und die Einlösung von Sparbriefen sind kostenfrei.

Bei der konkreten Auswahl eines Angebots sollte nicht nur die reine Verzinsung das entscheidende Kriterium sein. Auch die Art und Weise der Zinszahlung sollte dabei berücksichtigt werden. Drei Varianten sind dabei am Markt üblich:

- **Aufgezinste Sparbriefe** werden zum Nennwert verkauft – zum Beispiel 500 Euro. Die während der Laufzeit anfallenden Zinsen und Zinseszinsen werden jedoch zu den Zinsterminen nicht an den Anleger ausgeschüttet, sondern zum Kapital rechnerisch dazuaddiert und bei Fälligkeit in einer Summe ausgezahlt. Der Anleger erhält also zum Beispiel bei einem Einsatz von 500 Euro und einem Zins von 4 Prozent nach zehn Jahren rund 740 Euro zurück.
- **Abgezinste Sparbriefe** funktionieren vom Prinzip her wie die aufgezinste Variante – nur unter anderen Vorzeichen: Zins und Zinseszins werden bereits beim Kauf vom Nennwert abgezogen und bei Fälligkeit wird der Brief von der Bank zum vollen Nennwert eingelöst. Der Anleger zahlt zum Beispiel bei gleicher Laufzeit und Verzinsung wie im vorangegangenen Beispiel (aufgezinste Variante) am Anfang etwa 338 Euro ein und am Ende bekommt er den Nennwert von 500 Euro zurück.
  Die Rendite des Anlegers ergibt sich in beiden Fällen aus der Differenz zwischen Kaufpreis und Einlösungsbetrag. Steuerlich gesehen sind beide Zinstypen für den Anleger meist nachteilig, denn im Jahr der Einlösung ist der über die Jahre aufgelaufene und am Ende ausgezahlte Zinsertrag in einer Summe zu versteuern. Das führt oftmals dazu, dass der Freibetrag des Sparers überschritten wird, sodass die Bank für die anteiligen Zinsen Zinsabschlagsteuer (→ Seite 120) einbehalten und an den Fiskus abführen muss. Allerdings gibt es auch Fälle, in denen es steuerlich günstig sein kann, wenn die Zinsen komplett am Ende der Laufzeit gutgeschrieben werden (→ Seite 126).

- Bei **Sparbriefen mit jährlicher Zinszahlung** werden die Zinsen entweder am Ende jedes Laufzeitjahres oder des Kalenderjahres gutgeschrieben. Zu bevorzugen sind dabei Angebote, bei denen die Zinsen zu diesem Termin dem Kapital zugeschlagen und wiederangelegt werden – so, wie es bei den meisten Angeboten mittlerweile der Fall ist. Denn dabei profitiert der Sparer gleich in zweifacher Hinsicht: Erstens muss er sich keine Gedanken über die Wiederanlage der Zinsen machen und zweitens kommt er in den Genuss des Zinseszinseffekts, ohne dass sich dies steuerlich nachteilig für ihn auswirkt. Das heißt, sein Vermögen wächst schneller als wenn die Zinsen separat angelegt würden.

Banksparpläne

5 000 oder gar 10 000 Euro für eine rentable Sondersparform – bei solchen Summen müssen viele Sparer passen. Für sie geht es zunächst darum, aus regelmäßigen, kleineren Beträgen einen größeren Betrag anzusparen, der dann irgendwann in eine Einmalanlage umgeschichtet werden kann. Andere Anleger wiederum suchen nach einer sicheren Anlageform, mit der sie zum Beispiel das notwendige Kapital für die Ausbildung ihrer Kinder oder für eine größere Anschaffung zusammensparen können. Mögliche Ansparzwecke für eine regelmäßige Anlage gibt es also viele. Fast alle Banken und Sparkassen bieten dazu Ratensparverträge an. Sie gelten als Klassiker unter den sicheren Geldanlagen. Der Sparer vereinbart mit seiner Bank, in regelmäßigen Abständen, in der Regel monatlich, einen festen Betrag auf ein Konto einzuzahlen. Dabei kann er zwischen Laufzeiten von 1 bis 25 Jahren wählen. Bei der Höhe der Anlagebeträge geben sich einige Institute bereits mit 5 Euro zufrieden, die meisten verlangen jedoch 25 oder 50 Euro.

Banksparpläne mit vorzeitiger Kündigungsmöglichkeit

→	Renditechance
↗	Sicherheit
→	Verfügbarkeit
↘	Steuereffekt
↗	Bequemlichkeit

Geeignet für:
Regelmäßiges Sparen. Für Anleger, die sich hinsichtlich Spardauer und Ziel nicht definitiv festlegen möchten.

Alternative Anlagemöglichkeiten:
→ Tabelle, Seite 139

Viele Varianten erfordern Sorgfalt bei der Auswahl

Ähnlich wie bei den Sparangeboten mit vorzeitiger Ausstiegsmöglichkeit gibt es auch bei den Sparplänen eine große Vielfalt

Banksparpläne ohne vorzeitige Kündigungsmöglichkeit

➔	Renditechance
↗	Sicherheit
↘	Verfügbarkeit
↘	Steuereffekt
↗	Bequemlichkeit

Geeignet für:
Regelmäßiges Sparen. Für Anleger, die sich sicher sind, dass sie ihr angepeiltes Sparziel auf jeden Fall erreichen wollen.

Alternative Anlagemöglichkeiten:
→ Tabelle, Seite 139

sowohl bei den Namen („Sparplus", „Bonusplan", „Zielsparen" etc.) als auch den Ausstattungsvarianten.

Der für den Sparer wichtigste Unterschied liegt in der Zinsregelung. Vorteilhaft ist es, wenn die Bank ihren Kunden einen vergleichsweise hohen Zinssatz oder eine Zinstreppe (→ Seite 47) anbietet, die über die gesamte Laufzeit hinweg fest ist. So ist die Anlage einfach und berechenbar.

Lupenreine Zinstreppen werden eher selten angeboten. Die meisten Kreditinstitute verwenden stattdessen eine Kombination aus niedriger, variabler Basisverzinsung und einer jährlichen Bonuszahlung. Die Höhe der Bonuszahlung steigt meist mit der Zahl der Jahre, die der Sparer einzahlt, wobei die Prozentzahlen, mit denen in den Werbebroschüren jongliert wird, fast immer beeindruckend aussehen. Welche Gesamtrendite sich daraus ergibt, darüber schweigen sich die Geldhäuser in ihren Faltblättchen jedoch gerne aus – aus gutem Grund.

Ein Beispiel: Für seinen Sparplan zahlt ein Kreditinstitut einen Basiszins von 1,5 Prozent. Dazu kommt ab dem dritten Jahr ein Bonus von 3 Prozent, der bis auf 10 Prozent im siebten Jahr wächst und danach um jährlich 5 Prozentpunkte steigt. Hält der Sparer 15 Jahre lang durch, kassiert er am Ende des 15. Jahres einen stolzen Bonus von 50 Prozent. Das sieht auf den ersten Blick üppig aus; tatsächlich kommt er auf eine jährliche Gesamtrendite von gerade mal 3,64 Prozent. Der Trick dabei: Den Bonus zahlt die Bank nicht auf das durch Zins und laufende Einzahlungen jährlich wachsende Kapital, sondern nur auf die Sparleistung des jeweiligen letzten Sparjahres. Bei einer monatlichen Sparrate von 25 Euro beträgt der Bonus im 15. Jahr somit gerade 150 Euro (12 × 25 Euro : 2).

Eine andere Variante ist, dass der Zuschlag nicht auf die Sparleistung, sondern auf die Basisverzinsung eines jeden Jahres gezahlt wird. Auch dann ist jedoch der Effekt auf das Endergebnis in vielen Fällen eher kümmerlich. Noch verwirrender in puncto Rendite sind diejenigen Angebote, in denen nicht nur die Prämie, sondern auch die Basisverzinsung mit der Laufzeit steigt. Wer sich für einen Sparplan interessiert, sollte sich also vor einem Abschluss nicht von hohen Boni oder Prämien blenden lassen. Sie sagen nichts über die effektive Rendite aus (→ Tippkasten, Seite 53).

Fester oder variabler Zins?

Ein wichtiger Punkt bei den Zinsbedingungen ist darüber hinaus, ob die gebotene (Basis-)Verzinsung fest oder variabel ist. Ein fester Zins hat den Nachteil, dass der Sparer vor allem bei einer langen Laufzeit nicht von zwischenzeitlichen Marktzinserhöhungen profitiert. Dennoch sind solche Angebote zu bevorzugen, denn dafür weiß der Bankkunde von Anfang an, mit welcher Rendite er rechnen kann, wenn er sein anvisiertes Sparziel am Ende tatsächlich erreicht. Umgekehrt besteht bei einem variablen Zins die Gefahr, dass die Bank die Sätze nach Vertragsschluss zuungunsten des Sparers verändert. Fällt beispielsweise das allgemeine Zinsniveau, wird der Basiszins umgehend gesenkt, das Geldhaus verzichtet aber auf eine Anpassung oder zögert sie so weit wie möglich hinaus, wenn die Sätze wieder steigen. Wichtig in diesem Zusammenhang ist, dass nach einem Urteil des Bundesgerichtshofs (BGH) die willkürliche Verzinsung bei Sparplänen mit variablem Zinssatz ein Ende hat. Nach dem BGH-Urteil (Az. XI ZR 140/03) müssen nämlich die Banken und Sparkassen bei ihren Sparplanangeboten mit veränderlichem Basiszins und Bonus- beziehungsweise Prämienvereinbarung in den allgemeinen Vertragsbedingungen eine Bezugsgröße nennen, an die die Höhe des Basiszinses gekoppelt ist. Die Bank darf dann ihre Zinsen nur in dem Maße anpassen, wie sich dieser Referenzzins verändert. Dadurch soll der Sparer vor einer „Zinswillkür" geschützt werden. Eine solche Bezugsgröße könnte zum Beispiel eine Mischung aus kurz- und langfristigen Marktzinsen oder aber die durchschnittliche Umlaufrendite öffentlicher Anleihen (→ Seite 170) sein. In beiden Zinsreihen spiegelt sich die allgemeine Zinsentwicklung am Kapitalmarkt wider.

Tipp für die einfache Renditeberechnung

Viele Banken mauern bei der Renditeangabe und kaum ein Sparer kann diese Information allein mit dem Taschenrechner ausrechnen. Die Stiftung Warentest bietet daher im Internet ein kleines Rechenprogramm an, mit dem Sie die Rendite von Sparplänen berechnen können. Das Programm kalkuliert alle gängigen Angebotsvarianten – Pläne mit jährlicher Prämie auf Sparrate und Zinsen ebenso wie einmalige Schlussboni. Zu finden unter: www.finanztest.de, „Geldanlage und Banken", Rubrik: Rechner.

Ausstiegsmöglichkeiten unter die Lupe nehmen

Entscheidend ist auch die Frage, wann und unter welchen Bedingungen der Sparer wieder an sein Geld kommt. Ein klarer Minuspunkt ist es, wenn der Vertrag eine mehrjährige Kündigungssperrfrist vorsieht, während der ein Ausstieg nicht möglich ist. Bei vielen Anbietern kann dagegen der Vertrag jederzeit mit einer Frist von üblicherweise drei Monaten gekündigt werden. Allerdings: In beiden Fällen muss der Sparer fast durchweg damit rechnen, dass der

Tipps rund um Banksparpläne

- **Prioritäten setzen:** Bevorzugen Sie Sparpläne, die eine variable Laufzeit bieten und spätestens nach einem Jahr gekündigt werden können, bei denen aber die Höhe der Zins- und gegebenenfalls Bonuszahlungen feststehen.
- **Laufende Verzinsung beachten:** Schließen Sie keinen Vertrag mit einem variablen Zins ab, bei dem die Angabe eines entsprechenden Referenzsatzes fehlt, an dem sich die Verzinsung orientiert. Verzichten sollten Sie auch auf Angebote, deren Start- beziehungsweise Basisverzinsung niedriger liegt als die auf Tagesgeldkonten (→ Seite 40). Ein Bonus kann dieses Renditemanko kurz- bis mittelfristig kaum ausgleichen.
- **Timing bei Kündigung beachten:** Kündigen Sie Bonusverträge, wenn möglich und nötig, kurz nachdem ein Bonus gezahlt wurde, anderenfalls ist die Prämienzahlung des aktuellen Jahres in vielen Fällen verloren.
- **Fiskus im Auge behalten:** Wer hohe Summen in einen Banksparplan anspart, sollte regelmäßig überprüfen, inwieweit Zinsen und Boni den Sparerfreibetrag (→ Seite 121) ausschöpfen.

Bonus des Kündigungsjahres verloren ist. Mitunter wird der vorzeitige Ausstieg sogar „bestraft", indem noch nicht gezahlte Boni und Prämien einbehalten werden. Problematisch sind auch Angebote, bei denen die Bank den Zusatzzins komplett streicht, sollte der Sparer einmal mit einer Rate aussetzen wollen.

Generell gilt bei Sparplänen jedoch das Gleiche wie bei den Zinsanlagen mit und ohne vorzeitige Ausstiegsmöglichkeit: Höhere Renditen können Sparer nur dann erzielen, wenn sie sich längerfristig binden und bereit sind, für eine bestimmte Zeit nicht über ihr Geld zu verfügen. Je nach Laufzeit und Ausgestaltung konnten Bankkunden so Anfang 2005 Renditen bis 4 Prozent erwarten.

Einfach bequem

Wie bei Spar- und Tagesgeldkonten liegt der Vorteil von Sparplänen vor allem in der einfachen Handhabung. Die Eröffnung ist jederzeit möglich, Kosten für die laufende Kontoführung fallen nicht an, und die Entwicklung seines Sparvermögens kann der Bankkunde anhand regelmäßiger Auszüge und Abrechnungen schwarz auf weiß nachverfolgen. Ein zusätzlicher Pluspunkt in Sachen Flexibilität ist es, wenn die Bank die Möglichkeit bietet, die Sparrate während der Laufzeit zu erhöhen oder zu senken. Für die Auswahl sollte dies jedoch nicht entscheidend sein.

Riester-Banksparpläne

Wer einen Sparplan abschließt, um langfristig etwas für die private Altersvorsorge zu tun, hat eine Alternative zu einem normalen Banksparplan: die so genannte Riester-Bankrente. Bei diesem vom früheren Bundesarbeitsminister Walter Riester ins Leben gerufenen Vorsorgekonzept bekommt der Sparer zusätzlich zu den Kapitalerträgen eine Förderung durch Vater Staat. Riestern ist grundsätzlich nur mit bestimmten Anlageformen möglich. Dazu gehören neben Fondssparplänen und Rentenversicherungen auch Banksparpläne, wobei jedes einzelne Angebot eine Reihe von Bedingungen erfüllen muss und erst dann ein Zulassungszertifikat bekommt. Aufgrund dieser Bedingungen sind Riester-Verträge vor allem für das langfristige Sparen für die Altersvorsorge geeignet.

Sicherheit verbunden mit überdurchschnittlicher Rendite

Der Vorteil der Riester-Bankangebote ist, dass der Sparer damit eine verlässliche und sehr sichere Geldanlage an die Hand bekommt, deren zu erwartende persönliche Rendite durch staatliche Zulagen und Steuergeschenke jedoch ein Niveau erlangt, das sonst nur vergleichsweise risikoreiche Aktienfonds erreichen. Ergibt sich zum Beispiel für einen Riester-Sparplan eine Renditeerwartung von 4 bis 5 Prozent aus diesem Sparplan an sich, so ist durch die staatlichen Zugaben bei 25 Jahren Laufzeit mit einer persönlichen Rendite von etwa 7 bis 9 Prozent pro Jahr zu rechnen. Die genaue Rendite richtet sich dabei nach den persönlichen Einkommens- und Familienverhältnissen des Sparers, denn die Höhe der Steuervorteile und Zulagen hängen von der Einkommenshöhe und der Zahl der Kinder ab.

Wer kann riestern?

Abschließen können einen Riester-Sparplan alle Pflichtmitglieder der gesetzlichen Rentenversicherung sowie Beamte, Soldaten, Angestellte des öffentlichen Dienstes und Künstler, wenn sie Mitglied der Künstlersozialkasse sind. Auch Ehepartner von Förderungsberechtigten können einen eigenen Riester-Vertrag abschließen. Anfängliches Manko: Wer in den Genuss der staatlichen Wohltaten kommen will, muss sich durch einen Wust von Formularen arbeiten. Doch das stellt keine unüberwindliche Hürde dar und ist mit sachkundiger Hilfe zu schaffen. Die Mühe lohnt sich, denn die Zuschüsse und Steuergeschenke sind ansehnlich. Für das Jahr 2005 zum Beispiel kann jeder Förderungsberechtigte eine maximale Grundzulage von jährlich 76 Euro in Anspruch nehmen. Ab dem Jahr 2006 steigt dieser Betrag auf 114 Euro und ab 2008 sind es schließlich 154 Euro. Für jedes Kind auf der Steuerkarte gibt es noch einmal 92 Euro dazu – ab 2006 sind es 138 Euro und ab 2008 sogar 185 Euro pro Kind und Jahr.

Voraussetzung ist allerdings, dass der Sparer auch einen Beitrag aus seinem eigenen Portemonnaie beisteuert. Wer die volle Zulage erhalten will, muss 2005 zwei Prozent seines rentenversicherungspflichtigen, also nicht des steuerpflichtigen (!) Einkommens in einen Riester-Vertrag ansparen. Ab 2006 sind es dann 3 Prozent und nach 2008 4 Prozent. Ab dem Jahr 2008 werden maximal 2100 Euro gefördert, wobei der Eigenbeitrag um die zu erwartenden Zulagen gekürzt wird. Zahlt der Sparer beispielsweise nur die Hälfte des Betrages ein, auf den es die maximale Förderung gibt, bekommt er auch nur 50 Prozent der maximalen Zulage. Der Mindestbeitrag liegt ab 2005 bei 60 Euro pro Jahr.

Oft wird behauptet, dass Riester-Produkte aufgrund der Zulagen vor allem für Geringverdiener interessant sind. Doch das stimmt nicht. Auch kinderlose und einkommensstarke Sparer profitieren von der Förderung – und zwar in Form einer geringeren Steuerlast, die dadurch eintritt, dass die Riester-Beiträge in voller Höhe vom zu versteuernden Einkommen abgezogen werden. Im Gegenzug unterliegen die späteren Riester-Rentenzahlungen voll der Steuerpflicht, was allerdings aufgrund der meist geringeren Einkünfte im Alter zu verschmerzen ist.

Riestern lohnt sich

Beispiel 1: Ehepaar, beide mit Riester-Vertrag, ein rentenversicherungspflichtiger Einkommensempfänger, 2 Kinder

Rentenversicherungspflichtiges Vorjahreseinkommen	Grundzulage	Kinderzulage	Eigenbeitrag	Sparleistung insgesamt [1]	zusätzliche Steuerersparnis
15000	308	370	60	738	–
25000	308	370	322	1000	–
50000	308	370	1322	2000	–

Beispiel 2: Alleinstehend, ohne Kind

Rentenversicherungspflichtiges Vorjahreseinkommen	Grundzulage	Kinderzulage	Eigenbeitrag	Sparleistung insgesamt [1]	zusätzliche Steuerersparnis
15000	154	–	445	600	–
25000	154	–	846	1000	141
50000	154	–	1846	2000	672

Alle Angaben in Euro, Quelle: BMF, Stand 31. Dezember 2004
[1]) 4 Prozent des Vorjahreseinkommens, höchstens 2100 Euro

Tipps: Informationen einholen

Wer einen Riester-Vertrag abschließt, sollte sich vorher gründlich informieren.

- Allgemeine Informationen rund um die Riester-Rente gibt die Bundesversicherungsanstalt für Angestellte unter www.bfa.de.
- Informationen zu Riester-Banksparplänen finden Sie auch auf der Homepage der STIFTUNG WARENTEST unter www.finanztest.de.

Etwas Papierkram

Wer die Vorteile des Riester-Sparens nutzen will, muss allerdings nicht nur einen entsprechenden Vertrag abschließen, sondern zusätzlich auch die ihm zustehenden Zulagen beantragen. Es reicht nicht, die Riester-Zahlungen allein in der Steuererklärung anzugeben. Das Finanzamt prüft lediglich, ob es einen Steuerbonus gibt, nicht aber die Inanspruchnahme der Zulagen. Für deren Beantragung hat der Sparer zwei Jahre Zeit (gerechnet ab dem Jahresende des jeweiligen Sparjahrs), sonst verfallen sie für das entsprechende Jahr. Früher war für jedes Jahr ein neuer Antrag notwendig. Mittlerweile reicht es jedoch, ein einziges Formular für die gesamte Förderdauer einzureichen. Nur eine Änderung der persönlichen Lebensverhältnisse – Umzug, Scheidung, Nachwuchs etc. – muss mitgeteilt werden. Die Antragsformulare verschicken die Banken an ihre Kunden.

Den normalen Sparplänen ähnlich

Die Riester-Angebote der Banken ähneln im Grundsatz den normalen Sparplänen. Der Kunde kann zwischen Verträgen mit variabler Verzinsung wählen, dazu gibt es in vielen Fällen einen mit der Laufzeit steigenden Bonus. Durch das genannte BGH-Urteil (→ Seite 53) sind viele Anbieter gezwungen, den variablen Grundzins auch bei der Riester-Variante ihrer Sparplanangebote an eine externe Richtschnur anzukoppeln. Diesen Referenzzinssatz geben die Institute dann mit einem Abschlag an ihre Sparkunden weiter, wobei regelmäßig eine Überprüfung und wenn nötig eine Anpassung erfolgt.

Riester-Verträge sind verwaltungsintensiv. Einige Banken berechnen daher laufende Kosten für die Kontoführung. Auch wird meist eine Gebühr fällig, sollte der Sparer das Geld während der Vertragslaufzeit in ein anderes Riester-Produkt umschichten oder gar förderschädlich vorzeitig abheben. Besonders nachteilig ist es, wenn statt eines Festbetrages eine prozentuale Gebühr berechnet wird und auf dem Vertrag bereits eine hohe Summe angespart worden ist. In solchen Fällen sollte über die Kosten verhandelt werden. Denn bei der Gestaltung ihrer Gebühren sind die Kreditinstitute frei, was allerdings auch bedeuten kann, dass sie die Sätze während der Laufzeit erhöhen können.

Derzeit bieten nur ausgewählte Sparkassen (Name: S-Vorsorge Plus) und Genossenschaftsbanken (Name: VR-Rente Plus) Riester-Banksparpläne an.

Rendite-Bausparen

Beim Thema Bausparvertrag denken viele Sparer eher an die Finanzierung der eigenen vier Wände als an rentable Geldanlage. Doch in einer Phase niedriger Zinsen am Kapitalmarkt ist diese Anlageform auch für Zinsanleger interessant, die, wenn überhaupt, nur vage den Traum vom Eigenheim verfolgen – vorausgesetzt, sie sind bereit, ihr Geld mindestens sieben Jahre lang festzulegen. Mit den Spitzentarifen der Bausparkassen ist selbst ohne staatliche Förderung eine Rendite bis über 4 Prozent drin. Und wer nicht zu viel verdient, erzielt mit Prämien und Zulagen gut 6 Prozent Rendite.

Rendite-Bausparen

↗	Renditechance [1])
↗	Sicherheit
→ bis ↘	Verfügbarkeit
↘	Steuereffekt
↗	Bequemlichkeit

[1]) unter Berücksichtigung staatlicher Prämien und Zuschüsse

Geeignet für:
Mittel- bis langfristige Anlage monatlicher Beträge – insbesondere für Sparer, die vermögenswirksame Leistungen bekommen und/oder für Anleger, die Anspruch auf Arbeitnehmersparzulage oder Wohnungsbauprämie haben.

Alternative Anlagemöglichkeiten:
→ Tabelle, Seite 139

Das Konzept des klassischen Bausparens ist einfach: Der Sparer zahlt regelmäßig über mehrere Jahre hinweg Geld in einen Vertrag ein. Das Guthaben wird zu einem relativ niedrigen Zinssatz verzinst, dafür erwirbt der Sparer im Gegenzug einen Anspruch auf ein günstiges Baudarlehen. Über die Bausparsumme aus Guthaben und Darlehen kann der Bausparer aber erst nach der Zuteilung seines Vertrags verfügen. Dazu muss er ein Mindestguthaben von 30 bis 50 Prozent der Bausparsumme ansparen und außerdem eine bestimmte Bewertungszahl erreichen, die die entsprechende Bausparkasse festsetzt. Die Bewertungszahl richtet sich nach der Höhe der Einzahlungen und der Spardauer.

Die einzelnen Darlehensbedingungen sind für Renditesparer allerdings Nebensache. Für sie kommt es darauf an, einen Vertrag abzuschließen, der optimal auf ihr Anlageziel und ihre individuelle Förderung zugeschnitten ist. Dazu zählt in erster Linie eine möglichst hohe Verzinsung in der Sparphase.

Die Basiszinsen der Bausparkassen sind zwar recht mager. Fast jede Bausparkasse hat aber einen Tarif im Programm, bei dem der Kunde mit einem Bonuszins „belohnt" wird, wenn er auf das an den Vertrag gekoppelte Darlehen verzichtet und eine Sparzeit von mindestens sieben Jahren zurückgelegt hat. Dazu erstatten einige Anbieter in diesem Fall die bei Vertragsabschluss zu zahlende

Gebühr von 1 oder 1,6 Prozent der Bausparsumme. Alles in allem lassen sich nach den Untersuchungen der STIFTUNG WARENTEST auf diese Weise Renditen erzielen, die höher sind als die Renditen vergleichbarer Banksparpläne mit entsprechender Laufzeit. Für eine hohe Rendite ist es allerdings wichtig, die Bausparsumme nicht zu hoch anzusetzen. Als Faustregel gilt, dass die Bausparsumme das Zehnfache der jährlichen Sparbeiträge nicht übersteigen sollte.

Staatliche Förderung

Zu einer besonders rentablen Zinsanlage wird Bausparen durch die staatlichen Zuschüsse. Anleger können – je nach Verdienst – zwei Fördertöpfe ausschöpfen:

Die **Wohnungsbauprämie**: Auf jährliche Einzahlungen von bis zu 512 Euro (Ehepaare 1024 Euro, Stand März 2005) gibt es eine Wohnungsbauprämie von 8,8 Prozent, wenn das zu versteuernde Jahreseinkommen 25600 Euro (Verheiratete 51200 Euro) nicht übersteigt. Je nach Familienstand und Kinderzahl kann das Bruttoeinkommen jedoch wesentlich höher sein.

Die **Arbeitnehmersparzulage**: Sparer können die vermögenswirksamen Leistungen (→ Seite 26), die sie durch eigene Sparleistungen bis zu einem Höchstbetrag von 470 Euro aufstocken können, ebenfalls in den Bausparvertrag anlegen und dafür die neunprozentige Arbeitnehmersparzulage beantragen. Allerdings liegen dafür die Einkommensgrenzen deutlich niedriger als bei der Wohnungsbauprämie (→ Tabelle unten). Wichtig für die Zulagen ist, dass die vermögenswirksamen Leistungen (VL) vom Arbeitgeber auf das Bausparkonto überwiesen werden, auch wenn es sich um eigene Sparleistungen des Arbeitnehmers handelt.

Die Wohnungsbauprämie auf der Kippe

In Zeiten leerer Haushaltskassen ist die Wohnungsbauprämie umstritten. Die Bundesregierung wollte die Prämie bereits mit Beginn des Jahres 2004 abschaffen, scheiterte damit aber am Veto des Bundesrats. Es ist jedoch möglich, dass die Zeiten dieses „Renditeknüllers" über kurz oder lang zu Ende gehen.

Staatliche Förderung im Überblick

	Wohnungsbauprämie		Arbeitnehmersparzulage	
	Ledige	**Ehepaare**	**Ledige**	**Ehepaare**
Zu versteuerndes Einkommen bis (Euro)	25600	51200	17900	35800
Geförderte Sparleistung pro Jahr (Euro)	512	1024	470	470/940 [1])
Fördersatz	8,8 %	8,8 %	9 %	9 %
Höchstförderung pro Jahr (Euro)	45,06	90,11	43,00	43,00/86,00 [1])
Sperrfrist	7 Jahre			
Auszahlung	Nach 7 Jahren oder nach Zuteilung			

[1]) Wenn beide Arbeitnehmer sind.

Stand: März 2005

Insgesamt kann ein Arbeitnehmer auf diese Weise bis zu 982 Euro jährlich prämien- und zulagenbegünstigt in einem Bausparvertrag anlegen und dafür 88,06 Euro jährlich an Zuschüssen kassieren, die das Finanzamt nach sieben Jahren, spätestens aber zum Zuteilungstermin auf das Bausparkonto überweist.

Vertragslaufzeit einhalten

Die sieben Jahre sind die Mindestanlagedauer, die Renditesparer einhalten müssen. Innerhalb dieser Sperrfrist darf der Bausparvertrag nur für wohnwirtschaftliche Zwecke verwendet werden, also beispielsweise für den Bau oder die Modernisierung eines Hauses. Nach Ablauf der Sperrfrist können sie jedoch frei über das Geld verfügen. Allerdings: Damit der Sparer in der Endabrechnung auch wirklich auf eine hohe Verzinsung kommt, muss er in der Regel warten, bis der Vertrag zugeteilt ist. Erst dann nämlich zahlen die meisten Kassen den in Aussicht gestellten Bonuszins. Kündigt der Anleger dagegen den Vertrag vorher, wird es damit in der Regel genauso wenig etwas wie mit der Erstattung der Abschlussgebühren. Wird der Vertrag sogar innerhalb der Sperrfrist aufgelöst, muss der Sparer auch auf die staatlichen Prämien und Zulagen verzichten. Zu beachten ist außerdem, dass die Bausparkassen bei einer Kündigung das Guthaben erst nach drei bis sechs Monaten auszahlen. Wer sein Geld sofort haben möchte, zahlt Vorschusszinsen.

Auch deshalb ist es wichtig, die Bausparsumme richtig zu dimensionieren. Ein zu hoch angesetzter Vertrag kostet Renditepunkte, denn der Sparer zahlt anfänglich eine zu hohe Abschlussgebühr. Und er riskiert, dass der Vertrag nach Ablauf der sieben Jahre noch nicht zugeteilt ist. Je höher nämlich die Bausparsumme, desto länger muss der Sparer warten, bis er ohne Nachteile über sein Guthaben verfügen kann.

Tipps für renditeorientierte Bausparer

- **Zum Schlussspurt ansetzen.** Wenn Sie den Bausparvertrag kurz vor Jahresende abschließen und den geförderten Höchstbetrag einzahlen, erhalten Sie noch für das Gesamtjahr die volle Zulage und Prämie.
- **Rendite aufpolieren.** Zur geförderten Sparleistung zählen bei der Wohnungsbauprämie auch die jährlichen Guthabenzinsen. Sie können Ihre Rendite noch erhöhen, wenn Sie jährlich nur den Förderungshöchstbetrag abzüglich der zu erwartenden Gutschrift zahlen.
- **Altverträge nutzen.** Sie können weiter in Ihren bestehenden Bausparvertrag einzahlen, auch wenn dieser zuteilungsreif ist, Sie aber kein Darlehen benötigen und nach einer sicheren Geldanlage suchen. Dies kann sich lohnen, denn viele ältere Verträge bieten inklusive Bonus eine ordentliche Verzinsung im Vergleich zum derzeit herrschenden Zinsniveau. Wie diese genau aussieht, steht in den Vertragsbedingungen.

Anleihen: Zinspapiere mit Brief und Siegel

Einführung für Anleihekäufer

Zinssparer, die sich mit den Sparangeboten der Banken näher beschäftigen, stehen nicht selten vor einem Dilemma: Die Möglichkeit, bei den Geldhäusern einfach und sicher Geld anzulegen, ist auf der einen Seite genau das, was ihren Vorstellungen entspricht. Andererseits fällt es vielen schwer, sich mit den relativ mageren Zinsen zufrieden zu geben, die Sparkonten, Festgelder & Co. häufig bieten. Spätestens, wenn sie dann ihren Bankberater fragen oder im Internet recherchieren, ob es nicht auch noch rentablere Alternativen gibt, kommen Anleihen ins Spiel. Das sind Wertpapiere, für die Anleger ebenso wie bei den Sparprodukten der Banken Zinsen bekommen. Sie werden von einer Vielzahl von Institutionen herausgegeben und an der Börse gehandelt. Ein breites Angebot aus Tausenden von Anleihen mit zum Teil unterschiedlichen Konzeptionen und Ausstattungsvarianten verspricht den Anlegern oft höhere (Rendite-)Chancen gegenüber den Sparangeboten der Kreditinstitute, aber im gleichen Maße verbinden sich damit auch höhere Risiken.

Was sind Anleihen?

Vom Grundsatz her schließt der Anleger beim Kauf einer Anleihe genau das gleiche Geschäft ab wie bei einer Einzahlung auf sein Sparkonto: Er wird zum Gläubiger – nur, dass er dabei sein Geld nicht unbedingt einer Bank leiht. Es kann auch ein Industrieunternehmen, ein Staat oder eine andere große Organisation sein. All diese Institutionen sind ebenso wie die Kreditinstitute regelmäßig auf der Suche nach Kapital. Um diesen Bedarf zu decken, treten sie an die Finanzmärkte heran und borgen sich dort Geld, indem sie Anleihen auflegen. Dazu wird die geplante Darlehenssumme in viele kleine Teilbeträge aufgeteilt. Diese Teilbeträge werden dann in Urkunden verbrieft und an das breite Anlegerpublikum verkauft. Auf diese Weise lässt sich wesentlich mehr Kapital mobilisieren, als das bei einer Kreditaufnahme über eine Bank möglich wäre.

Rechtlich gesehen stellen die Urkunden nichts anderes dar als eine Art Schuldschein. Das heißt, der Anleger gewährt dem Emittenten ein Darlehen in Höhe eines bestimmten Betrags der Gesamtsumme. Dafür verpflichtet sich der Herausgeber einer Anleihe im Gegenzug, das geliehene Kapital zu einem bestimmten Satz zu verzinsen und zu einem festgelegten Zeitpunkt wieder zurückzuzahlen – deshalb wird diese Art des Wertpapiers festverzinsliches Wertpapier genannt.

☞ Emittent
Bezeichnung für die juristische Person (meist eine Aktiengesellschaft) beziehungsweise die öffentlich-rechtliche Institution (zum Beispiel Bund, Land, Kommune), die ein Wertpapier auflegt und herausgibt.

Üblich sind jedoch neben Anleihe auch Bezeichnungen wie Schuldverschreibung, Obligation, der aus dem Angelsächsischen entliehene Begriff Bond, Rentenpapier oder kurz: Renten. Letztere Bezeichnung hat übrigens nichts damit zu tun, dass sich Anleihen besonders gut dazu eignen, sein Geld für die Rente anzulegen. Sie resultiert daraus, dass Anleihen regelmäßig wiederkehrende, überwiegend feste Zahlungen bieten. Und das bezeichnen Mathematiker als Rente.

Lufthansa

Nr. 250001

Inhaber Teilschuldverschreibung

über fünfhundert Euro

EUR 500,–

der Euro Anleihe von 2005/2010

im Gesamtnennbetrag von fünfzig Millionen Euro

EUR 50 000 000,–

eingeteilt in

250 000 Teilschuldverschreibungen zu je EUR 100,–

Nr. 000 001 bis 250 000

50 000 Teilschuldverschreibungen zu je EUR 500,–

Nr. 250 001 bis 300 000

Köln, im Mai 2005

Deutsche Lufthansa Aktiengesellschaft

Der Vorstand

Effektive Anleihen

Effektive Anleihen sind gedruckte Urkunden, die der Sparer in einem Depot deponieren oder mit nach Hause nehmen kann. Sie bestehen aus zwei separaten Teilen: Mantel und Bogen. Der Mantel verbrieft dabei den Anspruch auf das eingezahlte Kapital. Er ist, wenn man so will, die eigentliche Schuldurkunde. Der Bogen wiederum verkörpert den Zinsanspruch des Anleiheinhabers. Er besteht aus mehreren, aneinanderhängenden Zinsscheinen, die Kupons genannt werden. Für jeden Zinstermin gibt es dabei einen genau bestimmten Zinsschein.

Kauf und Verkauf – heute ganz unkompliziert

Anders als die Bankprodukte werden Anleihen heutzutage jedoch in der Regel nicht mehr in effektiver Form, also als gedruckte Urkunde, aufgelegt. Aus Vereinfachungsgründen wird der gesamte Schuldbetrag in einer Sammelurkunde verbrieft, die zentral bei einer speziellen Wertpapierbank aufbewahrt wird. Deshalb ist es inzwischen auch nur noch in Einzelfällen möglich, Papiere in effektiver Form zu bekommen.

Die Idee bei einer Sammelurkunde ist in etwa vergleichbar mit einer Gruppe von Sparern, die gemeinsame Sache machen und ihr Anlagekapital in einem großen Stapel aus Banknoten bündeln. Will ein Sparer aus dem Pakt aussteigen, muss er sich nicht die Mühe machen, sein Geld, zum Beispiel 1 000 Euro, aus dem Bündel zurückzuverlangen. Er verkauft einfach seinen Anteil an der Gesamtsumme an einen Dritten. Im Börsenalltag geht so die Übertragung des Eigentums mithilfe von Computern schnell und einfach vonstatten. Das ist für den Anleger in etwa genauso unkompliziert wie eine Überweisung vom Girokonto.

Die Ausstattungsmerkmale von Anleihen

Wenn sich zwei Personen untereinander Geld leihen, ist es selbstverständlich, dass sie bestimmte Absprachen treffen, damit es keine Missverständnisse und Auseinandersetzungen gibt, zum Beispiel darüber, bis zu welchem Termin und in welchen Raten das Geld wieder zurückgezahlt werden muss. Jede Bank schließt daher mit ihren Darlehenskunden einen schriftlichen Vertrag ab, in dem diese Bedingungen klar geregelt sind. Das ist bei einer Anleihe nicht anders. Dort sind die wesentlichen Punkte der Kreditvereinbarung zwischen Schuldner und Gläubiger, also zwischen Herausgeber und Anleger, ausdrücklich auf dem Mantel oder der Sammelurkunde vermerkt. Alle weiteren Vertragsdetails, die dort keinen Platz finden, werden dann ausführlich in den Emissionsbedingungen geregelt. Diese zusätzlichen Bedingungen, die im Emissionsprospekt zusammengefasst werden, sind ebenfalls Vertragsgrundlage zwischen beiden Parteien. Es empfiehlt sich daher für den Anleger, einen Blick in diese Unterlage zu werfen oder den Bankberater zu Einzelheiten zu befragen. Denn mitunter werden dort Punkte geregelt, die mit Vorteilen, aber auch Nachteilen für den Anleihekäufer verbunden sind, wie die folgenden Ausführungen zeigen.

Nennwert

Eines der wichtigsten Ausstattungsmerkmale einer Anleihe ist ihr Nennwert. Er gibt den Geldbetrag an, der laufend verzinst und am Ende der Laufzeit nebst Zinsen zurückgezahlt wird. Der Nennwert ist vergleichbar mit dem Wert eines Geldscheins. Auf der Urkunde steht dann also zum Beispiel 1000 Euro.

Bei der Herausgabe einer Anleihe wird die so genannte Nennwertstückelung festgelegt. Das ist zu vergleichen mit der Einteilung einer Währung in Banknoten bestimmter Größen – beispielsweise 5-Euro-Noten, 10-Euro-Noten etc. Der Anleger muss diese Einteilung beim Kauf beachten und die Höhe seines Anlagebetrages daran orientieren. Hat der Emittent zum Beispiel entschieden, dass seine Anleihe nur in Nennwerte von 1000 und 5000 Euro eingeteilt wird, ist es nicht möglich 500 oder 2500 Euro in dem Papier anzulegen. Der Nennwert ist gleichzeitig auch die Bezugsgröße für die Kursnotiz einer Anleihe (→ Seite 75).

Anlagewährung

Kennzeichnend für den Nennwert ist, dass er sich nicht nur auf einen bestimmten Betrag, sondern immer auch auf eine bestimmte

Währung bezieht. Das muss, selbst wenn es sich um einen Herausgeber aus Deutschland handelt, nicht unbedingt der Euro sein. Die deutschen Gesetze lassen es zu, dass sich jeder Emittent in jeder frei handelbaren Währung verschulden kann. Ein deutsches Unternehmen kann also auch Anleihen in US-Dollar oder britischen Pfund herausgeben. Der Anleger wiederum hat durch den Kauf einer Fremdwährungsanleihe die Möglichkeit, vom höheren Zinsniveau eines anderen Währungsraumes und zusätzlich von Wechselkursveränderungen zu profitieren. Dadurch kann er seine Renditechancen erhöhen, bei einer ungünstigen Währungsentwicklung allerdings auch sein Verlustrisiko in gleichem Maße steigern (→ Seite 160).

Fremdwährungsanleihe
Eine Anleihe, deren Nennwert auf eine andere Währung lautet als die „Heimatwährung" des Anlegers, der sie kauft – zum Beispiel, wenn ein deutscher Anleger ein Papier erwirbt, das auf US-Dollar lautet.

Laufzeit

Neben dem Nennwert enthält der Text auf der Schuldurkunde auch den genauen Termin, zu dem der Herausgeber die Darlehenssumme zurückzahlen muss. Grundsätzlich kann der Anleger aufgrund des großen Angebots bei Anleihen aus einem breiten Spektrum an Laufzeiten wählen. Zur besseren Orientierung hat es sich bei Anleiheexperten eingebürgert, die einzelnen Papiere nach Fristen zu unterteilen. Anleihen mit weniger als drei Jahren Laufzeit werden als Kurzläufer bezeichnet, die Spanne von drei bis sieben Jahren zählt als Zeitraum für mittelfristige Papiere, und danach beginnen die Langläufer, deren Laufzeit 30, mitunter sogar bis zu 50 Jahre betragen kann. Der Anleger hat somit bei Anleihen die Möglichkeit, sein Geld bei Bedarf wesentlich langfristiger zu binden als das bei den Bankprodukten – etwa den Sparbriefen (→ Seite 49) – der Fall ist.

Tilgung

Neben dem Rückzahlungstermin legt der Emittent einer Anleihe auch fest, in welcher Weise die Tilgung erfolgt. Bei der überwiegenden Zahl aller Anleihen wird die angelegte Summe, also der Nennwert, auf einmal zurückgezahlt. Doch es gibt Ausnahmen:

Annuitätenanleihen: Sie werden nach einem festen Tilgungsplan in Teilbeträgen beziehungsweise mehreren Tranchen zurückgezahlt.

Dazu ein Beispiel: Eine Bank legt eine Anleihe über einen Gesamtbetrag von 10 Millionen Euro auf. In den Emissionsbedingungen bestimmt sie, dass nach zehn Jahren eine erste Tranche über eine Million Euro zurückgezahlt wird, im Jahr darauf eine weitere Million und so weiter – bis nach zwanzig Jahren die gesamte Emission getilgt ist. Damit die Anleger wissen, worauf sie sich einlassen und

Einseitiges Kündigungsrecht

Eindeutig nachteilig ist es für den Anleger, wenn sich ein Herausgeber in den Emissionsbedingungen ein einseitiges Kündigungsrecht vorbehält. Das heißt, er kann die Anleihe nach einer bestimmten Frist oder zu einem bestimmten Termin vorzeitig zurückzahlen. Von diesem Recht wird der Herausgeber hundertprozentig Gebrauch machen, wenn bis zu diesem Termin das allgemeine Zinsniveau sinkt. Den Schaden hat dann der Anleihebesitzer, denn er muss auf die vergleichsweise lukrative Verzinsung seines Kapitals verzichten und sich eine neue Anlage suchen. Daher sollten Anleihekäufer in einem solchen Fall darauf achten, dass ihnen der Herausgeber das vorzeitige Kündigungsrecht mit einer Prämie „bezahlt" – beispielsweise durch einen Aufschlag auf den Rückzahlungsbetrag oder eine über dem Marktdurchschnitt liegende Verzinsung.

nicht versehentlich eines der Papiere kaufen, das erst in zwanzig Jahren fällig ist, wenn sie eigentlich eines aus der Tranche haben wollen, die schon in zehn Jahren zurückgezahlt wird, werden die einzelnen Tranchen gesondert gekennzeichnet und an der Börse separat gehandelt.

Auslosungsanleihen: Der Herausgeber kann sich allerdings auch für eine andere Rückzahlungsvariante entscheiden: Statt von vornherein festzulegen, welche Tranche wann getilgt wird, kann er auch Jahr für Jahr wahllos bestimmen, welche Papiere zurückgezahlt werden. Dazu lost er einfach die einzelnen Nummern aus, die jeder Urkunde mit der Auflage fortlaufend zugeteilt werden und dort aufgedruckt sind. Dementsprechend heißen diese Zinspapiere Auslosungsanleihen. Dieser Anleihetyp kommt heutzutage nicht mehr allzu häufig vor. Dennoch werden diese Rentenpapiere an der Börse nicht gesondert gekennzeichnet. Um böse Überraschungen zu vermeiden, sollte der Anleger daher vor dem Kauf einen Blick in die Emissionsbedingungen werfen. Dabei kann er die Hilfe seines Bankberaters in Anspruch nehmen oder den Emissionsprospekt mithilfe des Internets recherchieren (Internethinweise → Seite 74).

Verzinsung

Die Regelung, die der Anleger sicherlich am meisten beachten wird, ist die Angabe des Prozentsatzes, zu dem der Nennwert laufend verzinst wird. Dabei wird klar im Text festgelegt, in welchem Rhythmus beziehungsweise zu welchem Termin die Zinsen gezahlt werden müssen. Üblich sind jährliche, halbjährliche und vierteljährliche Zinstermine. Bei einer halbjährlichen Verzinsung könnte dann eine entsprechende Formulierung lauten: „Jeweils zum 30. Juni und zum 30. Dezember eines jeden Kalenderjahres". Je nachdem, wie die Zinszahlung im Einzelnen geregelt ist, unterscheidet man unterschiedliche Typen von Anleihen.

Anleihen nach Zins-Typen

Auch wenn Anleihen festverzinsliche Wertpapiere genannt werden, darf man daraus nicht den Schluss ziehen, dass der Zinssatz generell über die gesamte Laufzeit hinweg konstant ist. Das Wort „fest" bezieht sich lediglich darauf, dass es klare Regeln und Vereinbarungen gibt, nach welcher Systematik die Verzinsung vorgenommen wird.

„Normale" Anleihen

Das Übliche bei Anleihen ist gleichzeitig das Normale und das wiederum ist die einfachste Variante: Anleihen mit einem über die gesamte Laufzeit hinweg konstanten Zinssatz, die am Ende der Laufzeit in einer Summe zurückgezahlt werden, bezeichnen Fachleute als normale Anleihen oder auch als Straight Bonds. Der Vorteil dieser Variante ist, dass der Anleger relativ genau weiß, mit welchem Ertrag er rechnen kann.

☞ **Straight** (engl.): ehrlich, geradeaus, reell

Stufenzinsanleihen

Etwas komplizierter wird es bereits bei Stufenzinsanleihen. Ähnlich wie bei den Kontenangeboten der Banken mit vorzeitiger Kündigungsmöglichkeit steigt bei diesen Papieren der Zins von Jahr zu Jahr. Der bekannteste Vertreter dieses Anleihetyps ist der Bundesschatzbrief (→ Seite 80).

Für die Konstruktion einer Zinstreppe gibt es mehrere Gründe. Einer davon: Mit einem steigenden Zins will der Herausgeber (Emittent) einen Anreiz schaffen, dass die Anleger das Papier möglichst bis zum Ende der Laufzeit behalten. Da es am Kapitalmarkt üblich ist, dass die Rendite einer Anleihe umso höher ist, je länger sie läuft, muss der Emittent allein deshalb den Zinssatz mit jedem weiteren Jahr heraufsetzen, damit sein Papier auch konkurrenzfähig bleibt. Anleihen mit sinkendem Zins kommen dagegen eher selten vor und wenn doch, dann vor allem bei den exotischen Zinspapieren (→ Seite 91).

Für den Anleger besteht die Schwierigkeit bei den Stufenzinspapieren darin, dass er selbst die Rendite nur mit Mühe und nicht ohne technische Unterstützung ausrechnen kann; allerdings hält jede Bank Angaben zur effektiven Rendite bereit (→ Seite 99). Zudem muss er abschätzen, ob für den Anlagezeitraum, den er ins Auge gefasst hat, eine normale Anleihe mit gleicher Laufzeit unter Umständen nicht die bessere Wahl ist.

Floater (Gleitzinsanleihen)

Was normale Bonds und Stufenzinsanleihen auszeichnet, ist die Tatsache, dass der Emittent mit der Herausgabe der Anleihe die Verzinsung ausdrücklich festlegt. Er hat allerdings auch die Möglichkeit, die Zinshöhe durch den allgemeinen Zinstrend laufend neu bestimmen zu lassen: mit Gleitzinsanleihen, den so genannten Floatern oder auch Floating-Rate-Notes (FRN). Dabei handelt es sich um variabel verzinste Anleihen, deren Zinssatz in regelmäßigen Abständen – beispielsweise alle drei oder sechs Monate – neu bestimmt wird. Floater zählen aber dennoch zu den festverzinslichen Papieren, weil der Herausgeber nicht frei entscheidet, wie die Anleihe weiterhin verzinst wird. Der Zinssatz ist vielmehr an einen bestimmten Referenzzinssatz gekoppelt. Dieser Referenzzinssatz orientiert sich meist an den kurzfristigen Anlagezinsen – zum Beispiel am 3- oder 6-Monats-Euribor, auf den dann ein Aufschlag oder Abschlag vorgenommen wird, dessen Höhe von der Kreditwürdigkeit des Herausgebers abhängt (→ Seite 95).

Das heißt: Mit Floatern nimmt der Anleger an laufenden Änderungen des allgemeinen Zinsniveaus teil. Das ist von Vorteil, wenn der entsprechende Satz während der Laufzeit der Anleihe stark steigt – umgekehrt ist es nachteilig, wenn der Referenzzins sinkt. Das bedeutet aber auch, dass der Käufer eines Floaters durch die laufende Anpassung der Verzinsung zum Einstiegszeitpunkt gar nicht genau absehen kann, welche Rendite (→ Seite 98) die Anleihe bis zur Fälligkeit bringt. Manche Emittenten vereinbaren einen bestimmten Mindestzins, begrenzen aber oft die Verzinsung nach oben mit einem Maximalwert, einem Cap, wie es in der Fachsprache heißt.

Euribor
Abkürzung für **Euro Interbank Offered Rate**, ein börsentäglich ermittelter Zinssatz, der sich aus dem Handelsgeschehen am Euro-Geldmarkt ergibt und der für verschiedene Laufzeiten festgestellt wird. Dazu melden knapp 60 internationale Banken gegen Mittag ihre Handelssätze für Ein- bis Zwölfmonatsgelder an einen zentralen Datendienst, der aus diesen Angaben Durchschnittszinssätze errechnet und veröffentlicht.

Eine Abwandlung von klassischen Floatern sind Reverse-Floater. Auch bei dieser Variante wird der Zins in regelmäßigen Abständen an einen Referenzzins angepasst. Der Unterschied zum Floater ist, dass dies unter umgekehrten Vorzeichen geschieht: Von einem vorgegebenen Basiszins wird der Referenzzins abgezogen – zum Beispiel 12 Prozent minus Euribor. Ergebnis: Je stärker der jeweilige Referenzzins fällt, desto höher ist die Verzinsung der Anleihe.

Reverse-Floater
(engl.): umgekehrte Gleitzinsanleihe.

Gewinnschuldverschreibungen

Eine andere Variante variabel verzinster Anleihen stellen Gewinnschuldverschreibungen dar. Dabei wird die laufende Verzinsung ergänzt um einen Bonus, dessen Höhe vom Herausgeber jährlich neu festgelegt wird. Wenn es sich um ein privates Unternehmen handelt, kann sich der Zinszuschlag zum Beispiel am Jahresgewinn orientieren. Diese Art von Gewinnschuldverschreibung ist eng verwandt mit Genussscheinen (→ Seite 91).

Auf- und abgezinste Anleihen

Eine gänzlich andere Form der Verzinsung besitzen Papiere, bei denen der Emittent auf eine regelmäßige Auszahlung der laufenden Zinsen verzichtet. Stattdessen zahlt er das Kapital am Ende der Laufzeit inklusive Zins und Zinseszins in einer Summe zurück. Dabei lassen sich zwei Spielarten unterscheiden:

Aufgezinste Anleihen, auch Kapitalzuwachsanleihen genannt, werden zum Nennwert herausgegeben und – je nach Laufzeit und Verzinsung – beispielsweise zum Eineinhalbfachen des Nennwertes zurückgezahlt.

Abgezinste Anleihen, auch Zerobonds oder Nullkuponanleihen genannt, werden dagegen in Abhängigkeit von Laufzeit und Verzinsung zu einem Bruchteil des Nennwerts herausgegeben und am Ende zu 100 Prozent wieder eingelöst.

Beispiel: Ein Zerobond kostet bei der Emission knapp 560 Euro. Dafür erhält der Anleger am Fälligkeitstermin nach exakt zehn Jahren 1 000 Euro zurück. Das entspricht einer laufenden Verzinsung von rund 6 Prozent.

Auf- und abgezinste Anleihen bieten den Vorteil, dass sich der Anleger nicht um die Wiederanlage zwischenzeitlich gezahlter Zinsen kümmern muss. Sie haben aber auf der anderen Seite den Nachteil, dass ihr Kurswert empfindlich auf Änderungen des allgemeinen Zinsniveaus während der Laufzeit reagiert (→ Seite 158). Das ist vor allem dann von Bedeutung, wenn der Anleger beabsichtigt, seine Papiere vorzeitig zu verkaufen.

Zudem können sie für Anleger steuerlich nachteilig sein, da bei der Rückzahlung oder dem vorzeitigen Verkauf der gesamte, während der Haltedauer erzielte Kursgewinn in einer Summe zu versteuern ist. Das führt oftmals dazu, dass der Anleger seine Freibeträge überschreitet und zumindest auf einen Teil des Zinsertrags Zinsabschlagsteuer fällig wird. Es kann aber auch steuerlich genutzt werden, weil so Zinszahlungen in Jahre verschoben werden können, in denen der Anleger geringere Einkünfte hat, beispielsweise weil er in Rente geht (→ Seite 126).

Die Ausgabe und der Handel von Anleihen

Wenn von der Börse die Rede ist, denken viele Anleger sofort und ausschließlich an Aktien. Doch das ist ein Vorurteil. Ein viel größerer Teil des tagtäglichen Handels an den Finanzmärkten entfällt auf Anleihegeschäfte. Geht es allein nach der Statistik, dann bietet die Börse Anlegern, die eine Anleihe kaufen wollen, gute Möglichkeiten dazu.

Der grundsätzliche Vorteil, der sich durch den Börsenhandel bei Anleihen ergibt, ist die höhere Flexibilität gegenüber vielen Bankangeboten. Anders als beispielsweise bei einem Sparbrief kann sich der Anleger auch vor Fälligkeit jederzeit wieder von seinen Papieren trennen, indem er sie an der Börse veräußert. Unter Umständen erzielt er dabei sogar noch einen zusätzlichen Gewinn, wenn er sie teurer verkaufen kann als er sie selbst gekauft hat. Auch wenn auf Sicherheit bedachte Sparer kaum von dieser Möglichkeit aktiv Gebrauch machen werden, weil sie beabsichtigen, ihre Papiere bis zur Fälligkeit zu behalten, lässt sich auf diese Weise mit Anleihen genauso spekulieren wie mit Aktien. Ob dann eine solche Spekulation aufgeht, hängt wie immer an der Börse von der Wahl der passenden Zeitpunkte, dem richtigen Händchen und dem allgemeinen Zinstrend ab. Auf der anderen Seite wird im ungünstigen Fall dem Anleger ein vorzeitiger Abschied verleidet, wenn ihm dadurch ein hoher Verlust entstehen würde.

Die Wahl der passenden Bank: Beratung gibt es nicht zum Nulltarif

Wer Anleihen und andere Wertpapiere kaufen will, ist auf die Dienste einer Bank oder eines Brokers angewiesen, der die Kauf- und später gegebenenfalls auch Verkaufsaufträge ausführt. Die Auswahl ist groß, denn Wertpapiergeschäfte gehören zum Standardangebot eines jeden Geldhauses.

Die erste und meist naheliegendste Möglichkeit besteht darin, zu einer der Filialbanken vor Ort zu gehen. Dort findet der Anleger spezielle Berater als Ansprechpartner für seine Anlagegeschäfte. Vorteil: Der Banker nimmt im Idealfall am Anfang eine ausführliche, persönliche Beratung (→ Seite 28) vor, hilft bei der Auswahl der Papiere und der Kaufaufträge und steht danach weiter mit Rat und Tat zur Seite. Eine Alternative dazu bieten Direktbanken und Discountbroker. Ihr Hauptmerkmal ist, dass sie auf ein teures Netz

Infos im Netz

www.brokertest.de
Übersicht über die in Deutschland tätigen Discountbroker und ihre Konditionen, mit Preisvergleich (Hauptmenü „Testcenter"), allerdings ohne Gewähr!

von Geschäftsstellen verzichten und per Telefon und über das Internet zu erreichen sind. Sie bieten ihren Kunden Öffnungszeiten vom frühen Morgen bis spät am Abend. Das werden gerade diejenigen zu schätzen wissen, die während der banküblichen Öffnungszeiten keine Möglichkeit haben, sich um ihre Geldanlagen zu kümmern.

Der Haken bei Discountbrokern und Direktbanken ist, dass sie – von Ausnahmen abgesehen – keine persönliche Beratung anbieten. Der Anleger muss sich also alleine zurechtfinden und selbst wissen, welche Anleihen er kaufen will.

Der Trumpf, den die Direktinstitute gegenüber den Filialbanken ausspielen können, sind die meist günstigeren Konditionen. Banken und Sparkassen berechnen beim Anleihekauf fast durchweg ein halbes Prozent vom Auftragswert als Provision. Dazu kommen noch Börsengebühren und Maklercourtage. Was vor allem Kleinanlegern mit Anlagebeträgen von ein paar hundert Euro den Kauf einer Anleihe verleidet, ist, dass Filialbanken vielfach Mindestprovisionen verlangen. Das heißt, bei jeder Order wird unabhängig vom Gegenwert auf jeden Fall ein bestimmter Mindestbetrag fällig, der im Einzelfall durchaus 50 Euro betragen kann. Dadurch werden kleinere Orders von vornherein unattraktiv, denn die Kostenbelastung fällt viel höher aus als das genannte halbe Prozent.

Viele Direktbanken verwenden aber individuelle Preismodelle, was es schwer macht, konkret zu vergleichen. Gegenüber der telefonischen Auftragserteilung ist es außerdem in den meisten Fällen günstiger, wenn der Kunde seine Order per Internet aufgibt. Nach Erhebungen der STIFTUNG WARENTEST lässt sich feststellen, dass die Direktbanken im Schnitt um gut die Hälfte preiswerter sind als die Filialkonkurrenz. Allerdings muss dabei berücksichtigt werden, dass auch die meisten Discounter eine Mindestprovision berechnen. Am besten ist es daher, die Kosten für einen konkreten Auftrag bei mehreren Anbietern modellhaft nachzurechnen und miteinander zu vergleichen. Generell müssen Zinssparer

Das Depot

Wer Anleihen kauft, muss auch eine Möglichkeit haben, seine Papiere zu verwahren. Die Banken wickeln sogar oft nur dann Aufträge ab, wenn der Kunde vorher ein Depot eröffnet, über das sämtliche Wertpapiertransaktionen laufen. Dafür bitten die meisten Geldhäuser zusätzlich zu den reinen Kauf- und Verkaufsgebühren ebenfalls zur Kasse, was die Kostenbelastung noch einmal erhöht. Fairerweise muss jedoch gesagt werden, dass sich diese Belastung im Vergleich zu den Transaktionskosten in Grenzen hält. Für ein Durchschnittsdepot, das Aktien, Anleihen und Investmentfonds im Gesamtwert von angenommen 30 000 Euro enthält, ist in vielen Fällen mit einem Betrag zu rechnen, der zwischen 30 und 60 Euro pro Jahr liegt. Dazu kommen unter Umständen noch zusätzliche Kosten für das Verrechnungskonto.

jedoch davon ausgehen, dass sie beim Einzelkauf einer Anleihe, mit Ausnahme von Finanzierungsschätzen, Bundesobligationen und Bundesschatzbriefen (→ Seite 78) einen Anlagebetrag von mindestens 2 500 Euro, besser aber 5 000 Euro zur Verfügung haben sollten, damit das ganze Anlagegeschäft unter Kostengesichtspunkten auch rentabel bleibt!

Stellt sich die Frage, welche der beiden Möglichkeiten, Filialbank oder Direktbank, die geeignetere ist. Obwohl es mit den Beratungsqualitäten der Filialbanken auch nicht immer zum Besten steht (→ Seite 28), sind Zinsanleger bei ihren ersten Schritten in Sachen Anleihen dort in vielen Fällen besser aufgehoben. Wer dann etwas Erfahrung gesammelt hat, kann sich immer noch überlegen, zu einem der Direktanbieter zu wechseln.

Der Weg zur Anleihe

Neben der Frage nach einer Depotbank muss sich der Anleger Gedanken über den Handelsweg machen, über den er seine Anleihen kaufen will. Auf den ersten Blick scheint dies unnötig, denn fast jede Bank hat eine Reihe von (eigenen und fremden) Papieren im Programm, die sie ihren Kunden anbietet. Doch ob es sinnvoll ist, dort zuzugreifen, sollte gut überlegt und geprüft werden. Denn wie für viele Dinge des täglichen Gebrauchs gibt es auch bei Anleihen Preisunterschiede. Ein genauer Vergleich lohnt also, wobei zusätzlich berücksichtigt werden muss, dass jeder Handelsweg seine speziellen Vor- und Nachteile besitzt.

Der Kauf über die Börse

Der Kauf über die Börse gilt als klassisch und sicher. Die Mehrzahl der in Deutschland herausgegebenen Anleihen werden am größten deutschen Finanzplatz, an der Deutschen Börse in Frankfurt, gehandelt. Viele Emissionen notieren allerdings nicht nur in der Mainmetropole, sondern auch an einer der deutschen Regionalbörsen. Ein Blick auf die kleineren Handelsplätze lohnt, denn sie haben sich zum Ziel gesetzt, mit einem besseren Serviceangebot vor allem bei den Privatanlegern zu punkten.

Fast alle Regionalplätze werben mit fairer Kursstellung, transparenter Abwicklung und schneller Ausführung der Orders.

Infos im Netz

Die Homepages deutscher Börsen (Adressen im Serviceteil, Seite 171):

- Berlin: www.berlinerboerse.de
- Bremen: www.boerse-bremen.de
- Düsseldorf: www.boerse-duesseldorf.de
- Frankfurt: www.deutsche-boerse.de
- Hamburg und Hannover: www.boersenag.de
- München: www.boerse-muenchen.de
- Stuttgart: www.boerse-stuttgart.de

Spezielle Handelssysteme garantieren dort auch Privatanlegern bis zu einer bestimmten Ordergröße (meist 50 000 Euro) günstige Preise und jederzeit eine ausreichende Handelbarkeit. In der Börsenpraxis zeigt sich nämlich, dass sich das hauptsächliche Handelsgeschehen bei Anleihen auf vergleichsweise wenige Papiere konzentriert, während viele andere Anleihen nicht oder kaum gehandelt werden, weil es zu wenige Käufer und/oder auf der anderen Seite zu wenige Verkäufer gibt. Dies muss bei der Auswahl eines Papiers mitberücksichtigt werden. Meist kann der Anleger über die Homepages der Börsen oder durch Nachfrage beim Bankberater vorher klären, wie rege eine konkret ins Auge gefasste Anleihe gehandelt wird, ehe er seine Order aufgibt.

Der Kauf per Emission

Da fast jede Anleihe nur eine begrenzte Laufzeit besitzt, sorgen die Herausgeber regelmäßig für Nachschub an neuen Papieren, indem sie fällig gewordene durch andere ersetzen. Ein Ärgernis bei vielen Emissionen ist allerdings, dass Privatanleger unter normalen Umständen kaum eine Chance haben, neu begebene Anleihen zu erstehen. Um die Emission rasch über die Bühne zu bringen, spre-

Mini-Bonds an Mini-Börsen: Zweifelhaftes Angebot für Privatanleger

Eine Reihe von Banken haben spezielle Online-Handelsplätze eröffnet, an denen Privatanleger über ihre Hausbank bestimmte, neu emittierte Anleihen zeichnen können. Der Mindestanlagebetrag liegt dabei bei vergleichsweise niedrigen 1 000 Euro. Die Handelshäuser legen zu Anfang der Woche für die anstehenden Neuemissionen Verzinsung und Preis der einzelnen Papiere fest. Die Konditionen bleiben dann gültig bis zum Wochenende. Der Vorteil: Der Kunde weiß genau, was er für die gewünschten Papiere zu zahlen hat und seine Order wird umgehend ausgeführt.

Unterstützt wird dieser Trend von einigen Emittenten wie zum Beispiel der staatlichen KfW-Bank (Kreditanstalt für Wiederaufbau), die neben ihren „großen" Emissionen regelmäßig speziell für Privatanleger konzipierte Papiere auflegt. Diese so genannten Mini-Bonds werden im Wochenrhythmus und immer zum Nennwert herausgegeben. Für den Kunden fällt damit die umständliche Renditeberechnung (→ Seite 98) aufgrund Unter- oder Über-Pari-Kursen (→ Seite 70) flach, zu denen viele Neuemissionen ausgegeben werden.

Der Service hat allerdings seinen Preis. Mini-Bonds bringen in der Regel eine schlechtere Verzinsung als die vergleichbare „Großemission" des gleichen Herausgebers. Abschläge zwischen 0,5 und 0,3 Prozentpunkten sind üblich. Das entspricht etwa dem Preisunterschied, der sich im Einzelhandel gegenüber dem Großhandel ergibt. Der Anleger muss sich somit gut überlegen, ob der Kauf der Mini-Papiere wirklich sinnvoll ist. Oft bieten Sparbriefe oder mehrjährige Festgelder im direkten Vergleich bessere Renditen.

chen der Emittent und seine Bank schon im Vorfeld gezielt Großinvestoren wie Versicherungen und Fondsgesellschaften an, um dort umfangreiche Teile der Emission zu „platzieren", wie es in der Fachsprache heißt. Folge: Wenn das Papier auf den Markt kommt, ist es meist schon so gut wie ausverkauft.

Infos im Netz

Im weltumspannenden Datennetz finden interessierte Anleger eine Fülle von Informationen zu den Finanzmärkten und zum Thema Geldanlage. Gegenüber anderen Anlageformen, vor allem Aktien, ist das Angebot bei Zinspapieren etwas dünner gestreut, dennoch gibt es genug Seiten, auf denen auch Anleiheanleger aktuelle Informationen finden:

- **www.coins.db.com**
Internetseite mit dem Anleiheangebot der Deutschen Bank. Dazu gehören Hauspapiere sowie „Mini-Bonds" der KfW-Bankengruppe (Kreditanstalt für Wiederaufbau), vom Autobauer Ford und der niederländischen Rabobank.

- **www.bloomberry.com/markets/rates/germany.html**
Angaben zum Zinsniveau von Bundesanleihen.

- **www.finanzagentur.de**
Übersicht über Schatzbriefe, Finanzierungsschätze und alle Anleihen des Bundes.

- **http://eu.internotes.com**
Über diese Seite bietet die US-Investmentbank Incapital Privatanlegern Bonds von Banken und Industrieunternehmen an – beispielsweise der Westdeutschen Landesbank (WestLB), der Landesbank Baden-Württemberg und der Bank of America. Achtung: Seite komplett in Englisch, außerdem kostenlose Registrierung erforderlich.

- **www.eurodans.com**
Die Tochter der niederländischen Großbank ABN Amro bietet über ihre Seite Anleihen unter anderem der Finanzierungstochter des US-Autokonzerns General Motors an.

- **www.sbroker.de**
Seite des Discountbrokers der Sparkassengruppe, die ein umfangreiches Angebot zu Anleihen bietet. Unter dem Menüpunkt „Anleihefinder" und „Neuemissionen" findet der Surfer für viele Papiere Angaben zu Nominalverzinsung, aktuellen Kursen und Laufzeiten. Allerdings: keine Angaben zum Rating (→ Seite 95).

- **www.bondboard.de**
Das deutsche Wertpapierhandelshaus Deutsche Börsenmakler GmbH nennt auf seiner Seite Ratings, Kurse und Renditen für eine breite Palette von Papieren und Herausgebern.

- **www.boerse-stuttgart.de**
Internetpräsenz der Wertpapierbörse Stuttgart. Unter dem Menüpunkt „Anleihen" bekommen registrierte Nutzer (Anmeldung kostenlos!) umfangreiche Informationen zu Renditen, Besonderheiten und Kurse der gehandelten Anleihen. Dazu gibt es einen Renditerechner und ein Glossar mit Fachbegriffen.

- **www.onvista.de**
Finanzportal zum Thema Börse. Unter dem Menüpunkt „Anleihen" gibt es einen Anleihefinder, Basiswissen, Renditen und Marktübersichten.

- **www.dab-bank.com** und **www.easytrade.de**
Auf den Seiten finden Anleger unter „Anleihe-Investor" beziehungsweise „Anleihen" jeweils das Anleihe-Hausangebot der beiden Discountbroker vor.

Anleihen zum Festpreis

Die andere Handelsmöglichkeit, die sich für den Anleger bietet, ist eine Art Zwischenhandel, den die Banken organisieren. Sie übernehmen dazu einzelne Emissionen gezielt in ihren Handelsbestand, um sie neben ihren eigenen Papieren mit einem Preisaufschlag ihren Privatkunden anzubieten. Anleihen werden auch im Rahmen so genannter Festpreisgeschäfte verkauft. Statt zum aktuellen Börsenkurs werden diese Papiere zu einem festen Preis angeboten, der alle Spesen enthält. Mittlerweile werden die meisten Anleihegeschäfte zwischen Privatanlegern und Banken auf diese Weise abgewickelt.

Im Gegensatz zum üblichen Börsengeschäft, bei dem das Kreditinstitut nur im Auftrag seines Kunden an der Börse tätig wird, kommt hierbei ein Kaufvertrag zwischen Bank und Kunde zustande. Alle Konditionen werden dabei fest vereinbart und können hinterher nicht geändert werden. Darauf muss das Institut ausdrücklich hinweisen. Ob ein solches Festpreisgeschäft vorteilhaft ist, muss der Kunde selbst kalkulieren. Er kann dazu die Rendite inklusive Kosten mit der Rendite einer ähnlichen Anleihe mit gleicher Laufzeit vergleichen, indem er zum Beispiel dem Kurs einer Bundesanleihe die üblichen Gebühren hinzurechnet. Im Idealfall findet er sogar im Internet oder im Kursteil einer Tageszeitung zu genau dem Papier, das ihm von seiner Bank angeboten wird, einen aktuellen Börsenkurs. Das Festpreisgeschäft sollte ihm auf jeden Fall den gleichen Ertrag bringen wie ein Kauf über die Börse.

Der Kurs: So werden Anleihen notiert

Anders als Aktien, für die an der Börse absolute Preise gezahlt werden, zum Beispiel 45,50 Euro pro Stück, notieren Anleihen in Prozent ihres Nennwerts. Ein Kurs von 100 Prozent bedeutet, dass das Papier genau zu dem Preis gehandelt wird, zu dem es der Emittent am Ende der Laufzeit zurückzahlt. In der Fachsprache heißt das: es wird pari gehandelt. Ein Kurs von beispielsweise 99 Prozent bedeutet dann, dass ein Käufer für eine Anleihe, deren Nennwert 1 000 Euro beträgt, nur 990 Euro zahlen muss. Das Papier wird „unter pari" gehandelt. Umgekehrt sind bei einem Kurs von 101 Prozent 1 010 Euro für die Anleihe auf den Tisch zu legen. Sie wird „über pari" gehandelt. Durch Kursauf- und -abschläge ergibt sich eine Anpassung der Rendite (→ Seite 98) an das allgemeine Marktzinsniveau (→ Seite 158).

Exkurs: Sicherheit für Anleihekäufer

Wer damit begonnen hat, sich näher mit Anleihen zu beschäftigen, den wird neben den Chancen, die diese Papiere bieten, die Frage interessieren, wie sicher das Geld ist, das in solchen Schuldverschreibungen angelegt wird. Eine pauschale Antwort darauf ist kaum möglich, wie sich in den nachfolgenden Abschnitten noch zeigen wird. Eines jedoch kann vorab gesagt werden: Eine Einlagensicherungseinrichtung, die wie bei den Kontenanlagen das Geld der Anleger schützt, gibt es bei Anleihen nicht – sieht man einmal von den Papieren der Sparkassen und Genossenschaftsbanken ab (→ Seite 37). Letztlich sind die Anleihebesitzer darauf angewiesen, dass die Finanzkraft des Herausgebers ausreicht, um Zins und Tilgung leisten zu können – und zwar auf Dauer. Schließlich werden viele Anleihen erst nach fünf oder zehn Jahren fällig.

Privat oder staatlich?

Sollte ein Herausgeber in finanzielle Schwierigkeiten geraten und nicht mehr in der Lage sein, seine Anleihen zu „bedienen", ist die Frage von Bedeutung, ob es sich um ein privates Unternehmen oder eine öffentliche Institution, etwa einen Staat oder eine staatliche Einrichtung, handelt. Im ersten Fall gehen die Ansprüche der Anleihebesitzer denen der Anteilseigner (Aktionär, Gesellschafter etc.) vor. Kommt es zur Zahlungsunfähigkeit, erhalten die Bondbesitzer erfahrungsgemäß zumindest einen, wenn auch geringen, Teil ihres Geldes zurück. Ausnahme: Die Inhaber so genannter nachrangiger Anleihen können, wie der Name bereits sagt, erst nach den erstrangig eingestuften Anleihebesitzern ihre Ansprüche anmelden – und gehen dadurch wie die Anteilseigner fast immer leer aus.

Staatliche Emittenten können dagegen im juristischen Sinne nicht bankrott gehen; sie können allerdings zahlungsunfähig werden. In diesem Fall müssen sie sich mit den Anleihebesitzern an einen Tisch setzen und über eine Umschuldung oder einen Forderungserlass einigen, wie das in der Vergangenheit bereits viele Länder aus Entwicklungsregionen getan haben.

Möglichkeiten der Besicherung

Um hinterher keine böse Überraschung zu erleben, sollten es Anleihekäufer machen wie jeder Bankmitarbeiter, der einen Kreditkunden vor sich sitzen hat: Sie sollten nach den Sicherheiten fragen. Vor allem private Herausgeber gehen immer öfter dazu über, Besitzer ihrer Anleihen durch spezielle, in den Emissionsbedingungen verankerte Schutzklauseln zusätzlich abzusichern – mit so genannten Covenants. Die gängigste Form ist dabei die Negativklausel oder Negativerklärung. Damit verpflichtet sich der Emittent, die Käufer zukünftiger Anleihen hinsichtlich der Besicherung nicht besser zu stellen als die Inhaber der aktuell herausgegebenen Papiere – beispielsweise durch Einräumung zusätzlicher Grundschulden oder Pfandrechte.

Die älteste bekannte Absicherung der Anleger gibt es bei Pfandbriefen, bei denen ihre Ansprüche durch Pfandrechte an Grundstücken beziehungsweise mit Staatskrediten gedeckt sind. Gut für den Anleger ist es auch, wenn der Herausgeber selbst zwar kein Staat, aber eine staatsnahe Einrichtung ist wie zum Beispiel eine Förderbank, in Deutschland etwa die frühere Kreditanstalt für Wiederaufbau, heute KfW-Bankengruppe genannt. In diesem Fall ist davon auszugehen, dass der jeweilige Staat für deren Verbindlichkeiten ebenso mit der Steuerkraft seiner Bürger gerade steht wie für seine eigenen.

☞ **Asset-backed-Securities** (engl.): durch Vermögensgegenstände abgesicherte Wertpapiere.

Eine besondere Form der Besicherung sind so genannte **Asset-backed-Securities** (AbS). Dabei überträgt ein Emittent, vorzugsweise ein privates Unternehmen, bestimmte Finanzforderungen auf eine Zweckgesellschaft, verbrieft sie dort und verkauft sie dann in Form einer Anleihe am Kapitalmarkt. Solche Forderungen können beispielsweise vergebene Kredite sein, aber auch Forderungen aus erbrachten Lieferungen und Leistungen – etwa zukünftige Provisions- und Lizenzeinnahmen. Es liegt auf der Hand, dass die Qualität solcher Anleihen mit der Werthaltigkeit der zur Absicherung angebotenen Forderungen steht und fällt. Sehr sicher sind zum Beispiel AbS einzustufen, bei denen ein Staat ausdrücklich bestimmte Steuer- oder Sozialversicherungseinnahmen verbrieft, anders sieht es dagegen bei privaten Herausgebern aus.

Ein Beispiel: Als der Musiker David Bowie vor einigen Jahren seine zukünftigen Tantiemen und Erlöse aus Plattenverkäufen in einer Anleihe verbrieft hatte, rissen ihm die Anleger das Papier förmlich aus der Hand. Schließlich standen damals die Scheiben des Popstars in der Gunst von Generationen von Plattenkäufern hoch im Kurs. Doch die Anleger hatten die Rechnung ohne das Internet gemacht. Seit immer mehr Musikstücke illegal kopiert und über das Netz getauscht werden, sind die Absatzzahlen der gesamten Musikindustrie stark unter Druck gekommen. Folge: Die Sicherheit der David-Bowie-Bonds ist heute bei weitem nicht mehr so hoch wie zum Zeitpunkt der Emission.

Achtung, Steuerfalle!

Gute Idee – fatale Wirkung: Nach dem Motto „Was der Bauer nicht kennt, ...“, stufen die deutschen Finanzbehörden Anleihen mit einem Step-up-Kupon als so genannte Finanzinnovation (→ Seite 125) ein. Folge: Kursgewinne bleiben auch nach Ablauf der Spekulationsfrist als Einkommen aus Kapitalvermögen steuerpflichtig.

Eine relativ junge Absicherung sind dagegen Step-up-Kupons. Sie bekommen Bedeutung, wenn die Rating-Agenturen (→ Seite 95) die Kreditwürdigkeit des Herausgebers während der Laufzeit herabsetzen. In diesem Fall steigen die Zinsscheine der Anleihe automatisch um einen bestimmten Prozentsatz – beispielsweise einen halben Prozentpunkt mit jeder schlechteren Ratingstufe.

Wer gibt Anleihen aus?

Da in erster Linie die Finanzkraft und Kreditwürdigkeit des Herausgebers, also seine Bonität, für die Frage entscheidend ist, wie sicher der Anleihekäufer sein kann, dass er während der Laufzeit Zins und Tilgung erhält, gilt es bei der Auswahl eines Papiers darauf zu achten, wem er sein Geld borgt. Im Gegensatz zur Aktienbörse, zu der nur Aktiengesellschaften Zutritt haben, tummeln sich am Markt für Anleihen Herausgeber ganz unterschiedlicher Herkunft. Deshalb ist es üblich, Anleihen nach Emittentengruppen zu unterscheiden. Diese grobe Unterteilung bietet dem Anleger einen ersten Anhaltspunkt bei der Beurteilung der Zahlungsfähigkeit eines Herausgebers.

Bundeswertpapiere

Einer der größten und aktivsten Emittenten am deutschen Anleihemarkt ist zweifellos der Staat, der durch Bund, Länder, Städte und Gemeinden repräsentiert wird. All diese Institutionen decken einen Teil ihres Finanzbedarfs durch die Ausgabe von Anleihen ab und zählen gemeinsam zur öffentlichen Hand. Deutsche Staatspapiere gelten als sehr sicheres Investment, denn bislang sind Bund, Länder und Gemeinden ihren Zins- und Tilgungsverpflichtungen immer nachgekommen. Die Anleihen der öffentlichen Hand sind deshalb nicht nur bei heimischen Anlegern, sondern auch bei internationalen Investoren hoch angesehen und besitzen einen tadellosen Ruf. Schließlich bürgt der Bund mit seinem Staatsvermögen und der Steuerkraft seiner Bürger für die Rückzahlung.

Der Bund legt auch eine Reihe eigener Anleihen mit unterschiedlichen Laufzeiten auf: Bundeswertpapiere. Einige davon sind sogar ganz gezielt für Privatanleger konzipiert und bieten für sie spezielle Vorteile. Die generell gute Bonität der Papiere hat für den Anleger allerdings auch einen bitteren Beigeschmack: Aufgrund der starken Nachfrage der Investoren und der hohen Sicherheit kann es sich der Bund erlauben, seine Zinsen am unteren Ende dessen anzusetzen, was am Markt für die entsprechende Laufzeit üblich ist. Mit Bundeswertpapieren ist somit meist weniger zu holen als mit den entsprechenden Angeboten von Banken und Sparkassen. Allerdings gibt es eine Möglichkeit, dieses Manko gegenüber anderen Anleihen zumindest teilweise auszugleichen: Durch die Eröffnung eines kostenlosen Depots bei der Bundeswertpapierverwaltung (→ Seite 83), das den kostenfreien Erwerb und die Verwahrung von Bundeswertpapieren ermöglicht.

Finanzierungsschätze

Die Finanzierungsschätze des Bundes sind die Kurzläufer unter den Bundeswertpapieren. Sie werden für Laufzeiten von einem Jahr und von zwei Jahren angeboten und sind damit eine Alternative zu den kurzfristigen Festzins- und Festgeldangeboten von Banken und Sparkassen. Die Verfügungsmöglichkeiten der Kurzfristpapiere des Bundes sind ähnlich schlecht, denn Finanzierungsschätze sind nicht börsennotiert und eine vorzeitige Rückgabe ist ausgeschlossen. Der Anleger muss also für die gewählte Laufzeit auf sein Geld verzichten können. Lediglich eine Übertragung auf Dritte – beispielsweise die eigenen Kinder – ist möglich. Allerdings: Der Mindestanlagebetrag bei Finanzierungsschätzen beträgt vergleichsweise niedrige 500 Euro. Oberhalb dieses Betrags können sie in jeder beliebigen Stückelung erworben werden.

Finanzierungsschätze gehören zu den Daueremissionen unter den Bundeswertpapieren, das heißt, dass sie ständig im Programm und weder vom Volumen noch von der Zahl her limitiert sind. Liegen die Zinskonditionen der jeweils aktuellen Serie nicht mehr auf Marktniveau, wird sie geschlossen und durch eine neue ersetzt.

Eine Besonderheit gibt es bei der Zinsberechnung: Die „Fin-Schätze" werfen keine laufenden Zinsen ab, sondern werden als abgezinste Papiere verkauft. Die nominelle

Finanzierungsschätze des Bundes

- → Renditechance
- ↗ Sicherheit
- ↘ Verfügbarkeit
- ↘ Steuereffekt
- ↗ Bequemlichkeit

Geeignet für:
Kurz- bis mittelfristige Geldanlage. Einfache „Parkstation" für ein oder zwei Jahre.

Alternative Anlagemöglichkeiten:
→ Tabelle, Seite 141, 148/149

Verzinsung – beispielsweise 2 Prozent – wird beim Kaufpreis abgezogen und am Ende der Laufzeit erhält der Anleger den Nennwert zurück. Für einen einjährigen Finanzierungsschatz über beispielsweise 500 Euro mit einem Verkaufszinssatz von 2,01 Prozent zahlt der Anleger Anfang März 2005 489,95 Euro. Bezogen auf das tatsächlich eingesetzte Kapital liegt die Rendite allerdings höher, als die 2,01 Prozent des Verkaufszinssatzes. Sie beträgt:
10,05 Euro : 489,95 Euro × 100 = 2,05 %.

Bundesschatzbriefe

Bundesschatzbriefe sind die Klassiker und zugleich die Bestseller unter den Bundeswertpapieren. Das liegt vor allem an ihrer Konstruktion. Die „Bundesschätzchen", wie sie liebevoll genannt werden, gehören zu den Stufenzinsanleihen (→ Seite 67), das heißt, ihr Zins steigt von Jahr zu Jahr – zum Beispiel von 1,75 Prozent im ersten Laufzeitjahr auf 2 Prozent im zweiten und so weiter und so fort (→ Tabelle, Seite 81). Zwei Varianten von Bundesschatzbriefen sind erhältlich: Typ A und Typ B.

Beim Typ A erhält der Anleger nach sechs Jahren sein Kapital zurück, wobei die Zinsen jährlich ausgeschüttet werden.

Die Laufzeit des Zwillingsbruders Typ B beträgt dagegen sieben Jahre. Zusätzlicher Unterschied: Typ B ist eine Aufzinsungsanleihe, das heißt, die laufenden Zinsen werden einbehalten und mitverzinst. Bei Fälligkeit des Schätzchens werden dann Kapital plus Zins und Zinseszins in einer Summe ausbezahlt. Dies hat den Vorteil, dass man sich nicht um die Wiederanlage der Zinsbeträge kümmern muss, sollte aber bei der Steuer (→ Seite 125) beachtet werden, denn die Zinserträge von sieben Jahren werden in einer Summe steuerpflichtig. Aufgrund des Zinseszinseffekts liegt die Rendite von Typ B auch etwas höher als bei Typ A.

Bundesschatzbriefe werden nicht an der Börse notiert. Das ist kein Nachteil für den Anleger, denn der „Kick" der Schätzchen liegt in ihrem eingebauten Rückgaberecht. Nach Ablauf einer Sperrfrist von einem Jahr kann der Anleger seine Papiere jederzeit zum Nennwert, das heißt ohne Kursrisiko, zurückgeben – allerdings nur bis zu einem Höchstbetrag von 5 000 Euro pro 30 Zinstage und Serie. Die Zinsen werden

Bundesschatzbriefe

→	Renditechance
↗	Sicherheit
→	Verfügbarkeit
↘	Steuereffekt
↗	Bequemlichkeit

Geeignet für:
Anleger, die mittel- bis langfristig Geld sicher anlegen und dabei die Möglichkeit haben wollen, während der Laufzeit risikolos aussteigen zu können, sowie für regelmäßiges Sparen.

Alternative Anlagemöglichkeiten:
→ Tabelle, Seite 139, 141, 148/149

Zins und Rendite von Bundesschatzbriefen

	Laufender Zins	Rendite Typ A	Typ B
1. Jahr	1,75	1,75	1,75
2. Jahr	2,25	2,00	2,00
3. Jahr	2,75	2,24	2,25
4. Jahr	3,50	2,54	2,56
5. Jahr	3,75	2,77	2,80
6. Jahr	4,00	2,96	3,00
7. Jahr	4,25		3,17

Stand: 1. März 2005

bis zum Rückgabetag berechnet und mitausgezahlt. Mit dieser „Geld-zurück-Garantie" bleiben Anleger flexibel und sind zugleich auf der sicheren Seite: Sollten die Zinsen am Kapitalmarkt während der Laufzeit stark steigen, können sie problemlos und ohne Verlustrisiko in besser verzinste Papiere umsteigen. Die Renditen der Schatzbriefe sind jedoch meist etwas schlechter als die, die Banken und Sparkassen bei ähnlichen Sparangeboten mit vergleichbarer Laufzeit bieten.

Der Vorteil der Schatzbriefe gegenüber den Sparangeboten liegt in den deutlich niedrigeren Mindestanlagesummen. Bundesschatzbriefe gehören ebenfalls zu den Daueremissionen des Bundes und können bereits ab dem Mindestanlagebetrag von 52 Euro erworben werden. Darüber hinaus ist jeder Betrag – auch eine „krumme" Summe wie beispielsweise 324,96 Euro – möglich. Dadurch eignen sich Bundesschatzbriefe auch für die Anlage im Rahmen eines Sparplans, bei dem der Sparer einfach einen entsprechenden Dauerauftrag bei der Bundeswertpapierverwaltung einrichtet. Dabei ist eine monatliche Anlage ebenso möglich wie ein zweimonatlicher oder vierteljährlicher Rhythmus.

Bundesobligationen

- ➔ Renditechance
- ↗ Sicherheit
- ↗ Verfügbarkeit
- ➔ Steuereffekt
- ↗ Bequemlichkeit

Geeignet für:
Für Anleger, die mittelfristig Geld anlegen und dabei die Möglichkeit haben wollen, zu marktgerechten Kursen auszusteigen und ggf. Kursgewinne zu erzielen.

Alternative Anlagemöglichkeiten:
→ Tabelle, Seite 141, 148/149

Bundesobligationen

Nach einigen „Renovierungsarbeiten" in den vergangenen Jahren schicken sich Bundesobligationen an, in Sachen Bundeswertpapiere auf der Beliebtheitsskala der Anleger ganz nach oben zu klettern. Die „Bobls", wie sie kurz genannt werden, haben eine fünfjährige Laufzeit und gehören ebenso wie die Finanzierungsschätze zu den Daueremissionen des Bundes. Bundesobligationen werden in unregelmäßigen Abständen neu aufgelegt, meist gibt es nur zwei bis drei Emissionen pro Jahr. Im Unterschied zu den „Fin-Schätzen" werden sie sofort nach der Emission an der Börse eingeführt. Der Anleger kann sie somit vom ersten Tag an jederzeit verkaufen. Da der Bund diese Papiere auch an institutionelle Investoren wie Investmentfonds und Pensionskassen abgibt, ist das Emissionsvolumen hoch und der Handel entsprechend rege.

Ausgegeben werden die Bobls am ersten Tag stets zu 100 Prozent und zum gleichen Wert wieder eingelöst. Allerdings schwankt bis dahin der Kurs in Abhängigkeit von der Entwicklung der allgemeinen Kapitalmarktzinsen (→ Seite 158). Für den Anleger, der vorzeitig aussteigen will, besteht damit ein Verlustrisiko, wenn der Kurs unter 100 Prozent fallen sollte.

Der Mindestanlagebetrag liegt bei 110 Euro. Darüber hinaus ist jeder Betrag möglich. Die jeweils aktuelle, zuletzt an der Börse eingeführte Ausgabe der Bundesobligationen können Anleger über die Bundeswertpapierverwaltung (→ Seite 83) zum tagesaktuellen Kurs ohne Spesen erwerben. Beim Kauf über Banken und Sparkassen fallen dagegen Gebühren an (→ Seite 70).

Bundesanleihen

Bundesanleihen werden in regelmäßigen Abständen, nämlich im Januar und Juli, jeweils als Einzelemission aufgelegt und danach direkt an der Börse eingeführt. Wenn die Emission besonders schnell vergriffen ist oder der Bund nachträglich weiteres Kapital benötigt, kann er das Emissionsvolumen im Nachhinein aufstocken. Der Kauf von Bundesanleihen ist für den Anleger grundsätzlich in jeder beliebigen Größe möglich, unter Berücksichtigung der Kaufspesen ist die Anlage kleinerer Beträge jedoch wenig sinnvoll. Die Kosten beim Kauf von Anleihen sollten nicht mehr als 0,5 Prozent der Anlagesumme betragen, also beispielsweise bei 4000 Euro nicht mehr als 20 Euro.

Bundesanleihen sind meist mit einer festen Verzinsung ausgestattet. In der Vergangenheit hat der Bund aber auch einige variabel verzinste Schuldverschreibungen herausgegeben. Die Zinsen werden jährlich gezahlt. Mit anfänglichen Laufzeiten von 10 bis zu 30 Jahren sind Bundesanleihen in erster Linie für die langfristige Geldanlage geeignet. Sie werfen im Verhältnis zur Laufzeit und zum allgemeinen Zinsniveau in der Regel die niedrigsten Renditen ab. Dennoch sind „Bunds", wie sie in der Fachsprache heißen, gesuchte Papiere. Denn ein vorzeitiger Verkauf ist in der Regel zu fairen und marktgerechten Kursen jederzeit möglich.

Bundesanleihen

- → Renditechance
- ↗ Sicherheit
- ↗ Verfügbarkeit
- → Steuereffekt
- → Bequemlichkeit

Geeignet für:
Für Anleger, die ihr Geld mittel- bis langfristig anlegen und dabei die Möglichkeit haben wollen, zu marktgerechten Kursen auszusteigen und ggf. Kursgewinne zu erzielen.

Alternative Anlagemöglichkeiten:
→ Tabelle, Seite 148/149

Bundeswertpapiere im Überblick

	Finanzierungs-schatz	Bundes-obligation	Bundesschatzbrief Typ A	Typ B	Bundes-anleihe
Mindestanlage	500 Euro	110 Euro	52 Euro	52 Euro	Keine [3]
Kaufkosten	Keine [1]	Keine [1]	Keine [1]	Keine [1]	Bankspesen
Laufzeit	1 oder 2 Jahre	5 Jahre	6 Jahre	7 Jahre	10 bis 30 Jahre
Zins	Fest	Fest	In Stufen steigend	In Stufen steigend	Fest oder variabel
Zinszahlung	Zinsen werden beim Kauf vom Nennwert abgezogen	Jährlich	Jährlich	Am Ende der Laufzeit in einer Summe	Jährlich oder halb-jährlich
Rückzahlung	Zum Nennwert	Zum Nennwert	Zum Nennwert	Nennwert plus Zins und Zinseszins	Zum Nennwert
Vorzeitiger Ver-kauf möglich?	Nein	Über die Börse	Nach 1 Jahr [2]	Nach 1 Jahr [2]	Über die Börse

[1]) Bei einem Erwerb über die Bundeswertpapierverwaltung
[2]) Bis zu 5 000 Euro pro 30 Zinstage, pro Serie und Person
[3]) Wegen der Kosten lohnen sich meist erst Anlagebeträge ab mehreren tausend Euro

Bundeswertpapiere zum Nulltarif

Für seine Papiere bietet der Bund eine spezielle, kostenlose Verwaltungs- und Verwahrungsmöglichkeit an: bei der Bundeswertpapierverwaltung (BWpV, Adresse → Seite 171). Dort hat jeder Privatanleger die Möglichkeit, ein Depot zum Nulltarif, Einzelschuldbuchkonto genannt, zu eröffnen.

Es lohnt sich, direkt bei der BWpV ein Depot zu eröffnen. Anleger können darüber Bundesschatzbriefe, Finanzierungsschätze und Bundesobligationen ohne den Umweg über die Hausbank direkt per Internet (www.bwpv.de) und Telefon (Tel. 0 6172-108-0, Fax 0 6172-108-405) ordern. Nur Bundesanleihen werden direkt an Banken verkauft und sind nicht bei der BWpV zu haben. Fremde Wertpapiere, beispielsweise Aktien, können jedoch nicht im BWpV-Depot verwahrt werden.

Bei der BWpV wird Service groß geschrieben. Via Internet zum Beispiel kann der Anleger nicht nur Einzelaufträge übermitteln, die noch am selben Tag ausgeführt werden, sondern auch Daueraufträge für die regelmäßige Anlage erteilen. Der Gegenwert der gekauften Papiere wird per Lastschrift vom Girokonto abgebucht. Wer sein Depot im Internet öffnet, kann sich außerdem sämtliche in der Vergangenheit erhaltenen Zinserträge und,

Infos im Netz

Ausführliche Informationen zu Bundeswertpapieren, aktuelle Konditionen und Links zu allen Stellen, die mit der Ausgabe von Bundeswertpapieren beschäftigt sind, gibt es unter: www.bundeswertpapiere.com.

besonders wichtig für steuersensible Anleger, die zukünftigen Zins- und Kapitalrückzahlungen nach Kalenderjahren getrennt anzeigen lassen. Auch die Rückgabe von Bundesschatzbriefen und der Verkauf von Bundesobligationen über die Börse sind möglich. Für letzteres fällt allerdings eine Provision an – zurzeit von 0,4 Prozent.

Pfandbriefe

Pfandbriefe sind die Klassiker schlechthin unter den festverzinslichen Wertpapieren. Ihre „Erfindung" liegt bereits über 200 Jahre zurück, und sie machen noch heute das größte Segment am deutschen Anleihemarkt aus. Der Schutz der Anleger wird bei diesen Zinspapieren groß geschrieben. Bei Pfandbriefen handelt es sich um festverzinsliche Wertpapiere, die – wie der Name bereits sagt – durch spezielle Pfandrechte gesichert sind. Dazu zählen vor allem erstrangige Hypotheken auf Grundstücke und Staatskredite beziehungsweise Kredite an Länder und Kommunen. Im letzteren Fall sprechen Fachleute auch von öffentlichen Pfandbriefen.

Der Begriff Pfandbrief ist in Deutschland gesetzlich geschützt und im Pfandbriefgesetz verankert, das 2005 novelliert worden ist. Danach dürfen diese Anleihen nicht mehr nur von speziellen Kreditinstituten – Hypothekenbanken und öffentlich-rechtlichen Realkreditinstituten wie zum Beispiel die Landesbanken –, sondern unter bestimmten streng geregelten Voraussetzungen von jeder Bank ausgegeben werden. Die Einhaltung der Schutzregeln wird dabei von der deutschen Finanzdienstleistungsaufsicht ebenso kontrolliert wie die Ausgabe neuer Pfandbriefe.

Pfandbriefe

↗[1] →[2]	Renditechance
↗	Sicherheit
↗[2] →[1]	Verfügbarkeit
→	Steuereffekt
→ bis ↘	Bequemlichkeit

[1]) Normale Pfandbriefe [2]) Jumbo-Pfandbriefe

Geeignet für:
Anleger, die ihr Geld mittel- bis langfristig anlegen wollen, dabei höhere, aber dennoch sichere Zinsen suchen und ihre Papiere meist bis zur Fälligkeit im Depot halten.

Alternative Anlagemöglichkeiten:
→ Tabelle, Seite 148/149

Pfandbriefe sind fast durchweg börsennotiert und können theoretisch bereits ab 50 Euro gekauft werden, wobei jedoch unter Berücksichtigung der Mindestspesen, die die meisten Banken berechnen, grundsätzlich höhere Beträge angelegt werden sollten. Bei einzelnen Emissionen liegt der kleinste Nennwert mitunter ohnehin bei 1000 oder 5000 Euro.

Pfandbriefe werden in Laufzeiten über das gesamte Spektrum hinweg herausgegeben – von 3 bis 30 Jahren. Dabei zahlen die

Zinsspread
Als Spread wird jedweder Preis- oder Zinsunterschied bezeichnet. Das kann die Differenz zwischen An- und Verkaufskurs oder eben zwischen den Renditen zweier Anleihen sein.

Banken auf ihre Pfandbriefe Zinsen, die über die vergangenen Jahre hinweg zwischen 0,15 und 0,5 Prozentpunkte über denen von Bundesobligationen und -anleihen mit vergleichbarer Laufzeit lagen. Fachleute sprechen in diesem Zusammenhang auch von einem Zinsspread der Pfandbriefe zu Staatsanleihen.

Das sieht im Vergleich zu vielen Bank- und Unternehmensanleihen (→ nachfolgende Abschnitte) relativ bescheiden aus. Dabei muss jedoch berücksichtigt werden, dass Pfandbriefe in puncto Sicherheit den Bundespapieren nur wenig nachstehen. In den vergangenen hundert Jahren ist bei keinem einzigen Pfandbrief Zins und Tilgung ausgefallen. Daran wird die Gesetzesänderung wenig ändern. Der Pfandbrief ist sogar zu einem Exportschlager „made in Germany" geworden, denn mittlerweile haben zum Beispiel auch spanische und französische Banken eigene Pfandbriefe aus der Taufe gehoben.

Der Grund für den „Zinsbonus" ist vielmehr, dass bei vielen der insgesamt mehr als 10 000 verschiedenen Pfandbriefemissionen kaum ein Handel zustande kommt. Aufgrund dieser mangelnden Liquidität müssen die jeweiligen Herausgeber den Anlegern eine „Risikoprämie" in Form eines Zinsaufschlags bieten. Das Risiko für den Anleger besteht ganz einfach darin, dass er das Papier während der Laufzeit nicht zu einem marktgerechten Kurs verkaufen kann, weil sich kein Abnehmer findet. Die Diskussion um die gesetzliche Neuregelung sowie die in Deutschland herrschende Bankenkrise in den vergangenen Jahren hat zudem viele Investoren verunsichert. Folge: Die Papiere mancher Hypothekenbanken finden keinen so reißenden Absatz wie zuvor. Sie müssen die Anleger daher mit besseren Zinsen bei der Stange halten.

Den Nachteil zum Vorteil nutzen

Was wie ein Nachteil aussieht, können Anleger allerdings strategisch zu ihrem Vorteil nutzen: Wenn sie genau wissen, dass sie ihr Geld nicht frühzeitig benötigen, bietet ein Pfandbrief eine bessere Rendite als eine Bundesanleihe, eine Bundesobligation oder ein Schatzbrief, dennoch kommt der Herausgeber genauso pünktlich seinen Zahlungsverpflichtungen nach wie die öffentliche Hand.

Jumbo-Pfandbriefe lassen sich vorzeitig verkaufen

Seit Mitte der 90er-Jahre gehen die großen Hypothekenbanken allerdings mehr und mehr dazu über, nur noch so genannte Jumbo-Pfandbriefe, kurz „Jumbos" genannt, herauszugeben. So werden Emissionen bezeichnet, deren Volumen mindestens eine Milliarde Euro ausmacht. Die positive Seite dieser Entwicklung für den An-

Renditen 10jähriger Anleihen im Vergleich

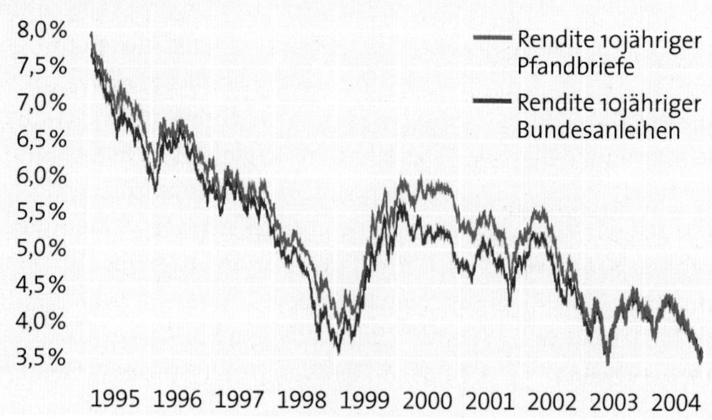

Infos im Netz

Mehr Informationen zu Pfandbriefen inklusive Links zu den Mitgliedsinstituten bietet der Verband deutscher Hypothekenbanken (www.hypverband.de).

leger: Die Zahl der ausgegebenen Pfandbriefe wird kleiner, der Markt dadurch übersichtlicher. Außerdem beauftragt der Emittent mindestens zwei andere Banken damit, einen fortlaufenden Handel mit marktgerechten Kursen für seine Papiere zu organisieren. Die negative Seite: Viele der Großemissionen bieten aufgrund ihrer guten Verkäuflichkeit an der Börse nur noch minimale Renditevorteile gegenüber den Bundespapieren. Anleger, die sich also den Zinsvorteil von Pfandbriefen unter den genannten Voraussetzungen zunutze machen wollen, sollten sich gezielt auf Emissionen mit kleinerem Volumen konzentrieren.

Bankschuldverschreibungen

Tipp für den Kauf von Bankpapieren

Bei Bankschuldverschreibungen gilt das Gleiche wie bei Pfandbriefen: Diejenigen Anleger, die genau wissen, dass sie ihre Papiere auf jeden Fall bis zur Fälligkeit behalten werden, sollten den Renditeaufschlag gegenüber Bundeswertpapieren ausnutzen. Zusätzliches Bonbon der meisten Geldhäuser: Sie verwahren oft ihre eigenen Emissionen kostenfrei und verzichten in manchen Fällen auf Kaufspesen.

Fast jede größere Bank und Sparkasse bietet zusätzlich zu den Sparkontenangeboten auch Anleihen für verschiedene Laufzeiten an, die sie selbst aufgelegt hat. In diesem Fall haftet das Geldhaus anders als bei den Pfandbriefen gegenüber den Anlegern „nur" mit seiner Finanzkraft und seinem Eigenkapital. Obwohl deutsche Kreditinstitute strenge gesetzliche Vorschriften bezüglich ihrer Kreditvergabe und Eigenkapitalausstattung beachten müssen, ist die Sicher-

Bankschuldverschreibungen

↗ bis →	Renditechance
→	Sicherheit
→	Verfügbarkeit
→	Steuereffekt
→ bis ↘	Bequemlichkeit

Geeignet für:
Anleger, die mittel- bis langfristig Geld anlegen wollen oder die höhere, aber dennoch vergleichsweise sichere Zinsen suchen und ihre Papiere bis zur Fälligkeit im Depot halten.

Alternative Anlagemöglichkeiten:
→ Tabelle, Seite 148/149

heit von Bankschuldverschreibungen nicht ganz so hoch anzusetzen wie die von Pfandbriefen. Es ist zwar die Ausnahme, aber in der Vergangenheit ist es durchaus vorgekommen, dass einzelne Institute in finanzielle Schwierigkeiten geraten sind und ihre Anleihen nicht zurückzahlen konnten. Dazu kommt: Vor allem bei den Emissionen kleinerer Institute lässt die Liquidität zu wünschen übrig. Sie lassen sich kaum vorzeitig verkaufen. Dieses Manko versuchen viele Häuser durch einen hausinternen Handel auszugleichen, doch die Kurse, die den Anlegern dabei gezahlt werden, sind oft nicht marktgerecht. Die klassischen Sparangebote der Banken sind hier in vielen Fällen eine Alternative.

Unternehmensanleihen

Seit der Einführung des Euro macht sich auch in Europa ein Trend breit, der in den USA bereits seit den 80er-Jahren zu beobachten ist: Nicht nur Banken, sondern auch immer mehr bekannte Industrieunternehmen wie zum Beispiel Daimler-Chrysler oder die Deutsche Telekom, um zwei deutsche Konzerne zu nennen, finanzieren sich durch die Ausgabe von Anleihen.

Unternehmensanleihen Gute Bonität [1])

↗ bis →	Renditechance
→	Sicherheit
→	Verfügbarkeit
→	Steuereffekt
→ bis ↘	Bequemlichkeit

[1]) Bis Rating BBB (→ Seite 95)

Geeignet für:
Risikobereite Zinsanleger, die höhere Zinsen suchen und ihre Papiere meist bis zur Fälligkeit im Depot halten.

Alternative Anlagemöglichkeiten:
→ Tabelle, Seite 148/149

Unternehmensanleihen sind spekulativ

Für private Anleger ist das breiter werdende Angebot an Corporate-Bonds, wie diese Anleihen in der Fachsprache genannt werden, auf der einen Seite ohne Zweifel von Vorteil. Mit ihnen lassen sich deutlich höhere Zinsen erzielen als beispielsweise mit einer Bundesanleihe. Allerdings, und damit wird die negative Seite angesprochen, müssen sich die Käufer von Unternehmensanleihen ähnlich gründlich informieren und systematisch vorgehen wie bei der Aktienanlage, wollen sie nicht riskieren, mit ihren Papieren Schiffbruch zu erleiden. Denn die finanzielle Situation der Unternehmen, die An-

Unternehmensanleihen Schlechte Bonität

- ↗ Renditechance
- ↘ Sicherheit
- → Verfügbarkeit
- → Steuereffekt
- ↘ Bequemlichkeit

Geeignet für:
Spekulative Zinsanleger, die höhere Zinsen suchen. Nur zur kleinen Beimischung geeignet.

Alternative Anlagemöglichkeiten:
Staatsanleihen, schlechte Bonität → Seite 90, Hochzinsfonds → Seite 113

leihen emittieren, ist höchst unterschiedlich. Das Feld reicht von international bekannten Großkonzernen, an deren Bonität es wenig Zweifel gibt, bis hin zu relativ kleinen Unternehmen mit zum Teil zweifelhafter Solvenz. Das gilt insbesondere für die Emittenten von Hochzinsanleihen, auch „High-Yield-Bond" oder „Junk-Bond" genannt.

Bei diesen Zinspapieren bestehen bereits bei der Herausgabe des Papiers ernsthafte Zweifel an der Rückzahlung des Kapitals, von der Auszahlung der Zinsen ganz zu schweigen. Die Frage ist, warum es dennoch genug Anleger gibt, die diese Papiere kaufen? Ganz einfach: Weil der spekulative Reiz mit einer überdurchschnittlichen Rendite honoriert wird – wenn am Ende alles gut geht. Doch das ist nicht die Regel. Unter den Hochzinsschuldnern sind ebenso wie an der Aktienbörse Konkurse und Zahlungsausfälle an der Tagesordnung. Und in der Vergangenheit mussten die Anleger mehr als einmal die Erfahrung machen, dass Unternehmensanleihen Risikopapiere sind. In jüngster Zeit waren es zum Beispiel die Fluggesellschaft Swissair (heute Swiss) und das deutsche Traditionsunternehmen Vereinigte Nickel, das unter anderem den Nickelkern für die Prägung der Ein-Euro-Münze produziert hat, die Zins und Tilgung für ihre Anleihen nicht mehr leisten konnten.

Problem: Unübersichtlicher Markt

Doch nicht nur die Beurteilung der Bonität stellt bei Unternehmensanleihen eine Hürde dar, es gibt noch ein weiteres Problem: Viele Emissionen richten sich an Großinvestoren und nicht an Privatanleger. Entsprechend hoch sind die Nennwerte gestückelt und damit auch die Mindestanlagesummen. 1 000 Euro sind die Regel und 5 000 oder 10 000 Euro keine Seltenheit. Dazu ist der Markt für Corporate Bonds unübersichtlich. Es gibt keinen zentralen Kurszettel, auf dem alle an der Börse verfügbaren Emissionen aufgelistet sind. Zur Unübersichtlichkeit trägt zusätzlich bei, dass große Emittenten wie etwa die Deutsche Telekom eine Fülle unterschiedlicher Anleihen ausgegeben

Tipp für den Kauf von Unternehmensanleihen

Setzen Sie, wenn Sie Unternehmensanleihen kaufen oder verkaufen, ein Limit. Das ist eine Kursober- beziehungsweise -untergrenze, die Sie in Ihrem Auftrag vermerken können. Die Bank muss sich bei der Ausführung der Order daran halten. Weil die Liquidität oftmals zu wünschen übrig lässt, gehen Sie sonst das Risiko ein, zu Kursen zu handeln, die überzogen oder bei einem Verkauf viel zu niedrig sind.

haben. All das erschwert Privatanlegern die Orientierung. Wie bei Pfandbriefen gilt: Mangelnde Transparenz und Verkäuflichkeit der Papiere muss bei der Kaufentscheidung berücksichtigt werden.

Zweifelhafte Zinspapiere

In Zeiten niedriger Zinsen gehen immer mehr Anbieter des grauen Kapitalmarktes mit Zinsangeboten auf die Jagd nach Anlegergeldern. Sie versprechen in Anzeigen in Tageszeitungen, Magazinen und im Videotext „feste, hohe Zinsen" und „kein Kursrisiko" bei einer überschaubaren Laufzeit – also genau das, was sich jeder Zinsanleger wünscht. Doch das Risiko, das der Anleger bei solch einer Direktemission eingeht, die an keiner Börse gelistet und von keiner Bank gehandelt wird, ist hoch. Meist handelt es sich um nahezu unbekannte Herausgeber, deren Bonität kein Experte je unter die Lupe genommen hat, von einer offiziellen Rating-Note (→ Seite 95) ganz zu schweigen. Selbst wenn es sich um eine einigermaßen namhafte Firma handelt, wie etwa den Wurstproduzenten Zimbo, der Anfang 2004 ein solches Papier angeboten hat, kann der Anleihekäufer nicht abschätzen, wie gut die Kreditwürdigkeit des Herausgebers und wie sicher Zins und Kapital sind. Und bei Zimbo lässt sich dies noch besser einschätzen als zum Beispiel bei einer nahezu unbekannten Wohnungsbaugenossenschaft.

Direktemission
Fachausdruck dafür, dass der Anleger ein Papier direkt beim Herausgeber und nicht etwa über seine Bank oder einen offiziellen Markt, also die Börse, kauft.

Ausgeben kann eine solche Anleihe im Prinzip jede kleine Ein-Mann-Firma. Einzige Voraussetzung dafür ist ein Verkaufsprospekt. Die Bundesanstalt für Finanzdienstleistungsaufsicht (Bafin) prüft dann lediglich, ob die Unterlage den Anforderungen des Prospektgesetzes entspricht. Der in Aussicht gestellte hohe Zinssatz könnte also ein zweifelhaftes Vergnügen werden – vor allem aber eines, an das der Anleihekäufer auf Dauer gebunden ist, denn die Aussage „kein Kursrisiko" klingt zwar erst einmal gut und ist im Prinzip richtig, doch das ist Augenwischerei: Wer überhaupt keine Möglichkeit hat, sein Papier vor Ende der Laufzeit zu verkaufen, trägt logischerweise auch kein Kursrisiko. Er muss es bis zur Fälligkeit im Depot halten und darauf hoffen, dass der Emittent den Titel zu 100 Prozent einlöst und nicht bis dahin Pleite macht.

Mit einem Trick wiegen einige Anbieter die potenziellen Interessenten in Sicherheit. Sie versprechen eine Besicherung der Anleihe mit Immobilien. Das klingt gut. Aber auch diese Aussage hat einen Haken: Ob das Emissionsvolumen der Anleihe auch durch den Wert des Sicherungsgegenstandes einigermaßen gedeckt wird, ist höchst zweifelhaft. Für Zinsanleger, die zumindest auf ein Minimum an Sicherheit Wert legen, heißt es daher bei Direktemissionen: Besser Finger weg – auch wenn ein noch so schöner Zins lockt.

Supranationale und internationale Herausgeber

Man braucht nur in die Tageszeitung oder die abendlichen Nachrichtensendung zu schauen, um zu erfahren, dass auch in anderen Ländern der Finanzminister vor leeren Kassen steht. Daher ist es naheliegend, dass nicht nur die Bundesrepublik, sondern auch viele andere Staaten Anleihen auflegen, um sich Kapital zu beschaffen – unter anderem auch in Euroland durch die Emission von Euroanleihen. Ergänzt wird diese Gruppe um so genannte supranationale Herausgeber. Das sind Finanzinstitutionen, die keinem einzelnen Land zuzurechnen sind – wie zum Beispiel die Weltbank.

Staatsanleihe – damit verbinden die meisten Anleger Sicherheit. Doch es dürfte einleuchtend sein, dass die Bonität einiger Staaten nicht so gut ist wie etwa die der Bundesrepublik, von Frankreich oder den USA. In der Vergangenheit ist es immer wieder vorgekommen, dass einzelne Länder, vorzugsweise aus weniger entwickelten Regionen wie Asien, Lateinamerika oder Osteuropa, nicht mehr in der Lage waren, ihren Verbindlichkeiten nachzukommen. Zuletzt hat zum Beispiel Argentinien Anfang 2002 die Zinszahlungen auf seine Auslandsanleihen aufgrund von Liquiditätsproblemen eingestellt.

Grundsätzlich gilt also auch bei der Gruppe der staatlichen und supranationalen Herausgeber: Jeder Emittent ist in unterschiedlichem Maße kreditwürdig. Dies schlägt sich dann auch in der Verzinsung nieder, die dem Anleger geboten wird. Nachbarländer in der Eurozone zum Beispiel bieten bei ihren Papieren annähernd die gleichen Renditen wie die Bundesrepublik. Bei anderen Staaten, vorzugsweise aus so genannten Schwellenländerregionen, auch Emerging Markets genannt, ist dagegen die Finanzlage bereits bei der Emission der Papiere so angespannt, dass sie gegen-

Staatsanleihen, Anleihen supranationaler Herausgeber Gute Bonität [1])

→	Renditechance
↗ bis →	Sicherheit
↗ bis →	Verfügbarkeit
→	Steuereffekt
→ bis ↘	Bequemlichkeit

[1]) Bis Rating BBB → Seite 95

Geeignet für:
Risikobereite Zinsanleger, die höhere Zinsen suchen und ihre Papiere meist bis zur Fälligkeit im Depot halten.

Alternative Anlagemöglichkeiten:
→ Tabelle, Seite 148/149

Staatsanleihen, Anleihen supranationaler Herausgeber Schlechte Bonität

↗	Renditechance
↘	Sicherheit
→	Verfügbarkeit
→	Steuereffekt
↘	Bequemlichkeit

Geeignet für:
Spekulative Zinsanleger, die höhere Zinsen suchen. Nur zur kleinen Beimischung geeignet.

Alternative Anlagemöglichkeiten:
Unternehmensanleihen, schlechte Bonität → Seite 88, Hochzinsfonds → Seite 113

über erstklassigen Emittenten (→ Seite 95) hohe Zinsaufschläge zahlen müssen, damit Anleger bereit sind, das vergleichsweise hohe Ausfallrisiko zu akzeptieren. Mit anderen Worten: Auch wenn es nicht so viele Staaten gibt, die Anleihen herausgeben, wie Unternehmen, bietet sich Anlegern bei Staatsanleihen ein ebenso gemischtes Feld an Emittenten unterschiedlicher Qualität wie bei Unternehmensanleihen.

Exkurs: Exotische Zinspapiere

Neben den klassischen Anleihen locken Banken und andere Emittenten Zinsanleger mit einer Reihe von speziellen Papieren, die überdurchschnittlich hohe Renditen versprechen. Solche Angebote erfreuen sich vor allem in Zeiten allgemein niedriger Zinsen regen Interesses. Doch bekanntermaßen gibt es an und außerhalb der Börse nichts geschenkt. Anders als es die Werbebroschüren suggerieren, ist es bei vielen dieser Angebote alles andere als sicher, dass der Anleger auch tatsächlich in den Genuss der hohen Rendite kommt. Eine Anlage, die den Sparer seelenruhig schlafen lässt, ist jedenfalls kaum eines dieser Papiere.

Genussscheine

Genussscheine stehen rein rechtlich zwischen Aktie und Anleihe. Sie bieten höhere Renditen als erstklassige Anleihen. Dafür muss der Käufer im Gegenzug ein deutlich höheres Risiko in Kauf nehmen, denn seine Ansprüche, die jährliche Ausschüttung und die Rückzahlung seines Kapitals, rangieren hinter denen der Anleihebesitzer. Mit dem Kauf eines Genussscheins erwirbt der Anleger einen Anspruch auf Teilhabe am geschäftlichen Erfolg des Unternehmens, dem er sein Geld zur Verfügung stellt. Dadurch unterscheidet er sich auf den ersten Blick nicht von einem Aktionär. Was Genussscheine auf der anderen Seite mit einer Anleihe verbindet, ist die Tatsache, dass der Anleger meist zu einem bestimmten Zeitpunkt sein eingezahltes Kapital zurückerhält. Und er hat Anrecht auf regelmäßige Ausschüttungen, deren Höhe konstant, teilweise aber auch variabel sein kann – je nach Ausgestaltung des Genussscheins.

Bei der Auswahl eines Genussscheins verdient die Kreditwürdigkeit des Herausgebers ähnlich viel Beachtung wie bei einer Unternehmensanleihe.

Drei wichtige Unterarten von Genussscheinen

Ausschüttungsart	Beschreibung
Fest	Verzinsung erfolgt während der gesamten Laufzeit zu festem, gleichbleibenden Zinssatz.
Variabel	Die Ausschüttung bemisst sich nach einer wirtschaftlichen Kennzahl des Emittenten – beispielsweise dem in der Bilanz ausgewiesenen Jahresüberschuss.
Mischform	Emittent zahlt eine feste, aber relativ niedrige Basisverzinsung plus Erfolgskomponente, deren Höhe zum Beispiel an den Jahresüberschuss oder die Dividende in dem entsprechenden Geschäftsjahr gekoppelt ist.

Für den Anleger stellt sich bei Genussscheinen prinzipiell das gleiche Problem wie bei Pfandbriefen (→ Seite 84): Weil bei vielen Emissionen kaum ein nennenswerter Handel zustande kommt, ist ein Ausstieg während der Laufzeit oft nur mit Kursabschlägen möglich.

Wandelanleihen

Wandelanleihen stellen eine Kombination einer Zins- mit einer Aktienanlage dar – darüber sollten sich auf Sicherheit bedachte Anleger im Klaren sein. Das Prinzip dabei ist, dass der Anleger seine Anleihe während der Laufzeit in Aktien eines genau bestimmten Unternehmens, meist des Anleiheherausgebers, umtauschen, also wandeln kann. Macht der Anleger von seinem Wandlungsrecht keinen Gebrauch, wird die Anleihe am Fälligkeitstermin zurückgezahlt. Es gibt allerdings auch Varianten, bei denen der Herausgeber spätestens zu diesem Termin eine Zwangswandlung der Anleihe vorschreibt.

Faktisch entspricht das Wandlungsrecht einer Kaufoption auf Aktien, für die der Anleger selbstverständlich „bezahlen“ muss – meist in Form einer unterdurchschnittlichen Verzinsung. Entscheidend für die Attraktivität dieser Option sind dabei die Umtauschbedingungen – wann und in welchem Verhältnis die Anleihe gegen Aktien gewandelt werden kann. Die ganze Sache rechnet sich also für den Anleger nur, wenn der Aktienkurs während der Laufzeit der Anleihe deutlich zulegt. Der Reiz der Wandelanleihe liegt darin, dass der Anleger an der Aktienkursentwicklung teilhat, weil in einem bestimmten Maße auch der Anleihekurs mitsteigt, gleichzeitig wird sein Kapital laufend verzinst. Das sorgt wiederum dafür, dass Verluste abgefedert werden, sollte die Aktiennotierung in den Keller

Kaufoption
Mit einer Kaufoption erwirbt der Käufer das Recht, einen bestimmten Vermögensgegenstand innerhalb eines festgelegten Zeitraums zu einem ebenfalls fest vereinbarten Preis kaufen zu können. Er muss dies aber nicht tun.

gehen. Darüber hinaus enthalten Wandelanleihen das gleiche Risiko wie Unternehmensanleihen: Gerät der Herausgeber in finanzielle Schwierigkeiten, müssen die Anleger zumindest einen Teil ihres Einsatzes abschreiben.

Aktienanleihen

In den vergangenen Jahren gehörten Aktienanleihen zu den populärsten Produkten, die Banken aufgelegt haben. Kein Wunder, denn Zinssätze in zweistelliger Höhe, dazu als Herausgeber eine erstklassige Bank, deren Bonität außer Frage steht, machen Aktienanleihen auf den ersten Blick zu einer guten Wahl. Doch in Wahrheit sind diese Papiere hochriskant! Der hohe Zinssatz ist nichts anderes als der „Preis" für ein Wahlrecht, das der Anleihekäufer der Bank, die die Anleihe ausgegeben hat, einräumt. Die Bank kann sich am Ende der Laufzeit – in der Regel nach 12 bis 15 Monaten – aussuchen, ob sie dem Anleger den Nennwert (beispielsweise 1 000 Euro) oder eine festgelegte Zahl von Aktien zurückzahlt. Nur die Zinsen sind in bar fällig.

Wie sich das Geldhaus bei der Tilgung der Anleihe entscheidet, hängt vom aktuellen Börsenkurs der jeweiligen Aktie ab, auf die sich die Anleihe bezieht. Damit die Spekulation des Anleihekäufers aufgeht, darf sich der Basiswert, also die Aktie, auf die sich die Aktienanleihe bezieht, tendenziell nur seitwärts bewegen. Entwickelt sich der Wert zwischenzeitlich zu einem Kursüberflieger, hätte der Anleger besser dort zugegriffen, statt die Anleihe zu kaufen, doch zumindest erhält er seinen Einsatz in bar zurück. Kritisch wird es dagegen, wenn die Aktie während der Laufzeit stark fällt. In diesem Fall muss der Anleger damit rechnen, am Fälligkeitstag ein Aktienpaket zu erhalten, das nur noch einen Bruchteil dessen wert ist, was er ursprünglich für die Anleihe gezahlt hat. Ein vorzeitiger Verkauf der Anleihe ist zwar möglich. Aber auch diese Variante beschert ihm einen überdurchschnittlich hohen Kursverlust.

Beim Kauf einer Aktienanleihe muss sich der Anleger vor allem mit den Kurschancen der entsprechenden Aktie und nicht mit den Zinsperspektiven beschäftigen. Er sollte sich auch nicht durch einen hohen Zinssatz blenden lassen. Dies signalisiert lediglich eine höhere Wahrscheinlichkeit, am Ende der Laufzeit Aktien statt Bargeld zurückzubekommen. Darüber hinaus besitzen Aktienanleihen den Nachteil, dass sie der Fiskus als so genannte Finanzinnovationen einstuft, sodass sämtliche angefallenen Kursgewinne versteuert werden müssen (→ Seite 124).

„Künstliche" Anleihen (strukturierte Anleihen)

Bei Aktienanleihen „schrauben" die Finanzingenieure der Banken im Grunde nichts anderes zusammen als eine Aktienkurswette mit einem Zinspapier. Nach dieser Methode werden in jüngster Zeit immer öfter spezielle Garantieanleihen aufgelegt, die Anleger mit vermeintlicher Sicherheit und hohen Zinsen locken. Diese Papiere versprechen ihren Inhabern einen hundertprozentigen Kapitalschutz. Dazu kommt eine hohe Verzinsung, deren Höhe jedoch nur im ersten Jahr garantiert wird und danach von unterschiedlichen Faktoren abhängt.

Variante 1: Ein Papier mit einem anfänglich festen, hohen Zinssatz wird nach einer gewissen Zeit wie ein Floater (→ Seite 68) verzinst – allerdings nach einer sehr komplizierten Formel. Beispiel: Der zum letzten Zinstermin gezahlte Zins plus ein über die Laufzeit steigender Basiszins minus 6-Monats-Euribor (→ Seite 68). Aus dieser Formel ergibt sich, dass der Anleger eine umso höhere Verzinsung erzielen kann, je niedriger der Euribor während der Laufzeit tendiert. Umgekehrt muss er im anderen Extremfall mit einer Nullnummer rechnen, wenn die kurzfristigen Marktzinsen zwischen zwei Zinsterminen stark steigen sollten. Der anfänglich hohe Zins wäre dann Makulatur.

Variante 2: Die Verzinsung der Garantieanleihe ist zunächst fest und bemisst sich danach an der Wertentwicklung einer bestimmten Anzahl von Aktien. Auch hier ein Beispiel: Nach einem anfänglich hohen Zins hängt die laufende Verzinsung von der Kursentwicklung eines Aktienkorbes aus 20 genau bestimmten Titeln ab. Die Wertentwicklung des schlechtesten Titels aus diesem Korb bestimmt danach die laufende Verzinsung. Somit gilt: Läuft es mau an der Aktienbörse, heißt es für den Anleger, nach anfangs hohen Zinsen später mit 0 Prozent vorlieb nehmen zu müssen.

Fazit: Die meisten Garantieanleihen machen ihrem Namen alles andere als Ehre. Meist ist nur das eingesetzte Kapital gesichert, die Verzinsung steht dagegen in den Sternen. Auf Sicherheit bedachte Zinssparer sollten nicht den Fehler machen, sich von Kapitalgarantie und einem hohen Anfangszins blenden zu lassen. Ein weiterer Nachteil für den Anleger: Der Herausgeber räumt sich bei strukturierten Anleihen oft ein Sonderkündigungsrecht (→ Seite 66) in Abhängigkeit von der Marktentwicklung ein.

Rating: Orientierungshilfe für Anleihekäufer

Die meisten Anleger, die sich einen Überblick über die einzelnen Emittentengruppen verschafft haben, werden sich am Ende vor allem mit einer Frage beschäftigen: Wie findet man in dem breiten Angebot von staatlichen und privaten Herausgebern die lukrativsten Titel, also diejenigen, bei denen der Herausgeber in der Lage ist, Zins und Tilgung pünktlich zu leisten und der dennoch ordentliche Zinsen zahlt? Wenn man so will, die beste Kombination aus Rendite und Risiko.

Für einen Anleihekäufer ohne größere wirtschaftliche Vorkenntnisse dürften diese Fragen kaum zu beantworten sein. Doch glücklicherweise gibt es Fachleute, die sich darauf spezialisiert haben, die Kreditwürdigkeit von Staaten, Banken, Industrieunternehmen und sonstigen Anleiheemittenten zu untersuchen. Dazu führen sie einen umfassenden Finanzcheck durch, an dessen Ende sie ein Rating vergeben, eine Note, vergleichbar mit einer Zensur. Die Note drückt aus, inwieweit der jeweilige Herausgeber nach Meinung der Experten, Kreditanalysten genannt, in der Lage ist, seinen finanziellen Verpflichtungen auch in Zukunft nachzukommen (→ Tabelle).

☞ **Rating** (engl.): Bewertung, Klassifizierung.

Rating-Noten helfen bei der Beurteilung der Bonität eines Herausgebers

	Rating-Note Moody's	Standard & Poor's	Was steckt hinter der Note?
Sicherer Bereich/ geringes Risiko	Aaa	AAA	Hochqualitative Anleihe, da Zahlung von Zins und Tilgung als außergewöhnlich sicher gelten.
	Aa1, Aa2, Aa3	AA+, AA, AA−	Sehr gute Bonität, aber nicht so gut wie in der Spitzengruppe, Zins und Tilgung werden dennoch mit hoher Wahrscheinlichkeit geleistet, sehr geringes Restrisiko.
	A1, A2, A3	A+, A, A−	Gute Bonität, viele Kriterien deuten darauf hin, dass an Zins und Tilgung derzeit kein Zweifel besteht, aber es gibt ein Restrisiko in Form einiger Faktoren, die sich bei veränderter Wirtschaftslage negativ entwickeln können.
	Baa1, Baa2, Baa3	BBB+, BBB, BBB−	Durchschnittliche Bonität, Fähigkeit zu Zins und Tilgung wird von der allgemeinen Wirtschaftslage beeinflusst.
Spekulativer Bereich/ hohes Risiko	Ba1, Ba2, Ba3	BB+, BB, BB−	Schlechte Bonität, aktuell werden Zins und Tilgung geleistet, doch langfristig erscheint das Risiko eines Zahlungsausfalls hoch.
	B1, B2, B3	B+, B, B−	Sehr spekulativ, geringe Wahrscheinlichkeit, dass Schuldner seinen Verpflichtungen (Zins und Tilgung) langfristig nachkommen kann, Ausfall wahrscheinlich.
	Caa, Ca, C, D	CCC, CC, C	Hoch spekulativ. Direkte Gefahr, dass Zahlungsverzug von Zins und/oder Tilgung droht (S&P) oder bereits eingetreten ist (Moody's).

Erdacht wurden Ratings in den USA. Auf dem weltgrößten Kapitalmarkt benötigten die Anleger einen Orientierungsmaßstab, anhand dessen sie die Qualität eines Herausgebers und damit das Ausfallrisiko beurteilen konnten. Kein Wunder, dass vor allem zwei US-amerikanische Agenturen als Schrittmacher in der Branche gelten und den Markt beherrschen: Moody's und Standard & Poor's. Dazu ist in den vergangenen Jahren das Unternehmen Fitch gekommen.

Ein Urteil, das Geld wert ist

Zwar ist ein Rating für Anleihen nicht vorgeschrieben. Dennoch lassen sich viele große Anleihe-Emittenten freiwillig durchleuchten. Mehr noch: Sie zahlen sogar selbst dafür, dass sie eine Rating-Note bekommen, denn so haben sie ungleich bessere Chancen, ihre Papiere an der Börse loszuwerden. Das Urteil der Kreditanalysten ist zudem für den Emittenten bares Geld wert, denn je besser deren Note ausfällt, desto niedriger sind die Zinsen, die er für seine Anleihen zahlen muss.

Renditeunterschiede von Anleihen mit gleicher Laufzeit spiegeln also unterschiedlich hohe Bonitätsrisiken wider. Als Richtschnur, weil nahezu risikolos, gelten erstklassige Staatsanleihen wie zum Beispiel Bundesanleihen, die von den Rating-Agenturen jeweils mit der Höchstnote bewertet werden. Alle anderen Herausgeber müssen je nach Note Zinsaufschläge bezahlen. Für den Anleger ist die Gleichung zunächst einfach: Eine gute Rating-Note bedeutet geringes Risiko, dafür weniger Zinsen. Bei Anleihen mit schlechten Zensuren winken überdurchschnittlich hohe Renditen, aber der Anleger muss befürchten, dass das Papier notleidend wird. Als ausreichend sicher für Privatanleger gelten Bonds mit Noten von mindestens „BBB" beziehungsweise „Baa3" oder besser.

Tipps zur Verwendung von Ratings

Die Rating-Noten der großen Agenturen werden regelmäßig veröffentlicht und sind teilweise im Kursteil der großen überregionalen Tageszeitungen zu finden. Fragen Sie ansonsten vor dem Kauf einer Anleihe, ob es dazu ein Rating gibt, oder schauen Sie im Internet nach. Auf diese Weise können Sie die Bonität eines Herausgebers und damit das Risiko, das Sie eingehen, besser einordnen.

Bonds mit niedrigerem Rating sollten Sie nur in ein großes Depot nehmen, gering gewichten und möglichst mehrere Emittenten mischen oder direkt einen Fonds kaufen (→ Seite 113).

Die Grenzen des Ratings

Anleger sollten bei den Rating-Noten allerdings bedenken, dass eine gute Bewertung zwar eine wertvolle Orientierungshilfe ist, aber dies weder als Vollkaskoversicherung noch als eine Art Unbedenklichkeitsbestätigung im Sinne einer TÜV-Plakette verstanden werden darf. Schließlich laufen die meisten Anleihen fünf bis zehn Jahre. In dieser Zeit kann sich die

Bonität eines Herausgebers gravierend ändern – positiv, aber auch negativ.

Um das Problem laufender Veränderungen zu lösen, führen die Rating-Agenturen regelmäßig Folgeanalysen durch, aus denen sich eine Korrektur des Urteils sowohl nach oben als auch nach unten ergeben kann. Manchmal nehmen sie einen Herausgeber auch in eine spezielle Überwachungsliste auf: die Watching-List.

☞ Watching-List
Eine Vormerkliste, auf die die Rating-Agenturen einzelne Anleiheherausgeber setzen, die sie für eine Überprüfung ihres Urteils vorsehen – meist, weil die Analysten eine Veränderung der Bonität befürchten.

Schwäche der Agenturen

Meist haben die Analysen der Rating-Agenturen eine grundsätzliche Schwäche: Sie warten sehr oft zu lange, bevor sie auf aktuelle Entwicklungen reagieren und ihr Urteil unter Umständen revidieren. Die Anleger können dann keinen Nutzen mehr daraus ziehen, weil es im Extremfall schon zu spät ist und der Herausgeber kurz vor der Pleite steht. Zum Beispiel hatten im Jahr 1998 Korea und Thailand im Zuge einer Wirtschafts- und Währungskrise Schwierigkeiten, ihren Verbindlichkeiten nachzukommen. Standard & Poor's und Moody's setzten ihre Bewertung für die beiden Länder deshalb nach unten. Zu diesem Zeitpunkt waren die Anzeichen der Krise längst erkennbar und die Kurse der jeweiligen Anlagen bereits auf dem Tiefpunkt.

Auch vor der sich drastisch verschlechternden Finanzsituation vieler Telekommunikationsfirmen im Jahr 2001 und im Folgejahr vor der Finanzkrise von Argentinien haben die Agenturen nach Meinung von Kritikern viel zu spät durch Herabstufungen gewarnt. Umgekehrt hielten sie im Fall der Telefonkonzerne, nachdem sie viele Pleiten verschlafen oder nicht rechtzeitig vorhergesagt hatten, zu lange an ihrer negativen Einschätzung fest – auch als die Unternehmen zwei Jahre später ihre Verschuldung bereits stark abgebaut hatten und die Anzeichen für ein Ende der Branchenkrise deutlich zu erkennen waren. Auf diese Weise verpassten die Anleiheinvestoren eine gute Anlagechance.

Kritikern zufolge stehen einer frühen Ab- beziehungsweise Hochstufung aber auch geschäftliche Interessen der Agenturen entgegen. Diese betonen zwar immer wieder ihre Unabhängigkeit, doch wenn die Emittenten eine Benotung selbst in Auftrag geben und dann auch dafür zahlen, haftet den Urteilen zwangsläufig der Ruch einer gewissen „Gefälligkeitskomponente“ an. Immer wieder entflammt daher eine Diskussion, die Arbeit der Agenturen staatlich zu beaufsichtigen und zu kontrollieren.

Die Renditeberechnung von Anleihen: Ein Fall für den Computer

Was den Anleger neben den Punkten Sicherheit und Verkäuflichkeit (Liquidität) bei der Auswahl einer Anleihe letztlich am meisten interessiert, ist die Frage, wie sich sein Kapital verzinst. Auf den ersten Blick scheint es eine simple Antwort darauf zu geben, indem man einfach den Zinssatz als Maßstab dafür nimmt. So zu rechnen ist naheliegend, dennoch selten richtig. Denn nur, wenn der Anleger das Papier exakt zum Nennwert kauft, also zu 100 Prozent, und bis zur Fälligkeit behält, stimmen nomineller Zins und Rendite weitgehend überein. Dieser Fall ist allerdings eher die Ausnahme. Tatsächlich werden die meisten Anleihen bereits mit der Emission zu einem leicht höheren oder niedrigeren Kurs angeboten. Der Grund dafür ist, dass der Emittent und seine Bank diese kleinen Kursauf- oder -abschläge, in der Fachsprache auch Agio beziehungsweise Disagio genannt, vornehmen, um die Emissionsrendite ihres Papiers dem aktuellen Zinsniveau am Kapitalmarkt anzupassen (→ Seite 158). Noch gravierender können die Abweichungen vom Nennwert beim Kauf eines laufenden Papiers über die Börse sein.

☞ **Emissionsrendite**
Das ist die Rendite, die der Anleger erzielt, wenn er ein festverzinsliches Wertpapier vom Tag der Ausgabe bis zum Tag der Einlösung behält.

Nominelle Verzinsung ist nicht gleich effektive Verzinsung

Der Einfluss niedrigerer oder höherer Kurse als 100 Prozent auf die „effektive" Rendite ist mitunter erheblich, denn zurückgezahlt wird die Anleihe schließlich fast immer zu genau diesem Wert. Daraus folgt: Zu der „nominellen" Verzinsung erzielt der Anleger bei einem Kaufkurs unter 100 Prozent mit der Rückzahlung einen Einlösungsgewinn, der den Ertrag zusätzlich aufbessert. Im umgekehrten Fall entsteht am Fälligkeitstermin unweigerlich ein Verlust, was die Rendite gegenüber der laufenden Verzinsung mindert. Der Gesamtertrag ergibt sich somit aus der laufenden Verzinsung **plus** der Differenz zwischen Kauf- und Einlösungskurs oder dem Verkaufspreis bei einem vorzeitigen Verkauf. Bezogen auf das effektiv eingesetzte Kapital ergibt sich erst daraus die effektive Rendite.

Damit wird ein zweiter Punkt angesprochen, der bei der Renditeberechnung berücksichtigt werden muss. Wenn die Anleihe nicht genau zum Nennwert gekauft wird, ist auch der Kapitaleinsatz entsprechend höher oder niedriger als 100 Prozent. Will man zudem die Netto-Rendite kalkulieren, müssen zusätzlich auch noch die Kosten in Form von Kaufprovision, Maklercourtage etc. einbezogen werden. Fast immer weicht dadurch die nominelle (Kupon-)Verzinsung von der laufenden Verzinsung der Anleihe ab. Die laufende Verzinsung drückt aus, in welchem Verhältnis der Zinsertrag zum effektiv eingesetzten Kapital steht und wird nach folgender Formel berechnet:

$$\text{Laufende Verzinsung} = \frac{\text{Zinssatz} \times 100}{\text{Kaufkurs (ggf. plus Kosten)}}$$

Dazu ein Beispiel: Eine Anleihe besitzt einen nominellen Zinssatz von 6 Prozent. Der Anleger kauft das Papier zu einem Kurs von 97 Prozent. Daraus ergibt sich für ihn:

$$\text{Laufende Verzinsung} = \frac{6 \times 100}{97} = 6{,}186 \text{ Prozent}$$

Zusätzlich erzielt er einen Kursgewinn von 3 Prozent, wenn er das Papier bis zur Fälligkeit behält. Dies muss bei der Berechnung der effektiven Rendite einkalkuliert werden. Das heißt mit anderen Worten: Je niedriger der Kaufkurs, desto höher ist bei gleichem Zinssatz die Rendite.

Was sich in der Theorie so einfach anhört, erweist sich bei der praktischen Umsetzung als anspruchsvolles mathematisches Problem. Bei der Berechnungsformel wird nämlich unterstellt, dass die fälligen Zinsen theoretisch zum selben Zinssatz wieder angelegt werden. Für ein- bis zweijährige Laufzeiten ist dies möglich, bei Laufzeiten von 10 Jahren benötigt man für diese Rechnung einen Computer.

Infos im Netz

Im Internet finden sich einige Seiten, auf denen die Renditeberechnung einer Anleihe, teilweise mit professioneller Genauigkeit online möglich ist. Als Beispiel seien an dieser Stelle genannt:

- www.onvista.de, Menüpunkt „Anleihen",
- www.boerse-stuttgart.de, Menüpunkt „Anleihen", „Renditerechner",
- www.bondboard.de, Menüpunkt „Rendite-Rechner".

Unterschiedliche Berechnungsmethoden

In der Praxis gibt es aufgrund der geschilderten Probleme für die Berechnung einer Anleiherendite mehrere Methoden.

Im Grunde muss sich aber kein Anleger mit diesen unterschiedlichen Methoden und Formeln herumschlagen. Die meisten Banken und Sparkassen geben die effektive Rendite der Anleihen, die sie aktuell verkaufen, in der Regel automatisch mit an. Ansonsten führt eine Nachfrage bei einem Berater meist zu der gewünschten Information. Bei den an der Börse gehandelten Anleihen findet sich die Rendite per Endfälligkeit im Kursteil der überregionalen Tageszeitungen. Die angegebenen Werte wird der Anleger in der Realität aber so gut wie nie erzielen. Denn dass die während der Laufzeit anfallenden Zinsen tatsächlich zum selben Zinssatz wieder angelegt werden können, wie es die meisten Formeln voraussetzen, ist eher unwahrscheinlich. Zudem berücksichtigen die Angaben nicht die Kosten.

Nicht immer jedoch wird der Anleger fündig. Ein relativ einfach zu handhabendes Verfahren, das mit einem gewöhnlichen Taschenrechner oder Papier und Bleistift auskommt, bietet dann die so genannte Faust- oder Börsenformel.

$$\text{Rendite} = \frac{\text{Nominalzins} + \dfrac{100^{1)} - \text{Kaufkurs}}{\text{Restlaufzeit in Jahren}}}{\text{Kaufkurs}} \times 100$$

[1]) oder davon abweichender Rückzahlungskurs

Für ein Beispiel werden die Angaben von Seite 99 erweitert: Die zu 97 Prozent gekaufte 6-prozentige Anleihe hat eine Restlaufzeit von fünf Jahren und sieben Monaten (= 5,58 Jahre). Daraus ergibt sich nach der Faustformel:

$$\text{Rendite} = \frac{6 + \dfrac{100 - 97}{5{,}58}}{97} \times 100 = 6{,}74 \text{ Prozent (gerundet)}$$

Eine genauere Berechnung mit einem professionellen Renditeprogramm führt zu einer Rendite von rund 6,66 Prozent. Grundsätzlich gilt: Die Faustformel liefert umso exaktere Ergebnisse, je kürzer die Restlaufzeit der Anleihe ist und je näher der Kaufkurs an 100 Prozent liegt.

Was sind eigentlich Stückzinsen?

Wie im vorangegangenen Abschnitt gesagt, zahlt der Herausgeber einer Anleihe nur zu bestimmten, regelmäßigen Terminen seine Schuldzinsen. Das Problem beim Börsenhandel ist nun, dass die zwischen diesen Terminen aufgelaufenen Zinsen nicht in die Kursberechnung mit eingehen. Der jeweilige Inhaber der Anleihe erhält allerdings am folgenden Zinszahlungstermin die Zinsen für den gesamten zurückliegenden Zinszahlungszeitraum. Das gilt selbst dann, wenn er das Papier erst wenige Wochen vorher gekauft hat. Dem Herausgeber ist schließlich nicht zuzumuten, dass er prüft, welche seiner Anleihen zu welchem Zeitpunkt den Besitzer gewechselt haben, damit er seine Zinszahlungen entsprechend aufteilen kann.

Es liegt auf der Hand, dass dies zu einer Benachteiligung des Verkäufers führen würde. Daher werden bei einem Handel zwischen den einzelnen Zinszahlungsterminen die aufgelaufenen Zinsen separat berechnet und als so genannte Stückzinsen ausgewiesen. Auf diese Weise lässt sich ein Ausgleich der jeweiligen Zinsansprüche zwischen Käufer und Verkäufer vornehmen. In der Praxis bedeutet das: Der Käufer zahlt dem Verkäufer am Abrechnungstag zusätzlich zum Kaufpreis der Anleihe die seit dem letzten Zinszahlungstermin aufgelaufenen Zinsen.

Die Regeln der Stückzinsberechnung

Bei der Berechnung der Stückzinsen gab es mit der Einführung des Euro eine Änderung: Bis Ende 1998 wurde in Deutschland die so genannte kaufmännische Methode verwandt. Danach wird der Monat mit 30 und das Jahr mit 360 Zinstagen angenommen. Seit Anfang 1999 gilt bei neu emittierten Papieren – außer bei Finanzierungsschätzen und Bundesschatzbriefen (→ Seite 79) – die so genannte Actual-Methode. Dabei werden die Zinstage kalendergenau ausgezählt. Für laufende Anleihen, die vor 1999 emittiert wurden, können allerdings beide Methoden verwendet werden.

Nach den Geschäftsbedingungen der deutschen Börsen müssen Wertpapiergeschäfte zwei Werktage nach dem Handelstag abgerechnet werden. Der Termin wird als Valutierungstag bezeichnet. Für die Frage, welcher Tag bei Anleihetransaktionen zinsmäßig dem Verkäufer und welcher bereits dem Verkäufer zusteht, gibt es folgende Regel: Der Verkäufer hat Anspruch auf die Zinsen bis einschließlich einen Tag vor dem Valutierungstag. Der Zeitraum danach steht dem Käufer zu. Angenommen der Tag, an dem das

Stückzinsberechnung auf den Tag genau

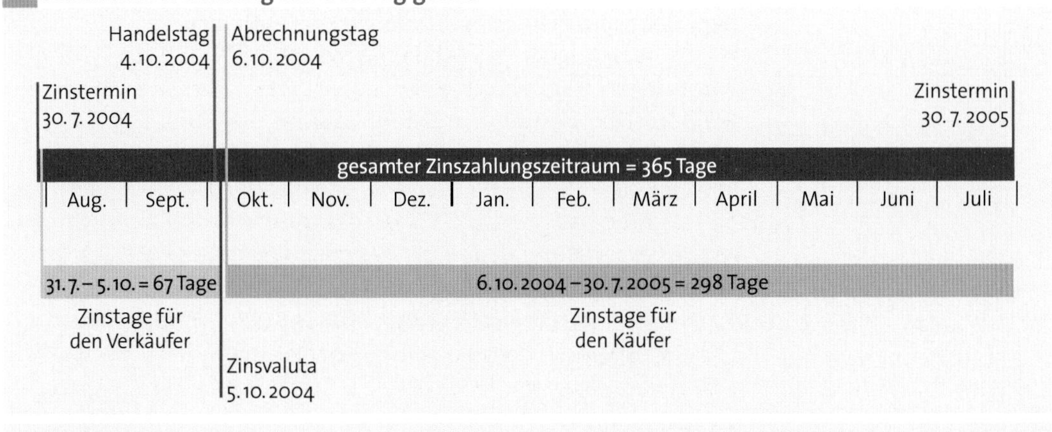

Handelstag 4.10.2004
Abrechnungstag 6.10.2004
Zinstermin 30.7.2004
Zinstermin 30.7.2005
gesamter Zinszahlungszeitraum = 365 Tage
Aug. | Sept. | Okt. | Nov. | Dez. | Jan. | Feb. | März | April | Mai | Juni | Juli
31.7.–5.10. = 67 Tage
6.10.2004 – 30.7.2005 = 298 Tage
Zinstage für den Verkäufer
Zinstage für den Käufer
Zinsvaluta 5.10.2004

Anleihegeschäft über die Bühne geht, ist ein Dienstag, dann wird es per Donnerstag (= zwei Werktage später) abgerechnet. Die so genannte Zinsvaluta, auf deren Basis die Stückzinsberechnung erfolgt, liegt dann der Regel entsprechend auf dem Mittwoch (→ Grafik, Seite 101).

Beispiel: Ein Anleger kauft am 4. Oktober 2004 einen 4-prozentigen Pfandbrief. Das Geschäft wird zum 6. Oktober mit Zinsvaluta 5. Oktober abgerechnet. Der jährliche Zinstermin des Papiers liegt am 30. Juli. Damit werden für 67 Tage (Juli: 1 Tag, August: 31 Tage, September: 30 Tage, Oktober: 5 Tage) Stückzinsen fällig, die der Verkäufer erhält. Im Gegenzug bekommt der Käufer am 30. Juli des folgenden Jahres die Zinsen für das gesamte Zinsjahr.

Die Stückzinsen berechnen sich dann nach folgender Formel:

$$\text{Stückzinsen} = \frac{\text{Nennwert} \times \text{nomineller Zinssatz} \times \text{Zinstage}}{365 \times 100}$$

Angenommen, der Anleger kauft im obigen Beispiel den Pfandbrief im Nennwert zu 1000 Euro, dann werden 7,34 Euro als Stückzinsen verrechnet.

$$\text{Stückzinsen} = \frac{1000 \times 4{,}0 \times 67}{365 \times 100} = 7{,}34 \text{ Euro}$$

Keine Regel ohne Ausnahme

Bekanntermaßen gibt es keine Regel ohne Ausnahme. Für Anleihen ohne laufende Zinszahlung, also Nullkuponanleihen und Aufzinsungsanleihen, werden keine Stückzinsen berechnet, denn bei ihnen sammelt sich im Unterschied zu den normalen Zinspapieren die laufende Verzinsung im Kurs über die Laufzeit hinweg an. Folge: Der Zinsanspruch ist somit bereits im Kurs enthalten.

Rentenfonds: Alternative zur Einzelanlage

Wie funktionieren Fonds?

Aus Tausenden von Anleihen eine passende heraussuchen, die besten Bankangebote im Auge behalten und dazu ständig über die aktuellen Zinstrends an den Kapitalmärkten auf dem Laufenden bleiben – viele Zinsanleger sehen sich da überfordert oder ihnen fehlt schlicht und ergreifend die notwendige Zeit und das Interesse, sich so intensiv mit dem Thema Geldanlage zu beschäftigen. Was liegt also näher, als einen Fachmann mit dieser Aufgabe zu beauftragen? Das ist schon bei kleinem Geldbeutel möglich – mit einem Investmentfonds.

Die Idee, die hinter einem Investmentfonds steckt, ist ebenso einfach wie genial: Viele Kleinsparer schließen sich zusammen und werfen ihre Anlagebeträge in einen Topf. Mit der Verwaltung des Vermögens, das auf diese Weise entsteht, wird ein professioneller Manager beauftragt. Je nach Ausrichtung des Fonds kauft er für das Geld Immobilien, Anleihen oder Aktien – national, europa- oder weltweit. Dabei verteilt er das Anlagevermögen auf viele verschiedene Märkte, Währungen und Titel. Je nach Anlageschwerpunkt ergibt sich daraus eine weitere Unterteilung der einzelnen Investmentfonds. Fonds, deren Vermögen überwiegend in Aktien investiert wird, werden dementsprechend als Aktienfonds bezeichnet. Setzt der Fondsmanager dagegen fast ausschließlich auf festverzinsliche Wertpapiere und Bankeinlagen, handelt es sich um einen Rentenfonds. Fonds, bei denen der Verwalter beide Anlageformen beliebig kombinieren kann, laufen unter der Bezeichnung „Gemischte Fonds".

Die Fondsanleger sind weder Gläubiger – wie Anleihekäufer – noch Aktionäre der Fondsgesellschaft. Sie sind rein rechtlich gesehen Miteigentümer am Fondsvermögen – und zwar im Verhältnis zu ihrer Einlage. Jeder Anleger, der Geld in einen Fonds einzahlt, erhält dafür Anteilsscheine, die dieses Miteigentumsrecht verbriefen. Wichtig dabei ist, dass jeder Anteil im gleichen Maße am Anlageerfolg teilnimmt. Dadurch ist es vollkommen unerheblich, ob ein Sparer 100 Euro oder gar eine Million Euro in einen Fonds steckt. Bezogen auf sein eingesetztes Kapital ist die Rendite immer gleich.

Vorteile gegenüber der Einzelanlage

Der größte Vorteil, den Rentenfonds gegenüber der Einzelanlage besitzen, ist die Tatsache, dass der Manager das eingezahlte Geld viel breiter streuen kann als dies einem normalen Anleger mit ein paar tausend Euro Anlagekapital je möglich wäre. Durch die systematische Mischung vieler verschiedener Papiere ist das Risiko deutlich geringer als bei der Anlage in einzelne Anleihen. Wenn zum Beispiel ein Herausgeber, dessen Anleihen der Fonds hält, in finanzielle Schwierigkeiten gerät und seine Zahlungen einstellt, ist das für die Fondsanleger kein so großer Beinbruch, denn der Verlust ist gemessen am Gesamtvermögen relativ gering.

Zudem – zweiter Vorteil – kümmert sich der Fondsmanager um die Wiederanlage fälliger Anleihen und über das Jahr hinweg aufgelaufener Zinszahlungen.

Der dritte große Pluspunkt von Investmentfonds ist, dass sie kein großes Anfangskapital erfordern. Bei vielen Fonds beträgt die Mindestanlage nur 50 Euro, wenn der Sparer regelmäßig Geld im Rahmen eines Sparplans anlegt. Bei Einmalanlagen werden in der Regel höhere Mindestanlagesummen vorausgesetzt – je nach Fonds 200 Euro oder mehr. In beiden Fällen bleibt der Sparer sehr flexibel. Obwohl der Anleger bei einem Rentenfonds in Anleihen mit zum Teil sehr langer Laufzeit investiert, kann er seine Fondsanteile von heute auf morgen verkaufen.

Fondssparpläne

Besonders vorteilhaft wirken sich die geringen Mindestanlagebeträge und die Flexibilität bei einem Sparplan aus: Bei einem Fondssparplan muss der Sparer im Gegensatz zum Banksparplan weder Kündigungsfristen einhalten noch eine feste Laufzeit vereinbaren. Er zahlt einfach so lange ein, wie er möchte. Über Bonusregelungen braucht er sich ebenso wenig Gedanken machen wie über die Frage, ob die laufende Verzinsung fair an die allgemeine Zinsentwicklung angepasst wird, denn der Fondsmanager versucht am Markt immer das rauszuholen, was möglich ist. Den Anlagerhythmus können Fondssparer in bestimmten Grenzen ebenso frei bestimmen und ändern wie den Anlagebetrag. Lediglich die Mindestsumme muss stets eingehalten werden.

Über das Fondsguthaben, das auf diese Weise über die Jahre hinweg zusammenkommt, kann der Sparer beliebig verfügen. Er kann es entweder ganz oder in Teilbeträgen zurückgeben oder das Kapital so lange stehen lassen, bis er es benötigt. In dieser Zeit wird es weiter angelegt und verzinst.

Fondssparpläne

↗	Renditechance
↗	Sicherheit
↗	Verfügbarkeit
→	Steuereffekt
→ bis ↘	Bequemlichkeit

Geeignet für:
Regelmäßiges Sparen.

Alternative Anlagemöglichkeiten:
→ Tabelle, Seite 139

Die Gesellschaften bitten kräftig zur Kasse

Es gibt natürlich auch Nachteile. Der gravierendste: Die Fondsgesellschaften bieten ihre Dienste nicht zum Nulltarif an und sie sind alles andere als billig. Zwar fallen beim Kauf von Investmentfonds üblicherweise keine Bankprovisionen an, dafür wird der Anleger mit einer Reihe anderer Kosten zur Kasse gebeten. Der dickste Posten ist dabei der Ausgabeaufschlag. Er wird beim Kauf in Rechnung gestellt und bemisst sich als ein fester Prozentwert des Rücknahmepreises (→ Seite 109). Bei Rentenfonds liegt er meistens bei 3 bis 4 Prozent. Im Einzelfall sind jedoch auch höhere Werte möglich. Das zehrt erheblich an der Rendite und erfordert eine gewisse Anlagedauer, bis allein der Aufschlag wieder „verdient" worden ist.

Leider ist es mit dem Ausgabeaufschlag für den Anleger noch nicht getan. Zusätzlich wird er nach dem Kauf mit laufenden Kosten zur Kasse gebeten. Zu diesen Kosten gehören die Vergütung für das Fondsmanagement, Depotbankkosten und Transaktionskosten für die Wertpapiere, die der Fondsmanager über die Börse ordert. Alles in allem kommen so unter dem Strich in vielen Fällen bei Rentenfonds jährlich Kosten zwischen einem halben und 1,5 Prozent des Fondsvermögens zusammen, die der Anleger nicht auf den ersten Blick sieht, weil sie jährlich oder quartalsweise vom Fondsvermögen abgezogen werden.

Vier Wege zum Fonds

Anleger können zwischen mehreren Bezugsquellen für den Fondskauf wählen. Dieser kleine Einkaufsführer stellt die gängigsten vor.

	Gibt es Rabatte auf den Ausgabeaufschlag?	Wie hoch sind die jährlichen Depotverwaltungskosten?	Wie sind die Konditionen beim Umschichten?
Banken und Sparkassen	Gelegentlich auf Nachfrage.	Mittel bis hoch, meist abhängig vom Depotwert.	Meist voller Ausgabeaufschlag.
Direktbanken/ Discountbroker	Meist ja, bei Einmalanlagen häufiger.	Günstig bis mittel: zwischen 0 und rund 35 Euro.	Die üblichen Rabatte auf den Ausgabeaufschlag.
Fondsgesellschaften	Sehr selten.	Oft keine. Sonst bis rund 35 Euro, selten mehr.	Meist günstig, weil kein neuer Ausgabeaufschlag anfällt.
Fondsvermittler in Zusammenarbeit mit Fondsbanken	Meist ja, häufig bis zu 100 Prozent, auch auf viele Sparpläne.	Günstig bis mittel: meist zwischen 12 und 40 Euro.	Meist günstig, da häufig hohe Rabatte auf den Ausgabeaufschlag.

Quelle: FINANZtest SPEZIAL Geldanlage mit Investmentfonds

Hoher Ausgabeaufschlag kostet Rendite

Angenommene Rendite	5,0	5,0	10,0	10,0	15,0	15,0
Ausgabeaufschlag	2,5	5,0	2,5	5,0	2,5	5,0
Laufzeit Einmalanlage	**So viel bleibt von der Rendite**					
3 Jahre	4,14	3,31	9,10	8,23	14,06	13,14
5 Jahre	4,48	3,98	9,46	8,93	14,43	13,88
10 Jahre	4,74	4,49	9,73	9,46	14,72	14,44
20 Jahre	4,87	4,74	9,86	9,73	14,86	14,72
	Alle Angaben in Prozent					

Beim Fondskauf sparen

Es gibt auch Möglichkeiten die Kosten beim Fondskauf zu drücken. Direktbanken, Discountbroker (→ Seite 70) und spezielle Fondsvermittler, auch Fondsshops genannt, bieten eine Vielzahl von Fonds an, bei denen sie einen Nachlass von 25 bis 100 Prozent auf den Aufschlag gewähren.

Unschlagbar günstig sind vor allem die Fondsvermittler. Dabei läuft das Geschäft nur etwas anders ab als der Kauf direkt in der Bank. Die Vermittler bieten, ebenso wie die Discountbroker, keine Beratung. Sie stellen lediglich den Kontakt zu einer Bank her, die den Fonds besorgt und die Anteile des Privatanlegers in einem Fondsdepot verwahrt. Der Kunde überweist das Geld direkt an die Depot führende Stelle. Bedenken, ob der Einkauf über den Fonds-

Ist das Depot offen für andere Wertpapiere?	Wie funktioniert der Fondskauf?	Geeignet für Anleger, ...
Ja	Meist persönlich. Geldtransfer meist über Lastschrift vom Girokonto.	... die persönliche Beratung wollen und ihre Fonds nicht online oder per Telefon kaufen möchten.
Meist ja	Per Telefon, Fax oder online. Es gibt ein Abrechnungskonto, von dem Geld abgebucht wird.	... die nicht auf Beratung angewiesen sind und auch andere Wertpapiere im Depot haben wollen.
Nein	Meist per Telefon oder Fax. Geldtransfer mit Lastschrift oder Überweisung vom Konto.	... die ihre Fonds häufig wechseln, aber bei einer Gesellschaft bleiben wollen. Sie sollten keine Beratung benötigen.
Meist nein	Per Telefon, Fax oder online. Geldtransfer meist per Lastschrift vom Girokonto.	... die nicht auf Beratung angewiesen sind.

Tipps für Fondsinteressenten

- Wichtiger als Rabatte beim Kauf ist immer die Qualität des Fonds.
- Die STIFTUNG WARENTEST untersucht regelmäßig die Qualität von Fonds und veröffentlicht die Ergebnisse jeden Monat in FINANZtest sowie im Internet (kostenpflichtig) unter www.finanztest.de.
- Fragen Sie beim Kauf über Vermittler stets nach den aktuellen Rabatten beim Ausgabeaufschlag.
- Wenn Sie sich für den Kauf beim Fondsvermittler entscheiden, sollten Sie sich davor hüten, auf deren teilweise aggressive Werbung für andere Produkte wie etwa geschlossene Immobilienfonds hereinzufallen.
- Eine Übersicht über die Preisunterschiede beim Fondskauf und viele weitere Informationen zu Rentenfonds bietet das FINANZtest SPEZIAL Geldanlage mit Investmentfonds (7,50 Euro, Bestelladresse → Seite 176).

vermittler sicher ist, brauchen Anleger in diesem Fall nicht zu haben. Ein Vermittler, der Überweisungen auf sein Privatkonto verlangt, ist hingegen unseriös (Adressliste von seriösen Fondsvermittlern → Seite 171).

Die Experten der STIFTUNG WARENTEST haben festgestellt, dass fast jeder gute Rentenfonds ohne Ausgabeaufschlag über einen Fondsvermittler erhältlich ist. Wer keine Beratung nötig hat und weiß, welchen Fonds er kaufen möchte, sucht sich am besten einen Vermittler, der keinen Ausgabeaufschlag für diesen Fonds verlangt. Denn dieser Aufwand lohnt sich durchaus: Ein Anleger, der 1000 Euro in einen Fonds investiert, bei dem der Ausgabeaufschlag 2,5 Prozent beträgt, kauft nur für 975,61 Euro Anteile. Fast 25 Euro zieht die Fondsgesellschaft als Vertriebsgebühr ab.

Und es gibt auch Fondsvermittler, die Anlegern die Gebühr, die die Bank für das Depot (→ Seite 71) verlangt, am Ende des Jahres zurückerstatten. Dies ist vor allem für Kleinsparer wichtig – je geringer der Anlagebetrag, desto stärker fallen die Depotkosten ins Gewicht. Arbeitet der Vermittler mit einer Fondsbank zusammen, können in diesem Depot allerdings nur Fonds und keine anderen Wertpapiere wie etwa Anleihen verwahrt werden. Anders ist dies, wenn er mit einer Direktbank zusammenarbeitet.

Basisinformationen rund um Fonds

Eine zentrale Anlaufstelle für Fondsinteressenten ist die Homepage des Bundesverbands Investment und Asset Management (BVI): www.bvi.de. Dort finden sich Links zu den Seiten fast aller deutschen und einiger ausländischen Fondsgesellschaften. Weitere Internetadressen → Seite 115.

Die Sicherheit von Fonds

Sein Geld jemand vollkommen Unbekanntem anzuvertrauen, mag vielen Sparern auf den ersten Blick nicht sonderlich sympathisch erscheinen. So verständlich dieses Misstrauen grundsätzlich ist, so unbegründet ist es jedoch in Sachen Fonds. Was ein Fonds ist und wann er sich „Investmentfonds" nennen darf, ist in Deutschland genau geregelt. Mit einer Reihe zusätzlicher Vorschriften und Regelungen hat der Gesetzgeber außerdem dafür gesorgt, dass das Kapital von Fondskunden vor Manipulationen und missbräuchlichem Zugriff geschützt ist. Dass sich beispielsweise der Fondsverwalter mit dem Geld seiner Kunden aus dem Staub machen kann, ist nahezu ausgeschlossen.

Investmentfonds nach den Buchstaben des Gesetzes

Die erste Sicherung besteht im Gesetz über die Kapitalanlagegesellschaften (KAGG), wie die Anbieter von Investmentfonds rein rechtlich bezeichnet werden. Das KAGG legt unter anderem fest, dass Fondsgesellschaften die Gelder ihrer Kunden nicht mit den eigenen vermischen dürfen. Der Fonds zählt als „Sondervermögen", auf das fremde Gläubiger keinen Zugriff haben, auch dann nicht, wenn die Fondsgesellschaft einmal in finanzielle Schwierigkeiten kommen sollte – was wenig wahrscheinlich ist, denn als Spezialkreditinstitute unterliegen die Fondsgesellschaften der Aufsicht durch die Bundesanstalt für Finanzdienstleistungsaufsicht (Bafin, Adresse → Seite 171).

Außerdem fungiert die Fondsgesellschaft lediglich als ein Treuhänder, der keinen direkten Zugriff auf das Kapital der Fondsanleger hat. Wertpapiere und Barvermögen werden von einer externen Depotbank auf einem Sperrkonto verwahrt, wobei die Depotbank rechtlich und personell unabhängig von der Fondsgesellschaft sein muss. Wegen der besonderen Vertrauensstellung akzeptiert die Finanzaufsicht dabei nur Geldhäuser mit tadellosem Ruf.

Die Aufgaben der Depotbank

Die Depotbank erledigt auch eine Reihe von Verwaltungsarbeiten. Sie gibt neue Anteilsscheine aus und nimmt sie von Anlegern, die verkaufen, zurück. Dazu ermittelt die Depotbank börsentäglich den Rücknahmepreis. Er ergibt sich aus dem Wert aller Wertpapiere und sonstigen Vermögensgegenstände im Fondsvermögen abzüglich der Verbindlichkeiten aus den Verwaltungskosten, dividiert durch die Zahl aller ausgegebenen Anteile.

Tipp: Vor dem Fondskauf informieren

Studieren Sie vor dem Kauf den Verkaufsprospekt und den letzten Jahres- oder Halbjahresbericht. So erfahren Sie, wie der Fonds sein Geld anlegt. Fast alle Fondsgesellschaften halten diese Unterlagen zum Download auf ihrer Homepage bereit (→ Internethinweise, Seite 115) oder schicken sie auf Anfrage per Post zu.

Ein zusätzlicher Schutzmechanismus besteht darin, dass jeder Fonds nach bestimmten Grundsätzen gemanagt werden muss, die im KAGG zusammengefasst sind, das heißt, der Fondsmanager kann die Aufteilung des Fondsvermögens nicht nach seinem Gutdünken vornehmen.

Der offizielle Segen der Finanzaufsicht

Nicht zuletzt prüft die Bafin bei jedem neuen Fonds Prospekt und Anlagekonzept, bevor er verkauft werden darf. Erst wenn sich die Finanzaufsicht mit beidem einverstanden erklärt, ist der Fonds zum öffentlichen Vertrieb zugelassen. Zudem hat der Gesetzgeber den Fondsanbietern eine Reihe von Folgepflichten auferlegt. Die Kapitalanlagegesellschaft (KAG) ist zum Beispiel verpflichtet, zum Ende eines jeden Geschäftsjahres für jeden Fonds einen Rechenschaftsbericht und dazwischen einen Halbjahresbericht zu erstellen. Er ist quasi eine Bilanz und enthält eine komplette Aufstellung über alle Vermögenswerte und die Verbindlichkeiten sowie eine Auflistung sämtlicher Aufwendungen und Erträge sowie Angaben zur Wertentwicklung.

Rentenfonds ist nicht gleich Rentenfonds

In der Theorie wissen Fonds hinsichtlich Sicherheit und Flexibilität also zu überzeugen. Aber: Rentenfonds gibt es unzählig viele und sie weisen mitunter große Unterschiede auf. Das Feld ist breit gefächert mit Dutzenden von Anlagekonzepten und -strategien – jedes mit speziellen Chancen und Risiken. Das macht die Auswahl zu einer echten Herausforderung.

Eine Frage der Gewichtung

Rentenfonds gelten zwar gemeinhin als sichere Anlage, doch das heißt nicht, dass sie – entgegen den Behauptungen so mancher Bankberater – stets vor Verlusten gefeit sind. Grundsätzlich gilt: Wenn die Zinsen am Kapitalmarkt auf breiter Front steigen, sinken die Anleihekurse (→ Seite 158). Das wiederum schlägt unweigerlich auch auf die Anteilspreise von Rentenfonds durch. Wie stark

Rentenfonds Euro

↗ bis →	Renditechance [1])
↗	Sicherheit
↗	Verfügbarkeit
→	Steuereffekt
→ bis ↘	Bequemlichkeit

[1]) je nach Anlageschwerpunkt des Fonds

Geeignet für:
Anleger, die mittel- bis langfristig Geld anlegen und dabei die Möglichkeit haben wollen, während der Laufzeit jederzeit aussteigen zu können.

Alternative Anlagemöglichkeiten:
→ Tabelle, Seite 141, 148/149

der negative Einfluss auf die Wertentwicklung eines einzelnen Fonds ausfällt, ob beispielsweise die Rendite nur einen Dämpfer erhält oder gar ins Minus rutscht, hängt allerdings davon ab, welche Laufzeiten der Manager bei den Papieren im Fondsdepot stärker gewichtet. Es gibt Fonds, die bevorzugt in Anleihen investieren, die nur ein bis drei Jahre laufen, andere wiederum setzen in erster Linie auf Langläufer, die erst in zehn Jahren oder später zurückgezahlt werden. Je langfristiger die Ausrichtung des Fonds, desto stärker reagiert er auf Zinsschwankungen am Kapitalmarkt. Fonds, die auf kurze oder lange Laufzeiten setzen, sind etwas für Anleger, die eine bestimmte Zinsentwicklung erwarten. Um sich eine Meinung zur zukünftigen Zinsentwicklung bilden zu können, sollten sie sich mit den Marktgrößen beschäftigen, die diese beeinflussen (→ Seite 150).

Wem dies zu kompliziert ist oder wer davon ausgeht, dass die Zinsen weder steigen noch fallen werden, für den sind Fonds, die überwiegend in Anleihen mit mittleren Laufzeiten investieren, eine gute Wahl. Die Erfahrungen der Vergangenheit zeigen, dass man damit ebenso auf der sicheren Seite steht wie mit Fonds, die keine Laufzeitbeschränkung haben. Bei ihnen entscheidet der Fondsmanager je nach Marktsituation und eigener Einschätzung über die Ausrichtung.

Achtung Währung!

Neben der Frage nach der Laufzeitgewichtung spielt für die Unterscheidung der einzelnen Fondskonzepte auch die Frage eine Rolle, in welcher Währung beziehungsweise in welchen Währungen der Fonds seine Gelder anlegt. Dies wiederum ist von großem Einfluss sowohl auf die Wertentwicklung, sprich Rendite, als auch auf das Risiko, das der Anleger tragen muss. Experten teilen Rentenfonds daher nach ihrem Währungsschwerpunkt ein.

Zu den „Rentenfonds Euro" zählen diejenigen Fonds, die ihr Geld zu 100 Prozent in Papieren anlegen, die auf Euro lauten. „Rentenfonds Welt" streuen hingegen ihre Anlagen weltweit. Anders als bei den

Tipp: Hinter die Kulisse schauen

Die bisherige Aufzählung zeigt bereits, dass jeder Rentenfondsanleger vor dem Kauf einen Blick auf die Zusammensetzung des Fonds werfen sollte. Informationsquellen wie etwa die Homepage der entsprechenden Fondsgesellschaft oder Schwerpunktseiten zum Thema Investmentfonds gibt es dafür genug (→ Internethinweise Seite 115).

Aktienfonds weisen aber „Rentenfonds Euro“ das niedrigste Risiko auf. Weltweit anlegende Fonds erhöhen in jedem Fall die Risiken.

Dazwischen gibt es eine Reihe von Mischkonzepten: „Rentenfonds Europa“ nehmen zum Beispiel neben Euro-Anleihen auch in größerem Umfang Anleihen ins Depot, die auf andere europäische Währungen lauten – etwa das britische Pfund oder den ungarischen Forint. Das kann die Rendite mitunter aufbessern. In der Vergangenheit war mit lupenreinen Rentenfonds Euro kaum mehr zu holen als mit langfristigen Bundeswertpapieren und Bankschuldverschreibungen.

Daneben gibt es spezielle Rentenfonds, die, statt mehrere Währungen zu mischen, ausschließlich auf Anleihen einer der großen Hauptwährungen an den Devisenmärkten setzen – US-Dollar, Schweizer Franken, britisches Pfund oder den japanischen Yen. Solche Währungsfonds stellen eine Alternative zu Währungsanleihen und Währungskonten dar (→ Seite 160).

Um die Rendite aufzupeppen, nehmen einige Fondsmanager auch zu einem geringen Teil Aktien ins Depot. Solche Fonds tragen freilich zu Unrecht das Etikett „Rentenfonds“. Sie sind vielmehr der großen Gruppe von Mischfonds zuzuordnen.

Geldmarktfonds

→ bis ↘	Renditechance
↗	Sicherheit
↗	Verfügbarkeit
↘	Steuereffekt
↗ bis →	Bequemlichkeit

Geeignet für:
Kurzfristige Geldanlage, einfache „Parkstation“ kurzfristig angesparter oder fällig gewordener Gelder (beispielsweise aus Anleihegeschäften) bis zur Wiederanlage, außerdem für laufende Anlage einer jederzeit verfügbaren Finanzreserve.

Alternative Anlagemöglichkeiten:
→ Tabelle, Seite 141

Geldmarktfonds

Während sich Rentenfonds eher an langfristig orientierte Anleger wenden, bietet ein spezieller Fondstyp eine Alternative zu den Kurzfristangeboten der Banken und Sparkassen: Geldmarktfonds. Bei ihnen legt der Manager das Geld überwiegend schnell verfügbar und kurzfristig als Bankguthaben oder am Geldmarkt an. Dabei kann er mit den Anlagemillionen im Rücken bei den Kreditinstituten viel bessere Zinskonditionen aushandeln als das einem Privatanleger möglich wäre. Durch die geringe Laufzeit der Anlagen und bei einer Auswahl erstklassiger Herausgeber ist das Kursrisiko bei Geldmarktfonds praktisch gleich null. Nur wenn der Fonds Beimischungen riskanter Wertpapiere enthält, können Kursverluste auftreten. Anleger sollten daher darauf achten, dass sie einen lupenreinen Geldmarktfonds wählen.

Aufgrund ihrer niedrigen Kosten – sinnvoll für Privatanleger sind nur Geldmarktfonds, die keinen Ausgabeaufschlag haben – eignet sich dieser Fondstyp als Parkstation für freie Gelder. Ähnlich wie Termingeld- und Tagesgeldkonten erzielen die meisten Fonds Renditen, die auf dem Niveau der kurzfristigen Geldmarktzinsen liegen. Derzeit liegen allerdings diese Sätze bei etwas mehr als 2 Prozent.

Spezielle Fondskonzepte

Außer in puncto Laufzeitgewichtung und Währungsorientierung hat der Fondsmanager die Möglichkeit, durch die Zusammenstellung entsprechender Herausgeber seinem Fonds ein Profil zu geben. Die meisten Rentenfonds legen ihr Geld in Staatsanleihen großer Industriestaaten, Pfandbriefen und Bankschuldverschreibungen an kurzum: in Emittenten mit erstklassiger bis guter Bonität, die eine hohe Sicherheit gewährleisten.

Daneben gibt es so genannte High-Yield-Fonds, die sich auf Hochzinsanleihen (→ High-Yield-Bonds, Seite 88) von Herausgebern schlechter Kreditwürdigkeit spezialisiert haben. Auch gibt es hier unterschiedliche Ausrichtungen: So genannte Emerging-Markets-Fonds nehmen überwiegend Staatspapiere von Schwellenländern (→ Seite 90) in unterschiedlichen Währungen ins Depot. Corporate-Bonds-Fonds konzentrieren sich dagegen in erster Linie auf hochverzinsliche Unternehmensanleihen (→ Seite 87).

Beide Fondsausrichtungen eignen sich aufgrund ihrer Risiken nur zur Beimischung bis zu 25 Prozent in einem größeren Depot, das aus Anleihen mit guter Bonität, „Rentenfonds Euro" oder Bankprodukten besteht.

Hochzinsfonds

↗	Renditechance
→ bis ↘	Sicherheit
↗	Verfügbarkeit
→	Steuereffekt
→ bis ↘	Bequemlichkeit

Geeignet für:
Risikobereite Zinsanleger, die höhere Zinsen bei vertretbarem Risiko suchen. Nur zur Beimischung geeignet.

Alternative Anlagemöglichkeiten:
→ Hochzinsanleihen, Seite 88, 162

Laufzeitfonds

→	Renditechance
↗	Sicherheit
↘	Verfügbarkeit
→	Steuereffekt
↗ bis →	Bequemlichkeit

Geeignet für:
Anleger, die bei geringem Risiko vergleichsweise hohe Nach-Steuer-Renditen suchen.

Alternative Anlagemöglichkeiten:
keine

Spezialfall: Laufzeitfonds

Ganz andere Anlegerinteressen werden dagegen mit Laufzeitfonds angesprochen. Sie hat die Fondsindustrie kreiert für Anleger, die einen Rentenfonds suchen, bei dem ihr Geld ähnlich wie bei einer Anleihe zu einem bestimmten Zeitpunkt zurückgezahlt wird. Das heißt, die Laufzeit des Fonds ist im Gegensatz zu einem klassischen Fonds von vornherein begrenzt. Interessenten können diese Fonds nur während einer bestimmten Zeichnungsfrist kaufen. Danach wird der Fonds geschlossen und die Ausgabe weiterer Anteile eingestellt. Laufzeitfonds bestücken ihr Depot hauptsächlich mit Anleihen, deren Laufzeit genau mit oder nahe dem Fälligkeitstermin des Fonds endet. Zusätzlich tätigt der Fondsmanager spezielle Termingeschäfte. Laufzeitfonds sind üblicherweise so ausgerichtet, dass während der Laufzeit keine Ertragsausschüttungen anfallen. Alle im Fondsdepot enthaltenen Positionen werden am Laufzeitende aufgelöst, das Anlagekapital plus aufgelaufene Erträge werden zu Bargeld gemacht, an die Anleger ausgezahlt und der Fonds aufgelöst.

Die Rendite dieses Fondstyps hängt in erster Linie von der Laufzeit ab, für die der Fonds aufgelegt wird sowie vom Anlagezeitpunkt. In vielen Fällen kommt es den Anlegern aber darauf gar nicht so sehr an wie auf die Tatsache, dass ein nennenswerter Teil der Erträge bei Laufzeitfonds steuerfrei ist – beispielsweise, indem der Manager vorzugsweise niedrigverzinsliche Anleihen kauft (→ Seite 123). Sie sind oftmals für Anleger konzipiert, deren Kapitalerträge den Sparerfreibetrag überschreiten und die daher eine Anlageform mit hoher Nach-Steuer-Rendite suchen.

Da die meisten im Fonds enthaltenen Anleihen kurz vor oder nach dem Rückzahlungstermin des Fonds zum Nennwert eingelöst werden, gelten Laufzeitfonds als sehr sicheres Investment. Ein minimales Kursrisiko besteht nur dann, wenn der Sparer den Fonds vor dem Ende der Laufzeit zurückgibt. Laufzeitfonds, die einen Teil ihres Geldes in Aktien investieren, schließen meist zusätzliche Sicherungsgeschäfte ab, die den Erhalt des eingezahlten Kapitals gewährleisten.

Den richtigen Fonds finden

Unter Hunderten von Rentenfonds denjenigen zu finden, dessen Anlagekonzept zu den eigenen Anlagevorstellungen passt, ist die eine Schwierigkeit. Eine andere ist, in dieser Gruppe ein Angebot zu finden, das qualitativ und quantitativ zu überzeugen weiß.

Nagelprobe für die Profis

Eine wenig geeignete Methode, um dieses Problem zu lösen, ist, denjenigen Fonds herauszusuchen, der in der jüngsten Vergangenheit die höchsten Renditen erzielt hat. Auch wenn fast jeder Berater und jeder Fondsprospekt darauf hinweisen, dass die Ergebnisse der Vergangenheit nur sehr bedingt Rückschlüsse auf zukünftige Erfolge zulassen, glauben vor allem Einsteiger, dass ein Fonds mit gutem Anlageergebnis zumindest tendenziell auch von der guten Arbeit des Fondsmanagers zeugt. Doch das ist nur bedingt der Fall.

Oft werden zum Beispiel „Äpfel und Birnen" in Tests miteinander verglichen, das heißt, in der Rangliste werden verschiedenartige Fondskonzepte wahllos in einen Topf geworfen. Rentenfonds konzentrieren sich zwar auf eine Anlageform, sie legen aber ihr Geld, wie im vorangegangenen Abschnitt erläutert, in zum Teil ganz unterschiedlichen Währungsräumen und nach verschiedenen Strategien an. Dementsprechend unterschiedlich fallen auch die Ergebnisse aus.

Infos im Netz

Das Internet bietet eine Fülle von Informationen zu Fonds. Anlaufstellen sind:

- www.fondscheck.de
- www.fondsweb.de
- www.onvista.de, Menüpunkt „Fonds"
- www.vwd.de, Menüpunkt „Fonds"

Ergebnisse am Risiko messen

Und selbst wenn ein Rentenfonds in einer eng gefassten, untereinander vergleichbaren Gruppe ein gutes Anlageergebnis erzielt,

Erfolgsmessung mit System

Um all die aufgezählten Punkte in einem fairen und aussagekräftigen Vergleich zu prüfen, haben die Experten der Stiftung Warentest ein ausgefeiltes Bewertungskonzept entwickelt, mit dem sie nicht nur die Rendite und Wertschwankung der Fonds untersuchen, sondern auch die Stabilität der Wertentwicklung und die Konstanz geringer Kursschwankungen. Die aktuellen Vergleiche werden regelmäßig in Finanztest veröffentlicht und können im Internet kostenpflichtig abgerufen werden (www.finanztest.de, Suche nach „Rentenfonds", „Fonds im Dauertest").

Weitere Fondsanalysen im Internet:

- Feri Trust www.feri-trust.de
- Morning Star www.morningstar.com
- Standard & Poor's www.funds-sp.de

heißt das immer noch nicht, dass das Management gut gearbeitet hat. Genauso wichtig wie eine gute Rendite ist für Zinsanleger, welche Risiken der Fondsverwalter im Verhältnis zum erwirtschafteten Ergebnis eingegangen ist. Um das herauszufinden, analysieren professionelle Fondstester die Entwicklung des Anteilspreises während eines bestimmten Zeitraums. Dabei interessiert sie nicht nur, wie sich der Fondspreis innerhalb der Betrachtungsperiode verändert hat. Bei annähernd gleichem Ergebnis ist derjenige Fonds besser, der die geringeren Schwankungen aufweist. Je höher die Schwankungen des Fondsanteils waren, desto größer ist die Wahrscheinlichkeit, dass ein gutes Ergebnis nur ein „Glückstreffer" war, der sich durch die Wahl des Stichtags ergeben hat.

Rentenfonds strategisch einsetzen

Die Beschreibung der einzelnen Konzepte zeigt, dass Renten- und Geldmarktfonds viele Möglichkeiten bieten. Wer in Sachen Zinsanlagen vollständig auf Fonds setzt, steht nicht schlechter da als bei der Direktanlage. Im Gegenteil: Fehlt es dem Anleger nicht nur an Zeit und Engagement, sondern auch am notwendigen Kapital, um ein gut sortiertes Zinsdepot aufzubauen, sind gute Rentenfonds eine Alternative zu Anleihen und Bankprodukten.

Sinnvoll kombinieren

Der Charme der Fondsanlage besteht jedoch vor allem in der (sinnvollen) Kombination mit einzelnen Anleihen beziehungsweise Bankprodukten. Die Anlageergebnisse der Vergangenheit zeigen zwar, dass mit lupenreinen Rentenfonds Euro kaum mehr zu holen war als mit vergleichbaren Direktanlagen. Durch die Beimischung entsprechender Währungsfonds kann der Anleger jedoch entscheiden, ob er seine Zinschancen ausschließlich vor der eigenen Haustüre suchen und dabei jegliches Währungsrisiko ausschalten möchte oder ob er darauf spekulieren möchte, seine Rendite durch zusätzliche Devisenkursgewinne aufzupolieren. Freilich steigt dann auch sein Risiko. Mit breit streuenden Rentenfonds Welt oder Europa hält sich das jedoch in einem vergleichsweise engen Rahmen. Anders sieht das

Thesaurierende Fonds

Ein weiteres Auswahlkriterium für Fonds ist, ob sie die Erträge (im Fall von Rentenfonds: die Zinsen) einmal pro Jahr ausschütten oder einbehalten und wieder anlegen. Bei Fonds, die sie einbehalten, spricht man von thesaurierenden Fonds. Thesaurierende Fonds haben den Vorteil, dass sich der Anleger nicht um die ausgeschütteten Erträge kümmern muss und diese automatisch mitverzinst werden.

hingegen bei Einzelwährungsfonds aus. Sie bieten die Möglichkeit, gezielt in Zinspapiere eines Währungsraums zu investieren und auf diese Weise unmittelbar von entsprechenden Devisenkursverschiebungen zu profitieren – als Beispiel sei nur die Phase der US-Dollar-Stärke nach Einführung des Euros im Jahre 1999 genannt. Diese Entwicklung kann sich, wie sich seit 2004 zeigt, allerdings auch ins Gegenteil verkehren.

Ein ideales Instrument sind Fonds auch, um in spekulative Bereiche des Anleihemarktes zu investieren: Hochzinspapiere aus Schwellenländern und von Unternehmen. Hier können Fonds ihren Trumpf ausspielen, durch eine viel breitere Streuung als das einem Privatanleger möglich wäre, das höhere Risiko dieser Papiere in den Griff zu bekommen. Erweist sich eine der Anleihen als Flop, weil der Emittent Konkurs anmelden muss und seine Zahlungen einstellt, wird das durch die überdurchschnittlich hohe Verzinsung der anderen Papiere, die am Ende auch wieder zurückgezahlt werden, oftmals mehr als wettgemacht. Zudem behält ein Anlageprofi im unübersichtlichen Angebot von Unternehmens- und Schwellenländeranleihen die Übersicht und er kommt bei Neuemissionen und wenig gehandelten Anleihen wesentlich besser zum Zuge als ein Normalsparer.

Dennoch: Das Verlustrisiko bei solchen Spezialitäten ist ungleich höher als bei Fonds, die sich auf erstklassige Papiere konzentrieren. Sie eignen sich aber in jedem Fall zur Beimischung und Abrundung eines größeren Depots mit festverzinslichen Papieren. Günstig war in der Vergangenheit eine Beimischung von etwa 25 Prozent.

Der Anleger ist gefordert

Wer solche vergleichsweise spekulativen Fonds kauft, sollte jedoch daran denken, dass er sich mehr und mehr vom Ursprungsgedanken der Fonds entfernt. Statt einer pflegeleichten Anlageform, die eine Vermögensverwaltung aus einer Hand bietet, übernimmt der Anleger immer mehr selbst das Ruder und muss im Grunde Chancen und Risiken, Auswahl und strategische Ausrichtung in bestimmten Grenzen eigenständig steuern. Eine solche Strategie bietet sich meist nur für erfahrenere Anleger an, die sich diese Entscheidungen auch zutrauen.

Steuern: Leidiges Thema für Zinsanleger

Zinsen sind steuerpflichtig

„Zinsen sind steuerpflichtig" – diesen Satz können Anleger in fast jedem Sparbuch nachlesen und er sagt eigentlich alles zum Thema Zinserträge und Steuern. Auf den Bundesfinanzminister sind Zinssparer daher nicht unbedingt gut zu sprechen. Trotzdem – oder gerade deshalb – gehört für sie eine Beschäftigung mit dem Thema Steuern zum Pflichtprogramm. Denn es gibt eine Reihe von Möglichkeiten, seine Steuerlast zu senken und seine Zinspapiere so zusammenzustellen, dass der Teil, den der Fiskus für sich beansprucht, möglichst gering bleibt.

Das Finanzamt kassiert direkt an der Quelle eine Vorauszahlung
Zunächst allerdings hat der Fiskus dafür gesorgt, dass er zu seinem Geld kommt. Bei jeder Zinszahlung sind deutsche Banken und Sparkassen verpflichtet, 30 Prozent als Zinsabschlagsteuer (ZaSt) und darauf zusätzlich 5,5 Prozent Solidaritätszuschlag (Soli) einzubehalten und an das Finanzamt abzuführen, es sei denn, der Bank liegt ein Freistellungsauftrag vor (→ Seite 122). Wer seine festverzinslichen Wertpapiere als effektive Stücke daheim oder im Bankschließfach verwahrt und die Kupons am Schalter einlöst, muss sich sogar einen Abschlag von 35 Prozent plus Soli gefallen lassen.

Die einbehaltene Zinsabschlagsteuer ist allerdings nur eine Vorauszahlung auf die persönliche Einkommensteuer des Anlegers. Er muss seine Zins- und anderen Kapitalerträge endgültig im Rahmen der Einkommensteuererklärung versteuern. Darauf wird dann der persönliche Spitzensteuersatz fällig, der sich nach Ermittlung des gesamten zu versteuernden Einkommens ergibt. Liegt dieser Satz unter 30 beziehungsweise 35 Prozent, bekommt der Anleger die anteilig zu viel gezahlte Zinsabschlagsteuer zurück. Zahlt er dagegen einen höheren individuellen Steuersatz, verlangt das Finanzamt eine Nachzahlung oder es verrechnet die Forderung mit eventuell zu viel gezahlter Einkommensteuer aus anderen Einkünften – etwa dem Arbeitslohn.

Freibeträge und Werbungskosten: So sinkt die Steuerlast

Allerdings kann der Anleger, bevor er für Kapitalerträge tatsächlich zur Kasse gebeten wird, bestimmte Freibeträge und Pauschalen in Anspruch nehmen. Am wichtigsten ist dabei der so genannte Sparerfreibetrag von 1370 Euro pro Jahr. Bei Ehepaaren, die zusammen veranlagt werden, verdoppelt sich dieser Betrag auf 2740 Euro. Zusätzlich zum Sparerfreibetrag gewährt der Fiskus eine so genannte Werbungskostenpauschale. Sie beträgt 51 Euro für Alleinstehende und 102 Euro für zusammen veranlagte Eheleute. Ins-

Werbungskosten: Zankapfel zwischen Anleger und Finanzamt

Welche Ausgaben in direktem Zusammenhang mit der Kapitalanlage stehen und welche nicht, darüber gehen die Vorstellungen von Steuerzahlern und Finanzamt oft auseinander. Relativ unstrittig sind jedoch folgende Posten:

- **Depot- und Kontoführungsgebühren:** Die Kosten für die Verwahrung und Verwaltung von Wertpapieren können voll abgesetzt werden. Kauf- und Verkaufsspesen gehören allerdings zu den Anschaffungs- und nicht zu den Werbungskosten.
- **Fahrtkosten:** Wer Bank, Steuerberater oder Finanzberater aufsucht, kann die Fahrtkosten als Werbungskosten ansetzen – entweder die tatsächlichen Kosten oder die Dienstreisepauschale von 0,30 Euro/km bei Fahrten mit dem eigenen Pkw.
- **Telefon- und Internetkosten:** Wer zum Beispiel seine Anleiheorders telefonisch oder online erteilt, kann die Kosten dafür absetzen – allerdings nur die gemessen an der Nutzung anteiligen Aufwendungen.
- **Kosten für Fachliteratur:** Wer Fachbücher oder Börsen- und Anlegermagazine und -journale kauft, kann die Ausgaben dafür in der Regel geltend machen. Schwierigkeiten macht das Finanzamt jedoch oft bei Aufwendungen für Wirtschaftszeitungen, die auch über allgemeine Themen und nicht ausschließlich über die Kapitalanlage informieren.
- **Seminarkosten:** Wer ein Seminar zum Thema Geldanlage besucht, kann Kursgebühren und Reisekosten absetzen. Der Anleger sollte aber darauf achten, dass die Aufwendungen dafür in einem angemessenen Verhältnis zu den Erträgen stehen. Allerdings braucht er dabei nicht nur die Erträge eines Kalenderjahres im Auge zu haben.
- **Kosten für Schließfächer:** Sie sind Werbungskosten, wenn darin ausschließlich Wertpapiere verwahrt werden und nicht etwa persönliche Wertgegenstände wie Schmuck oder Familiensilber.
- **Steuerberaterkosten:** Das Honorar für einen Steuerberater kann geltend gemacht werden. Damit es kein „Zuordnungsproblem“ gibt, wenn der Fachmann die gesamte Steuererklärung erstellt, sollte er die Arbeiten im Zusammenhang mit den Kapitaleinnahmen (Anlage KAP der Steuererklärung) getrennt in Rechnung stellen.

Tipp: Belege sammeln

Auch wenn Sie am Ende in Ihrer Steuererklärung doch nur die Pauschbeträge nutzen: Sammeln Sie über das Jahr hinweg alle Belege. Rutschen Sie doch einmal mit Ihren Zins- und Dividendeneinnahmen über 1421/2842 Euro, können Sie bei der Steuererklärung gegebenenfalls höhere Kosten problemlos nachweisen.

gesamt bleiben also steuerpflichtige Kapitalerträge in Höhe von 1421 beziehungsweise 2842 Euro pro Jahr steuerfrei.

Dabei muss es aber nicht bleiben. Der Anleger darf grundsätzlich alle Aufwendungen, die zur Wahrung und Sicherstellung seiner Kapitaleinnahmen dienen, als Werbungskosten in der Steuererklärung geltend machen. Das lohnt sich natürlich dann, wenn seine Aufwendungen höher sind als die genannten 51 beziehungsweise 102 Euro, die das Finanzamt pauschal anerkennt. (→ Kasten, Seite 121).

Freistellungsauftrag nutzen

Eine Erleichterung für den Steuerzahler gewährt der Fiskus dann aber doch: Damit bei Zinseinkünften und anderen Kapitalerträgen bei der Gutschrift während des Jahres nicht Zinsabschlag- und andere Steuern abgezogen werden, die der Sparer aufgrund der Freibeträge und der Pauschalen am Ende des Jahres auf jeden Fall wiederbekäme, kann er seiner Bank einen so genannten Freistellungsauftrag erteilen. Darin wird festgelegt, bis zu welchem Bruttobetrag die Bank sämtliche Kapitalerträge ohne Steuerabzug auszahlt. Erst wenn der im Auftrag genannte Betrag erreicht oder überschritten worden ist, fällt für jeden zusätzlichen Euro darüber hinaus die Zinsabschlagsteuer an. Um einen Missbrauch dieser Freistellungsaufträge zu vermeiden, müssen Anleger folgende Spielregel beachten: Wer sein Geld bei mehreren (inländischen) Banken angelegt hat, kann seinen Freibetrag beliebig aufteilen, indem er jedem Institut, bei dem er Konten oder Depots unterhält, einen gesonderten Freistellungsauftrag erteilt. Die Summe der

Tipps für den Umgang mit Freistellungsaufträgen

- Für die Annahme und Änderung von Freistellungsaufträgen dürfen Banken und Sparkassen grundsätzlich keine Gebühren verlangen. Dies hat der Bundesgerichtshof in einer Grundsatzentscheidung festgelegt (Az. XI ZR 269/96 und XI ZR 279/96).
- Zu viel gezahlte Zinsabschlagsteuer können Sie auch dann noch zurückholen, wenn der Steuerbescheid bereits bestandskräftig ist. Dies ist allerdings nur so lange möglich, wie die vierjährige Festsetzungsfrist noch nicht abgelaufen ist. Wer beispielsweise den Steuerbescheid für das Jahr 2002 im Jahre 2003 erhalten hat, kann die Zinsabschlagsteuer noch bis zum 31. Dezember 2007 zurückfordern.
- Einige Banken bieten ihren Kunden an, einen nachträglichen Freistellungsauftrag zu stellen. Dies ist sinnvoll, wenn Sie im laufenden Jahr bereits Ertragszahlungen erhalten haben, von denen Steuern einbehalten wurden.

Tipp für die Steuererklärung

Anleger, deren jährliche Kapitalerträge unter den Freibeträgen von 1421 bzw. 2842 Euro liegen, können darauf verzichten, ihre Zins- und Dividendeneinkünfte im Rahmen der Einkommensteuererklärung anzugeben. Dennoch kann es sich unter Umständen auch für sie lohnen, die Anlage KAP für die Erklärung auszufüllen:

- etwa, wenn die Bank Zinsabschlagsteuer einbehalten hat, weil ihr kein oder kein ausreichend dimensionierter Freistellungsauftrag vorlag
- oder die nachweisbaren Werbungskosten liegen (ausnahmsweise) über den Kapitalerträgen.

in allen Freistellungsaufträgen festgelegten Beträge darf 1421 beziehungsweise 2842 Euro jedoch nicht übersteigen. Andernfalls muss der Anleger mit einer Kontrollmitteilung in seiner Steuerakte rechnen. Das heißt, das Finanzamt wird mit hoher Wahrscheinlichkeit eine Steuererklärung anfordern und prüfen, ob und in welcher Höhe Kapitalerträge darin deklariert werden. Übersteigen die Kapitaleinnahmen eines Jahres außerdem die Summe aus Freibetrag und Pauschale, ist der Anleger verpflichtet, eine Steuererklärung zu erstellen und darin sämtliche vereinnahmten Erträge, also auch die, die im Rahmen von Freistellungsaufträgen ohne Abzug ausgezahlt wurden, anzugeben.

Steuerstrategien für Zinsanleger

Nachdem die Regierung die Sparerfreibeträge Anfang 2004 erneut gesenkt hat, kommen auch Anleger mit Durchschnittsvermögen schnell in die Situation, dass sie einen Teil ihrer jährlichen Zinseinkünfte versteuern müssen. Es gibt jedoch eine Reihe von legalen Tricks, die Höhe der steuerpflichtigen Zinserträge zu senken und so zu verhindern, dass der Fiskus mit voller Härte zuschlägt.

Auf niedrigverzinsliche Anleihen setzen

Die erste Möglichkeit besteht darin, gezielt nach laufenden Anleihen zu suchen, die in Zeiten niedriger Zinsen ausgegeben wurden. Wenn die Sätze am Kapitalmarkt nach der Emission kräftig angestiegen sind, notieren diese Papiere je nach Restlaufzeit deutlich unter 100 Prozent (→ Seite 158). Der Clou für den Anleger: Sofern die Anleihe zum Nennwert emittiert wurde und auch wieder zurückgezahlt wird, bleibt die Kursdifferenz, die einen erheblichen Teil der effektiven Rendite ausmachen kann (→ Seite 99), vom Fiskus verschont. Denn nach dem deutschen Steuerrecht sind Kursgewinne – egal, ob bei Aktien oder Anleihen – grundsätzlich steuerfrei. Voraussetzung dafür ist allerdings, dass der Anleger das entsprechende Papier mindestens ein Jahr im Depot hält. Ansonsten verlangt der Fiskus für den Kursgewinn Spekulationssteuer. Ist die einjährige Haltedauer erfüllt, muss der Anleger bei den Niedrigzinspapieren nur die relativ geringe laufende Verzinsung im Rahmen der Einkommensteuererklärung angeben. Einziger Schönheitsfehler: Niedrig verzinsliche Papiere sind nicht regelmäßig erhältlich, sondern nur, wenn es zu der beschriebenen Zinsentwicklung am Kapitalmarkt kommt.

Gezielt auf Anleihen mit Emissionsdisagio setzen

Aus diesem Grund suchen Anleger nicht nur bei laufenden, sondern auch bei frisch emittierten Anleihen nach niedrig verzinsten Papieren – und werden fündig. Viele große Banken geben nämlich einzelne Papiere bereits mit einem Abschlag auf den Nennwert aus und setzen dafür den Zinssatz etwas niedriger fest, als es zum Zeitpunkt der Emission am Markt für ein Papier mit ähnlicher Laufzeit und Bonität des Herausgebers üblich ist. Auch hier gilt dann: Bei Rückzahlung der Anleihe zum Nennwert ist der planmäßige Kursgewinn am Ende der Laufzeit steuerfrei, wenn die einjährige Haltefrist eingehalten wird.

Das Finanzamt macht dieses Spiel aber nicht unbegrenzt mit. Die Finanzbeamten rechnen ein Emissionsdisagio grundsätzlich zu den steuerpflichtigen Kapitalerträgen. Allerdings verzichten sie darauf, wenn die im so genannten Disagio-Erlass genannten Prozentsätze nicht überschritten werden. Doch Achtung: Liegt der Abschlag über den in der nebenstehenden Tabelle genannten Werten, ist das gesamte Emissionsdisagio steuerpflichtig!

Steuerbonbon für Anleger

Bei einer Laufzeit von ...	Steuerfreies Disagio
unter 2 Jahren	1 %
2 bis zu 4 Jahren	2 %
4 bis zu 6 Jahren	3 %
6 bis zu 8 Jahren	4 %
8 bis zu 10 Jahren	5 %
über 10 Jahren	6 %

Stand: 31. Dezember 2004

Steuertipp beim Anleihekauf

Fragen Sie Ihre Bank nach neu aufgelegten Anleihen mit hohem, aber steuerunschädlichem Disagio. Fast jedes Institut kennt die Bedürfnisse der steuersensiblen Kundschaft und hat solche Papiere im Angebot.

Ausnahme: Finanzinnovationen

In den Entwicklungsabteilungen der Banken kreieren die Finanzingenieure immer neue Anlageprodukte. Bei manchen dieser Papiere wird versucht, dem Anleger zinsähnliche Erträge, die vom Charakter her eigentlich steuerpflichtig wären, in Form von steuerfreien Kursgewinnen zuzuschanzen. Dem hat der Fiskus einen Riegel vorgeschoben, indem er eine Reihe von Neuentwicklungen wie zum Beispiel Aktienanleihen (→ Seite 93) und Anleihen mit Step-up-Kupon (→ Seite 78) steuerlich als so genannte Finanzinnovation einstuft. In diesem Fall muss der Anleger grundsätzlich den gesamten Ertrag des Anlagegeschäfts, also Ertragszahlungen plus Kursgewinne (abzüglich Kursverluste), ermitteln und vollständig versteuern, und zwar unabhängig von der Haltedauer.

Zinserträge zeitlich verteilen

Für private Anleger hat das deutsche Steuerrecht eine Eigenheit parat: Als Steuerperiode betrachtet das Finanzamt immer nur das Kalenderjahr. Die Zinserträge der einzelnen Jahre werden also immer getrennt betrachtet und voneinander abgegrenzt. Eine Rückrechnung beispielsweise wegen nicht vollständig ausgeschöpfter Freibeträge ist genauso wenig möglich wie ein Vortrag auf kommende Jahre. Daraus ergeben sich eine Reihe von Nachteilen, aber auch steuerliche Gestaltungsspielräume, die der Steuerzahler zu seinem Vorteil nutzen kann.

Zunächst gilt: Geht es allein um steuerliche und nicht um anlagestrategische Gesichtspunkte, sollte der Sparer das Ziel verfolgen, durch eine entsprechende Zusammenstellung seiner Zinsanlagen seinen Freibetrag und die Pauschalen immer voll auszunutzen. Wer zum Beispiel in einem Jahr 500 Euro und im nächsten Jahr 2500 Euro an Kapitalerträgen verbucht, muss im zweiten Jahr rund 1100 Euro versteuern. Besser wäre es, einen Teil der Zinserträge aus dem zweiten Jahr vorzuziehen – beispielsweise durch eine vorzeitige Kündigung oder einen Verkauf einzelner Papiere über die Börse. Dies kann unter Umständen sogar auch dann noch sinnvoll sein, wenn dabei ein kleiner Verlust entsteht (der steuerlich nicht mit den Zinserträgen verrechnet werden kann!), aber dafür die Freibeträge nicht überschritten werden. Im Idealfall bleiben so sämtliche Erträge steuerfrei.

Tipp für die steuerliche Anlageplanung

Die Zinszahlungen bei Anleihen und Sparprodukten sind über Jahre hinweg kalkulierbar. Nutzen Sie diesen Vorteil und planen Sie so weit wie möglich Ihre Zinserträge im Voraus. Das heißt: Achten Sie schon beim Kauf darauf, die Ausschüttungen möglichst so zu verteilen, dass Sie Ihre jährlichen Freibeträge optimal ausnutzen.

Auf- und abgezinste Papiere richtig einsetzen

Eine Möglichkeit, die Höhe der jährlich anfallenden Zinserträge zu steuern, besteht darin, auf- oder abgezinste Papiere zu kaufen – zum Beispiel Zerobonds (→ Seite 69) oder Bundesschatzbriefe Typ B (→ Seite 80). Bei diesen Anleihen sammelt sich der Zinsertrag über mehrere Jahre im Kurs an und wird bei Fälligkeit in einer

Sparbriefe und Sparkonten mit Zinsansammlung: Steuerfalle umgehen

Sparbriefe mit Zinsansammlung bieten den Vorteil, dass sich der Sparer nicht um die Wiederanlage der Zinserträge während der Laufzeit kümmern muss. Unter dem Gesichtspunkt eines systematischen Vermögensaufbaus und wegen des Zinseszinseffekts sind diese Sparvarianten eindeutig die bessere Wahl gegenüber Papieren mit jährlicher Ausschüttung. Um steuerliche Nachteile zu vermeiden, weisen viele Banken bei ihren Angeboten am Ende jedes Jahres den Zinsertrag auf einem Auszug aus und schlagen ihn dann dem Kapital zu. Steuerrechtlich gilt das als eine jährliche Ertragszahlung, obwohl dadurch bei der Rendite kein Unterschied zu der Variante mit der gesamten Zinsgutschrift am Ende der Laufzeit entsteht. So kann der Sparer allerdings seine Zinsen steuerschonend über die Jahre verteilen.

Summe zusammen mit dem eingesetzten Kapital ausbezahlt. Anders als bei einer gewöhnlichen Anleihe zählt die Kursdifferenz zwischen Kaufkurs und Verkaufspreis voll zum steuerpflichtigen Zinsertrag. Das heißt, sie muss im Jahr der Fälligkeit oder des vorzeitigen Verkaufs in einer Summe versteuert werden. Das ist zunächst einmal ein klarer Nachteil, denn durch die Versteuerung des gesamten Zinsertrags rutschen unter Umständen auch Kleinanleger im Jahr der Rückzahlung oder eines vorzeitigen Verkaufs über ihren Freibetrag hinaus. Grundsätzlich sind deshalb Anleihen mit jährlicher Zinsausschüttung für steuersensible Anleger in vielen Fällen die bessere Wahl.

Allerdings sind auf- und abgezinste Papiere interessant unter dem Gesichtspunkt, dass der steuerpflichtige Zinsertrag gebündelt auf Jahre hinaus verschoben wird. Das ist vor allem dann eine Überlegung wert, wenn ein Anleger mit seinen Kapitalerträgen regelmäßig die Freibeträge überschreitet. Kauft er zum Beispiel ausschließlich langlaufende Aufzinsungspapiere, fallen seine laufenden Zinseinnahmen zunächst komplett weg – was wiederum auch nicht sinnvoll ist, da dann der Freibetrag und die Werbungskostenpauschale in diesen Jahren ungenutzt blieben. Idealerweise aber werden alle über die Freibeträge hinausgehenden Zinserträge auf einen Zeitpunkt hinausgeschoben, zu dem der persönliche Spitzensteuersatz des Sparers geringer ist als zum Kaufzeitpunkt – zum Beispiel, weil er nicht mehr im Erwerbsleben steht und als Rentner nicht mehr so hohe Einkünfte wie früher hat.

Steuern sparen mit Stückzinsen

Eine andere Möglichkeit, die jährliche Höhe der Zinserträge zu beeinflussen, besteht darin, mit Stückzinsen zu operieren. Wie bereits dargestellt, muss der Käufer einer laufenden Anleihe dem Verkäufer die seit dem letzten Zinstermin aufgelaufenen Zinsen in Form von Stückzinsen erstatten (→ Seite 100). Am nächsten Zinstermin kassiert er dafür dann die vollen Kuponzinsen. Wenn in diesem Fall auf den gesamten Betrag 30 Prozent Zinsabschlagsteuer fällig würden, wäre das für ihn eine ungerechtfertigte Benachteiligung. Deshalb kann der Anleger beim Kauf gezahlte Stückzinsen mit seinen Zinserträgen im gleichen Kalenderjahr verrechnen. Umgekehrt erzielt der Verkäufer mit den erhaltenen Stückzinsen steuerpflichtige Zinserträge. Konsequenterweise zieht die Bank davon Zinsabschlagsteuer ab.

Solange der Anleger in einem Kalenderjahr nur ein einziges Zinspapier kauft oder verkauft, ist die Rechnung relativ einfach nachzuvollziehen. Kompliziert wird es allerdings, wenn er in einem Jahr mehrere Anleihen handelt. In diesem Fall bildet die Depot führende Bank einen so genannten Stückzinstopf, in dem sich die gezahlten Stückzinsen über das Kalenderjahr hinweg als Guthaben ansammeln. Erhaltene Stückzinsen bei Verkäufen werden dann mit diesem Guthaben verrechnet. Erst wenn dieses Guthaben und der freigestellte Betrag ausgeschöpft sind, führt die Depot führende Bank Zinsabschlagsteuer ab.

Abgerechnet wird am Jahresende

Am Ende eines Jahres steht der Kassensturz im Stückzinstopf an. Wenn der Anleger nicht die gesamten über das Jahr gezahlten Stückzinsen „verbraucht" hat, kann er den Betrag mit seinen sonstigen Kapitaleinnahmen verrechnen und dadurch unter Umständen seine Kapitaleinkünfte unter den Sparerfreibetrag drücken. Fällt das Guthaben im Stückzinstopf durch mehrere Anleihekäufe besonders hoch aus oder sind keine weiteren Erträge angefallen, rutschen die Kapitaleinnahmen unter Umständen sogar ins Minus. In diesem Fall mindern die gezahlten Stückzinsen über die Steuererklärung sogar andere Einkünfte des Kalenderjahres – etwa Arbeitslohn oder Mieteinnahmen. Doch dieser Fall ist eher die Ausnahme.

Gestaltungsmöglichkeiten nutzen

Der steuerliche Dreh dabei ist nun, durch geschicktes Timing und Wahl entsprechender Papiere die Höhe der Stückzinsen zu optimieren. Das funktioniert so: Der Anleger kauft kurz vor Jahresende eine Anleihe, deren Zinstermin in den ersten Monaten des neuen Jahres liegt – beispielsweise einen fünfprozentigen Pfandbrief mit Zinstermin 1. März. Abgerechnet wird der Kauf zum 1. Dezember. Dabei zahlt der Käufer zunächst Stückzinsen für die Zeit, die seit dem letzten Zinstermin vergangen ist – also ein Dreivierteljahr (1. März bis 1. Dezember = neun Monate). Bei einem Nennwert der Anleihe von 10 000 Euro sind das 375 Euro (10 000 Euro × 5 % × 0,75). Diese Stückzinsen gibt er in seiner Steuererklärung an und mindert auf diese Weise seine positiven Kapitalerträge, die er in diesem Jahr erzielt.

Im neuen Jahr bekommt der Anleihebesitzer zum Zinstermin am 1. März die Zinsen für den gesamten Zinszeitraum ausgezahlt, also 500 Euro. Wenn dieser Zinsertrag zusammen mit den anderen angefallenen Kapitalerträgen seine Freibeträge am Ende dieses Jahres nicht übersteigt, muss er dafür keine Kapitalertragsteuer zahlen. Folge: Er hat zweimal profitiert.

Gestaltungsmissbrauch vermeiden

Verständlicherweise ist diese Gestaltung der Finanzverwaltung ein Dorn im Auge. Vor allem Urteile des Niedersächsischen Finanzgerichts (Az. XII 986/97) und des Bundesfinanzhofs (Az. VIII R 36/98) haben gezeigt, wo die Grenzen dieser Strategie liegen. Gestaltungsmissbrauch unterstellen die Richter immer dann, wenn es dem Anleger offensichtlich nur auf die Steuerersparnis ankommt. Dazu werden meist drei Kriterien geprüft:

Das Zuflussprinzip: Wann Kapitalerträge versteuert werden müssen

Bei ... (Anlageform)	... müssen die Erträge versteuert werden:
Anleihen mit jährlicher Zinszahlung (Bundesschatzbriefe Typ A, → Seite 80, etc.)	In dem Kalenderjahr, in dem die Zinsen fällig werden. Wenn effektive Zinsscheine zu einem späteren Zeitpunkt eingelöst werden, ist das unerheblich.
Auf- oder abgezinste Anleihen (Bundesschatzbriefe Typ B, → Seite 80, etc.)	Im Jahr der Einlösung – und zwar der Unterschiedsbetrag zwischen Ausgabekurs und Einlösungsbetrag. Bei einem vorzeitigen Verkauf muss der Kursgewinn, der auf die Besitzzeit entfällt, versteuert werden (→ Seite 123).
(Erhaltene) Stückzinsen	Am Abrechnungstag des Geschäftes, endgültige Versteuerung im Stückzinstopf (→ Seite 127).
Spareinlagen	In dem Jahr, zu dem sie wirtschaftlich gehören – auch wenn sie dem Konto erst im Januar des Folgejahres gutgeschrieben werden.
Ausschüttende Rentenfonds (→ Seite 104)	In dem Kalenderjahr der Ausschüttung.
Thesaurierende Rentenfonds (→ Seite 116)	Nach dem Prinzip der Zuflussfiktion: Die Erträge gelten mit Ablauf des Geschäftsjahres als zugeflossen.
Zwischengewinne bei Fonds	Am Abrechnungstag des Geschäftes, endgültige Versteuerung im Stückzinstopf (→ Seite 127).

- Sind die letztlich deklarierten gesamten Zinseinnahmen niedriger als die gezahlten Stückzinsen?
- Bleiben nach Abzug aller Werbungskosten (→ Seite 121) nur Verluste übrig?
- Ist das Geschäft nicht von vornherein unwirtschaftlich? Diese Frage stellt sich, wenn der Anleger die Transaktion mit einem Kredit finanziert und/oder beim Verkauf Verlust macht.

Trifft einer dieser Punkte zu, muss der Anleger damit rechnen, dass das Finanzamt fehlende Gewinnerzielungsabsicht unterstellt und eine Anerkennung verweigert.

Vermögen auf den Nachwuchs übertragen

Eltern können darüber hinaus noch mit einer ganz einfachen Strategie einer Besteuerung entgehen: Indem sie für ihre Kinder ein Konto eröffnen und dorthin Teile ihres Vermögens übertragen. Juristisch gesehen entspricht das einer Schenkung. Der Vorteil: Jedes Kind kann pro Jahr Kapitaleinnahmen von 9 121 Euro steuerfrei vereinnahmen, denn auch Minderjährigen stehen Sparerfreibetrag, Grundfreibetrag und Sonderausgabenpauschbetrag zu. Sie können entweder über eine Einkommensteuererklärung geltend gemacht werden oder aber die Eltern beantragen beim zuständigen Finanzamt eine so genannte Nichtveranlagungsbescheinigung, mit der die Kapitalerträge auch dann steuerfrei ausbezahlt werden, wenn der reine Sparerfreibetrag überschritten wird. Voraussetzung ist allerdings, dass die jährlichen Zins- und Dividendeneinnahmen maximal 9 121 Euro betragen und das Kind keine weiteren Einkünfte, etwa aus einem Ferienjob, erzielt.

Wer Bedenken hat, dem Sprössling ein Guthaben von ein paar Tausend Euro zu übertragen, kann das Geld beispielsweise für die spätere Ausbildung vorsehen. Will sich der Schenkende jedoch partout nicht so ganz von seinem Geld trennen und die wirtschaftliche Verfügungsmacht wahren, solange der Nachwuchs noch nicht volljährig ist, muss er mit Problemen rechnen. Solche Konstruktionen erkennt das Finanzamt nur selten an. Allerdings sind Regelungen zulässig, mit denen verhindert wird, dass das Geld verschleudert wird. Eine solche Maßnahme könnte darin bestehen, dass das Kapital auf dem Depotkonto vom Erziehungsberechtigten vertretungsweise bis zur Volljährigkeit des Kontoinhabers verwaltet wird.

Investmentfonds und Steuern

Bei Rentenfonds ist das Steuerprinzip kaum anders als bei Anleihen. Die vom Fonds erwirtschafteten Erträge werden vom Anleger genau so versteuert, als hätte er direkt die entsprechenden Papiere gekauft. Damit eine Doppelbesteuerung vermieden wird, bleiben die Einnahmen des Fonds zunächst steuerfrei. Bei den meisten Fonds werden dann einmal pro Jahr die Erträge an die Anteilseigner ausgeschüttet. Möglich ist aber auch, dass sie nur festgestellt und dann im Fondsvermögen belassen und wieder mit angelegt werden. Fachleute sprechen in diesem Zusammenhang von thesaurierenden Fonds.

Tipp für steuersensible Fondsanleger

Eine kostenlose Anleitungsbroschüre für die Steuererklärung bekommen Fondsanleger beim BVI (Adresse → Seite 171). Sie liegt auch zum Download im Internet bereit unter www.bvi.de.

Die Kluft zwischen Theorie und Praxis

So ist die theoretische Systematik. In der Praxis aber ist es oft ein Fall für Steuertüftler, denn die Fondsmanager haben im Laufe des Jahres unter Umständen in eine Vielzahl verschiedener Papiere investiert, dafür Erträge kassiert und die Papiere wieder verkauft. Steuerpflichtig sind neben den Zinserträgen auch Gewinne aus Termingeschäften, die der Fondsverwalter eventuell abschließt. Auf der anderen Seite kann die Ausschüttung auch steuerfreie Bestandteile enthalten – zum Beispiel Wechselkursgewinne. Einziger Trost: Die Fondsgesellschaften stellen ihren Anlegern die Steuerinformationen mittlerweile so detailliert und gegliedert zusammen, dass diese die Daten eins zu eins in das Steuerformular übertragen können.

Ansonsten gelten für die Fondserträge in Sachen Zinsabschlagsteuer und Solidaritätszuschlag die gleichen Regeln wie bei Anleihen und Sparkonten (→ Tabelle, Seite 128).

Wichtig ist aber auch: Der Fonds erzielt innerhalb seines Wirtschaftsjahres laufende Erträge in Form von Zinsen. Diese Erträge führen zu einer Wertsteigerung des einzelnen Fondsanteils. Damit nicht vor der nächsten Ausschüttung an sich steuerpflichtige Erträge beim Verkauf steuerfrei vereinnahmt werden, ermittelt die Fondsgesellschaft auf Anweisung der Finanzverwaltung den so genannten Zwischengewinn, den sie vom aktuellen Anteilswert abgrenzt. Dieser Zwischengewinn entspricht dem, was Stückzinsen bei einer Anleihe sind. Er geht daher genauso in den Stückzinstopf ein wie die Stückzinsen (→ Seite 100).

Zwischengewinn

Zwischengewinne entsprechen den seit der letzten Ausschüttung oder Thesaurierung im Kurs angesammelten Zinserträgen und Zinsansprüchen. Dazu gehören auch Gewinne aus steuerpflichtigen Termingeschäften, jedoch keine Dividenden oder Mieterträge.

Wege zu höheren Zinsen

Von bequem und sicher bis aufwendig und renditeorientiert

Die vorangegangenen Kapitel haben gezeigt, dass Zinspapier nicht gleich Zinspapier ist. Wer die Besonderheiten der verschiedenen Zinssparformen zu nutzen weiß und ein paar wichtige Regeln beachtet, kann auch bei diesen Anlagemöglichkeiten mehr aus seinem Geld machen als jemand, der es wahllos bei der nächstbesten Bank anlegt. Dabei sollte jedoch jeder Sparer die Punkte beachten, die eingangs dieses Buches angesprochen wurden: seine persönlichen Anlageziele (→ Seite 20) und seine Anlagementalität (→ Seite 19). Zudem gilt es, den Spagat zwischen Rendite, Sicherheit und Verfügbarkeit – dem magischen Dreieck der Geldanlage – zu bewältigen und nicht zuletzt die Frage zu beantworten, welchen Aufwand man in Sachen Geldanlage betreiben möchte, das heißt, wie bequem man es haben möchte.

Um es vorab zu sagen: Ein Patentrezept, wie sich all diese Punkte optimal in die Praxis umsetzen lassen, ist kaum zu finden. Allerdings gibt es für eine Reihe typischer, immer wiederkehrender Anlagesituationen durchaus Anlagekombinationen, die aufgrund ihrer speziellen Vorteile besser geeignet sind als andere. Die Beispiele auf den folgenden Seiten zeigen, nach welchen Kriterien Entscheidungen in der Anlagepraxis getroffen werden können.

Das direkt anschließende Kapitel verschafft einen Überblick darüber, welche Anlageformen infrage kommen, wenn ein Anleger regelmäßig sparen möchte.

Danach folgen Anlagebeispiele, bei denen der Sparer bereits über eine größere Summe verfügt, die er in einem Betrag oder in mehreren Teilbeträgen anlegen will. Wer sehr vorsichtig vorgehen, jegliches Risiko ausschließen und zudem nicht allzu viel Zeit für Geldangelegenheiten investieren möchte, wird sich in den ersten Beispielen in diesem Abschnitt ab Seite 140 wiederfinden. Für Anleger, die ein wenig mehr Zeit investieren, aber auch kein Risiko eingehen möchten, sind die Beispiele ab Seite 145 besonders geeignet. Renditejäger, die bereit sind, sich gründlicher mit Gelddingen auseinander zu setzen und sich beispielsweise auch mit den Marktgegebenheiten beschäftigen möchten, werden insbesondere ab Seite 150 fündig.

Anlageziel: Regelmäßig sparen

Wer irgendwann über ein größeres Vermögen verfügen will, sollte sich nicht auf eine Erbschaft oder einen erfolgreichen Spielbankbesuch verlassen. Auf diese Weise quasi über Nacht zum Millionär zu werden, kommt in der Praxis leider nur selten vor. Der übliche ist zugleich auch der mühsame Weg: Man muss über Jahre hinweg systematisch sparen. Die Anlageziele, die hinter solch einem langfristigen Vermögensaufbau stehen, können ganz unterschiedlich sein. Das Spektrum reicht vom Ansparen des notwendigen Eigenkapitals für den Erwerb einer Immobilie über die finanzielle Absicherung der Ausbildung der Kinder, eine größere Anschaffung (Auto, längere Urlaubsreise etc.) bis hin zum Wunsch, für das Alter privat vorzusorgen.

Je nach Anlageziel eignen sich unterschiedliche Sparformen. Bei der Auswahl kommt es darauf an, ob der Anleger das angesparte Kapital schon in ein paar Jahren benötigt oder erst zu einem viel späteren Zeitpunkt – oder ob sich der Zeitpunkt vielleicht noch gar nicht genau festlegen lässt.

Diese unterschiedlichen Möglichkeiten greifen die Beispiele auf den folgenden Seiten auf. Der erste Punkt, über den sich Sparer Gedanken machen sollten, ist also: „Wann möchte ich über das Geld, das ich regelmäßig zurücklege, verfügen können?“

Tipp für Vorsorgesparer

Das Thema private Altersvorsorge rückt für immer mehr Menschen ins Blickfeld. Zu behaupten, allein mit den im Rahmen dieses Buches vorgestellten Zinsprodukten ließe sich dieser Anlagewunsch optimal abdecken, wäre allerdings falsch. Denn für die Altersvorsorge kommen eine Fülle zusätzlicher Anlageprodukte infrage. Diese alle darzustellen, würde den Rahmen des Buches sprengen – angefangen bei Rürup- und Riester-Sparplänen (→ Seite 55) über betriebliche Anlageangebote wie Pensionsfonds und -kassen bis hin zu privaten Vorsorgeprodukten wie Lebens- und Rentenversicherungen, aber auch Aktien und Immobilien.

Umfassende Informationen zu diesem Thema liefert der Ratgeber „Private Altersvorsorge“, den die Stiftung Warentest zusammen mit den Verbraucherzentralen erstellt hat. Er gibt einen Überblick über alle Formen des staatlich geförderten, des betrieblichen und des individuellen Vorsorgesparens.

Erhältlich ist das Buch für 12,90 Euro im Buchhandel oder direkt bei der Stiftung Warentest (Bestell-Hotline: 0 18 05/ 00 24 67, per Fax 0 18 05/00 24 68 oder per Internet-Shop unter www.stiftung-warentest.de)

Sparen ohne konkretes Ziel

Beispiel: Ralf Müller ist 33 Jahre, hat vor zwei Jahren sein Studium beendet und arbeitet nun als Ingenieur. Er ist ledig und hat noch keine Kinder. Von seinem monatlichen Einkommen will er 250 Euro sparen, ohne dass er bereits ganz genau weiß, wofür er später das Geld verwenden möchte. Auch der Zeitpunkt, wann er das angesparte Kapital benötigt, steht noch nicht fest.

Für Sparer wie Ralf Müller gibt es grundsätzlich vier Möglichkeiten, die monatliche Rate anzulegen: ein Banksparplan, ein Fondssparplan, ein Rendite-Bausparvertrag oder der regelmäßige Kauf von Bundesschatzbriefen per Dauerauftrag über die Bundeswertpapierverwaltung (für eine Übersicht → Tabelle, Seite 139).

Kriterium Verfügbarkeit

Selbst wenn Ralf Müller noch keine genauen Vorstellungen davon hat, zu welchem Zeitpunkt er über sein Sparvermögen verfügen möchte, sollte er sich vor dem Abschluss doch darüber im Klaren sein, wie schnell er im konkreten Fall an sein Geld herankommen will.

Für einen Fondssparplan spricht, dass er dabei an keine bestimmte Laufzeit gebunden ist. Eine komplette Entnahme des angesparten Kapitals oder eine Teilverfügung ist ohne Einhaltung bestimmter Kündigungsfristen möglich. Fondsanleger können zudem jederzeit zu einem anderen Anbieter wechseln, ihren Vertrag ruhen lassen oder beenden (→ Seite 105).

Flexibel bleiben Anleger auch beim Sparen mit „Bundesschätzchen". Ähnlich wie bei einem Fonds gilt auch hier, dass sie sich dabei nicht für eine Laufzeit festlegen müssen. Auch eine Kündigungsfrist im eigentlichen Sinne gibt es nicht. Allerdings erwerben sie rein technisch gesehen mit jeder Sparrate einen Schatzbrief einer bestimmten Serie – und den können sie erst nach einem Jahr zurückgeben, danach jedoch ohne Einhaltung irgendeiner Frist (→ Seite 80).

Dies ist beim Banksparplan anders: Hier sind oftmals Kündigungsfristen und mitunter zusätzlich Kündigungssperrfristen zu beachten, die einer kurzfristigen Verfügbarkeit im Wege stehen, was für den jungen Ingenieur, der noch nicht weiß, wann er sein Geld oder

Tipps: Die Raten splitten

- Wenn Sie mehr als 100 Euro im Monat sparen möchten, können Sie die Raten auch auf verschiedene Anlageformen verteilen. Das Splitten erhöht die Flexibilität. Und Flexibilität ist besonders wichtig, wenn Ihnen Ihr Sparziel noch nicht klar ist.
- Auch wenn Sie sich beispielsweise für einen Banksparplan mit Zinstreppe entscheiden, bleiben Sie flexibler, wenn Sie zwei Verträge mit je einer Rate von 50 Euro besparen als einen Vertrag über 100 Euro. So können Sie bei Bedarf über einen Teil Ihres Geldes verfügen, während der andere Sparvertrag unangetastet weiterläuft.

zumindest Teilbeträge davon benötigt, zu einem Stolperstein werden kann. Möchte er kurz entschlossen an sein Geld, muss er meist mindestens eine dreimonatige Kündigungsfrist einhalten oder in vielen Fällen einen Zinsabschlag in Kauf nehmen (→ Seite 51).

Ein Bausparvertrag sollte – wenn er rein unter Renditegesichtspunkten abgeschlossen wird – mindestens über sieben Jahre laufen, damit der Sparer den Bonus, der bei Verzicht auf das Bauspardarlehen gezahlt wird, mitnehmen kann (→ Seite 58).

Kriterium Rendite

Der Ertrag fällt – unabhängig von der gewählten Anlageform – in der Regel umso höher aus, je länger der Sparer durchhält. Zwar gab es in den vergangenen Jahren vereinzelt Banksparpläne, die mit Fondssparplänen und Bundesschatzbriefen in puncto Rendite mithalten konnten, meist schnitten diese beiden Anlagen jedoch besser ab als der durchschnittliche Banksparplan. Allerdings muss ein Anleger wie Ralf Müller berücksichtigen, dass er bei einem Fonds zu Beginn des Sparplans nicht genau weiß, welche Rendite er damit über den Anlagezeitraum hinweg erzielen wird. Dies ergibt sich aus der zwischenzeitlichen Zinsentwicklung an den Kapitalmärkten und aus dem Anlagegeschick des Fondsmanagers.

Die Zinstreppe des jeweils einzeln erworbenen Bundesschatzbriefs steht demgegenüber zwar von Anfang an fest (→ Seite 81). Sie wird aber bei jeder neuen Ausgabe (Serie) laufend an das aktuelle Marktzinsniveau angeglichen, sodass sich auf Dauer auch beim Schatzbriefsparen zwischenzeitliche Zinsänderungen im Endergebnis niederschlagen. Dafür fallen bei den Bundesschatzbriefen – ebenso wie beim Banksparplan – keine weiteren Kosten an, während der Anleger beim Fonds mit einem Ausgabeaufschlag und laufenden Verwaltungskosten zur Kasse gebeten wird, was die Renditeerwartung schmälert (→ Tippkasten).

Bei einem Banksparplan haben Anleger dagegen grundsätzlich die Wahl zwischen einem Festzins oder einer Festzinstreppe und einer variablen Verzinsung, die sich neuerdings an einem bestimmten Referenzzinssatz – und damit indirekt ebenfalls am Kapitalmarkt – orientieren muss. Ein zusätzlich gewährter laufzeitabhängiger Bonus steht jedoch bei Abschluss des Vertrags meist fest.

Auch bei einem Bausparvertrag steht die Rendite von Anfang an fest, und sie ist derzeit bei einigen Bausparkassen bei einem Verzicht auf das Bauspardarlehen höher als bei einem vergleichbaren Banksparplan.

Tipp: Rabatte beim Fondskauf

Wenn Sie keine Beratung benötigen oder schon wissen, welchen Fonds Sie kaufen möchten, können Sie den Fonds über einen Fondsvermittler oder einen Discountbroker erstehen. Dort sparen Sie häufig beim Ausgabeaufschlag (→ ausführlich dazu Seite 106).

Kriterium Sicherheit

Auch wenn Ralf Müller noch unschlüssig ist, wie lange er sparen und wie er sein Vermögen verwenden möchte, so weiß er doch, dass er nichts riskieren will.

Einen klaren Vorteil haben hier Bundesschatzbriefe. Sie sind eine absolut sichere Anlage, hinter denen der Staat mit der Finanzkraft seiner Bürger steht. Auch mit einem Bausparvertrag oder einem Banksparplan macht ein Sparer wie Ralf Müller in puncto Sicherheit nichts falsch, wenn er darauf achtet, dass das jeweilige Kreditinstitut einer Sicherungseinrichtung oder dem Einlagensicherungsfonds angehört. In dem Fall ist seine Einlage hundertprozentig geschützt (→ Seite 37).

Demgegenüber sind Rentenfonds kein vollkommen risikoloses Investment. Zwar gibt es eine Reihe von Sicherungsmechanismen, die dafür sorgen, dass das Geld von Fondsanlegern vor Unterschlagung oder Betrug sicher ist (→ Seite 109), doch sind vor allem auf kurze Sicht Kursverluste nicht auszuschließen. Wer dieses Risiko so weit wie möglich reduzieren möchte, sollte daher zu einem Rentenfonds greifen, der sein Geld in Anleihen anlegt, die ausschließlich auf Euro lauten und eine überwiegend kurze bis mittlere Laufzeit haben. Wer sich dagegen der höheren Renditechancen wegen für einen Rentenfonds entscheidet, der eher auf langfristige Papiere setzt oder bei dem es ganz dem Fondsmanager überlassen ist, die Laufzeitstruktur in bestimmten Grenzen frei zu wählen und an die aktuelle Marktsituation anzupassen (→ Seite 110), sollte sich das Ende seines Sparplans offen halten. Auf diese Weise lassen sich mögliche Kursdellen aussitzen.

Kriterium Bequemlichkeit

Was für Ralf Müller im Zweifelsfall den Ausschlag für den Abschluss eines Banksparplans geben könnte, ist die Tatsache, dass dieses Anlageprodukt einfach und bequem zu handhaben ist. Es ist auch für in Geldanlagedingen unerfahrene Bankkunden leicht verständlich, der Abschluss bei fast jeder Bank möglich und die Konditionen der einzelnen Institute lassen sich leicht erfragen und miteinander vergleichen.

Auch Bausparen ist als Renditesparvertrag eine einfache und bequeme Anlageform, die sich vom Aufwand kaum vom Banksparvertrag unterscheidet.

Dagegen finden Anleger bei den Fonds eine schier unübersehbar große Auswahl vor. Das hat auf der einen Seite zwar den Vorteil, dass es für jedes Anlagebedürfnis nahezu immer einen maßgeschneiderten Fonds gibt. Auf der anderen Seite ist es jedoch gerade für Neu-

Tipp: Orientierungshilfe beim Fondskauf

FINANZtest veröffentlicht in jedem Heft die Rentenfonds, die ganz aktuell bei den Untersuchungen am besten abgeschnitten heben. Sie finden die Liste kostenpflichtig auch im Internet unter www.finanztest.de, Suche nach „Rentenfonds", „Fonds im Dauertest".

einsteiger mühsam und zeitaufwendig, sich einen Überblick über das breite Angebot zu verschaffen und ganz konkret einen Fonds zu finden, der zu ihrem Anlagewunsch und ihrem Sicherheitsbedürfnis passt.

Für die Anlage in Bundesschatzbriefen sollte aus Kostengründen ein Schuldbuchkonto direkt bei der Bundeswertpapierverwaltung (→ Seite 83) eröffnet werden, das online oder telefonisch verwaltet wird. Der regelmäßige Kauf der Papiere erfolgt dann ganz bequem per Dauerauftrag. Umständlich ist aber, dass der Kauf der jeweils aktuellsten Serie dazu führt, dass das Depot nach ein paar Jahren viele verschiedene Serien mit unterschiedlichen Restlaufzeiten enthält. Das erschwert den Überblick ein wenig.

Sparen mit konkretem Ziel

Einfach damit anzufangen, etwas Geld auf die Seite zu legen, das ist sicherlich das häufigste Motiv für den Abschluss eines Sparplans. Es gibt jedoch auch viele Sparer, die von Anfang an ein konkretes Ziel und einen konkreten Zeitraum vor Augen haben und dafür die passenden Anlagemöglichkeiten suchen.

Beispiel: Kathrin und Peter Schulze haben zwei Kinder. In sechs beziehungsweise acht Jahren, wenn aller Voraussicht nach der Nachwuchs jeweils seine Schulausbildung beendet hat, wollen sie eine größere Summe zur Verfügung haben, um die weitere Ausbildung ihrer Kinder finanzieren zu können. Dafür sucht Familie Schulze die passende Anlagemöglichkeit.

Anders als beim vorangegangenen Beispiel ist in diesem Fall für die Schulzes ein Banksparplan die bessere Wahl gegenüber einem Fonds und den Bundesschatzbriefen. Der Grund: In ihrer Situation – mit einem konkreten Anlageziel in nicht allzu ferner Zukunft – geht Verlässlichkeit vor Rendite. Schließlich weiß Familie Schulze weder beim Fondssparplan noch bei den Schatzbriefen, mit welcher Summe sie am Ende der abgesteckten Laufzeit rechnen kann. Greifen die Schulzes dagegen zu einem Bankangebot, bei dem ihnen für die gesamte Laufzeit ein fester Zins oder eine feste Zinstreppe garantiert werden, wissen sie auf Euro und Cent genau, welchen Betrag sie am Ende der Laufzeit zur Verfügung haben. So können sie entweder die Höhe der monatlichen Sparrate an die benötigte Sparsumme anpassen oder für eine bestimmte Sparrate den Auszahlungsbetrag kalkulieren und auf diese Weise ein zuverlässiges Finanzierungskonzept auf die Beine stellen.

Auch die Vorteile des Fonds und des Schatzbriefes hinsichtlich der Verfügbarkeit stechen in diesem Fall nicht, schließlich legen die Schulzes keinen Wert darauf, vor Ablauf der geplanten Anlagedauer an ihr Geld zu kommen. Sollten sie hingegen durch unerwartete Umstände ihr Kapital erst zu einem späteren Zeitpunkt benötigen als ursprünglich geplant, ist das kein Beinbruch. Die meisten Sparpläne lassen sich problemlos verlängern oder aber Familie Schulze zahlt das Geld nach Fälligkeit nebst weiteren Sparraten auf ein Tagesgeldkonto (→ Seite 40) ein und parkt es dort so lange, bis es benötigt wird.

Für Anleger, die das Geld nicht wie Familie Schulze in sechs Jahren benötigen, sondern erst in sieben bis zehn Jahren, ist hingegen ein Rendite-Bausparvertrag die beste Wahl. Er lässt sich genauso gut kalkulieren wie ein Banksparplan. Während der Laufzeit können Sonderzahlungen geleistet oder die Raten angepasst werden. Und in Sachen Rendite übertrifft das Bausparen nicht selten Banksparpläne mit ähnlichen Laufzeiten, sofern der Vertrag nicht vor Ablauf von sieben Jahren gekündigt wird, insbesondere wenn noch Anspruch auf Wohnungsbauprämie und/oder Arbeitnehmersparzulage besteht (→ Seite 26 und 59).

Zielsparen mit sehr langem Anlagehorizont

Der Ratschlag, dass ein Banksparplan oder ein Bausparvertrag für Zielsparer die beste Wahl ist, gilt jedoch nicht uneingeschränkt.

Beispiel: Sonja Martens ist Ende zwanzig und ausgebildete Physiotherapeutin. Sie möchte sich später selbstständig machen. Aufgrund ihrer Einkommens- und Vermögenssituation rechnet sie sich aus, dass sie mindestens zwölf Jahre sparen muss, bis sie genügend Geld für eine eigene Praxis zurückgelegt hat. Ganz genau hat sie noch nicht festgelegt, wann sie ihre Praxis eröffnen möchte. Das hängt unter anderem von der Familienplanung ab.

Auch hier scheint der Banksparplan das optimale Produkt zu sein. Doch das täuscht. Schließlich hat sich Sonja Martens noch nicht festgelegt, wann genau sie ihre Praxis eröffnen möchte. Der veranschlagte Ansparzeitraum von zwölf Jahren ist zunächst eine erste Planung. Doch selbst wenn der Termin bereits ganz konkret feststeht, könnte sich im Beispiel von Sonja Martens der vermeintliche Vorteil des Bankprodukts, die kalkulierbare Rendite, umkehren: In einer Niedrigzinsphase, wie sie seit ein paar Jahren am deutschen

Anlagemöglichkeiten für regelmäßige Sparer

	Banksparpläne mit vorzeitiger Kündigungsmöglichkeit (→ Seite 51)	**Banksparpläne ohne vorzeitige Kündigungsmöglichkeit** (→ Seite 52)	**Rendite-Bausparverträge** (→ Seite 58)	**Fondssparpläne** (→ Seite 105)	**Bundesschatzbriefe im Dauerauftrag** (→ Seite 80)
Verzinsung	Variabel oder fest mit Zinstreppe	Meist fest	Fest	Variabel	Faktisch variabel [3]
Renditechance	Mittel	Mittel	Gut	Gut	Mittel
Sicherheit	Hoch	Hoch	Hoch	Hoch, aber keine Ertragssicherheit	Hoch
Verfügbarkeit	Mittel, dreimon. Kündigungsfrist	Schlecht	Mittel bis schlecht [2]	Gut	Gut [4]
Bequemlichkeit	Hoch	Hoch	Hoch	Mittel bis schlecht	Hoch bis mittel
Mindestsparrate	Ab 25 Euro [1]	Ab 25 Euro [1]	Sinnvoll ab ca. 40 Euro	Ab 50 Euro [1]	52 Euro

[1] Kann je nach Anbieter variieren
[2] Ausstieg vor Ablauf des Vertrags (7 Jahre) nur mit Renditeverlust möglich
[3] Durch die laufende Anlage in die jeweils neueste Serie
[4] Mit Ausnahme der im laufenden Jahr angelegten Raten

Kapitalmarkt herrscht, „kauft“ sie sich bei einem Sparplan mit Festkonditionen einen niedrigen Zinssatz für einen verhältnismäßig langen Zeitraum ein. Steigen die Marktzinsen in späteren Jahren an, würde sie davon nicht profitieren.

Fazit: Bei langen Ansparzeiten haben Zielsparer in der derzeitigen Niedrigzinsphase zwei Möglichkeiten. Entweder sie entscheiden sich für einen Banksparplan, der variabel verzinst wird und dessen Zinssatz an einen Referenzzins gebunden ist, oder sie entscheiden sich für einen Fondssparplan.

Bei einem Bankssparplan, der an einen externen Referenzzins gekoppelt ist, laufen Sparer nicht Gefahr, auf lange Sicht steigende Zinsen zu verpassen. Die Fondssparpläne bieten jedoch langfristig im Schnitt höhere Renditechancen gegenüber dem Bankprodukt – und auch gegenüber Bausparverträgen. So wahren sich Sparer mit langem Anlagehorizont die Chance, ihr Sparziel früher zu erreichen als kalkuliert, auch wenn dies nicht hundertprozentig sicher ist und man den genauen Zeitpunkt dafür nicht festlegen kann.

Allerdings sollten Fondssparer, die einen Ausgabeaufschlag zahlen müssen, die Raten spätestens ein Jahr bevor sie das Kapital benötigen, einstellen. Denn bei den zuletzt gekauften Fondsanteilen machen sie anderenfalls mit hoher Wahrscheinlichkeit ein Minus, da die verbleibende Anlagedauer kaum ausreicht, um die Kosten für den Ausgabeaufschlag wieder aufzuholen. Wer einen Fondssparplan über einen Fondsvermittler oder eine Direktbank abschließt, kann beim Ausgabeaufschlag häufig sparen. Das lohnt sich, kommt aber nur für Anleger infrage, die wissen, in welchen Fonds sie investieren möchten oder die keine Beratung brauchen (ausführlich dazu → Seite 107).

Natürlich kann es für Sonja Martens unter bestimmten Umständen auch eine Alternative sein, während der Laufzeit vom Fondssparplan in eine andere Anlageform zu wechseln, und zwar dann, wenn die Zinsen in den ersten vier bis fünf Jahren, in denen sie einzahlt, stark steigen. In diesem Fall ist es sinnvoll, die restliche Zeit in einen Banksparplan mit festen höheren Zinsen zu investieren und die Fondsanteile nicht zu verkaufen, sondern einfach ruhen zu lassen.

Bei größeren Sparraten ab etwa 100 Euro kann es für Anleger von Vorteil sein, das Geld von Anfang an auf zwei unterschiedliche Produkte zu verteilen, zum Beispiel auf einen Fondssparplan und einen Banksparplan.

Anlageziel: Bequem soll es sein

Angebote studieren, eine neue Bank oder einen passenden Fonds aussuchen, Geld umbuchen – so manchem Sparer ist so viel Aufwand zu viel des Guten oder er hat keine Zeit, sich so intensiv mit seinem Geld zu beschäftigen.

Beispiel: Klara Meier ist Rentnerin, verwitwet und in Gelddingen gänzlich unerfahren. Sie legt daher auf persönliche Beratung durch einen Bankmitarbeiter großen Wert. So hat sie einen Ansprechpartner, der ihr alles Erforderliche erklärt, die notwendigen Formulare ausfüllt und für Rückfragen und bei Problemen zur Verfügung steht. Die Rentnerin hat ihr ganzes Geld auf einem Sparbuch angelegt, denn nach Experimenten steht ihr ebenso wenig der Sinn wie nach einem Wechsel der Bankverbindung allein der besseren Konditionen wegen. Daher hält sie ihrer Hausbank, deren Filiale in unmittelbarer Nähe ihrer Wohnung liegt, seit Jahren die Treue. Wichtig ist Klara Meier vor allem, dass ihr Geld sicher angelegt ist, ohne dass sie sich großartig darum kümmern muss.

Ein „Anlagemuster", wie es Klara Meier bevorzugt, ist unter Zinssparern – ob jung oder alt – stark verbreitet. Für sie sind die Punkte Sicherheit, Bequemlichkeit und Handhabbarkeit noch wichtiger als die Rendite. In diesem Fall sind daher die verschiedenen Angebote der Banken meist die richtige Wahl. Sie sind sicher und leicht verständlich. Allerdings wäre es schade, allein aus übertriebenem Sicherheits- und Gewohnheitsdenken einzig auf Sparbücher mit dreimonatiger Kündigungsfrist zu setzen. Fast jede Bank hat eine Reihe von Sondersparprodukten mit besserer Verzinsung im Programm, die in der Handhabung genauso unkompliziert sind. Lediglich bei der Verfügbarkeit gibt es Unterschiede in Form von längeren Kündigungsfristen und unter Umständen einer Kündigungssperrfrist. Zumindest Guthaben, die kurzfristig nicht benötigt werden, sollten also in solche besser verzinsten Angebote umgeschichtet werden. Für Gelder, über die der Anleger kurzfristig verfügen möchte, bieten sich dagegen ab bestimmten Summen Tagesgeld- und Festgeldkonten als Alternative an.

Zinsanlagen für bequeme Sparer

	Tagesgeldkonten (→ Seite 40)	**Sparkonten mit dreimonatiger Kündigungsfrist** (→ Seite 34)	**Kurzlaufendes Festgeld** (→ Seite 43)	**Bankangebote mit vorzeitiger Verfügbarkeit** (→ Seite 47)
Verzinsung	Variabel	Variabel	Fest	Fest, meist mit Zinstreppe
Renditechance	Mittel	Meist schlecht	Mittel bis schlecht	Mittel
Sicherheit	Hoch	Hoch	Hoch	Hoch
Laufzeit	Unbegrenzt	Unbegrenzt	Mind. 1 Monat	1 bis 7 Jahre
Verfügbarkeit	Jederzeit	Mittel [2])	Schlecht	Mittel
Bequemlichkeit	Hoch	Hoch	Hoch	Hoch
Mindestanlagebetrag	Ab 1 Euro [1])	1 Euro	2500 Euro [1])	1000 bis 5000 Euro [1])

	Bankangebote ohne vorzeitige Verfügbarkeit (→ Seite 48)	**Finanzierungsschätze** (→ Seite 79)	**Bundesobligationen** (→ Seite 81)	**Bundesschatzbriefe** (→ Seite 80)
Verzinsung	Fest	Fest	Fest	Feste Zinstreppe
Renditechance	Gut	Mittel [3])	Mittel [3])	Mittel [3])
Sicherheit	Hoch	Hoch	Hoch	Hoch
Laufzeit	1 bis 10 Jahre	1 oder 2 Jahre	5 Jahre	Typ A 6 Jahre Typ B 7 Jahre
Verfügbarkeit	Schlecht	Schlecht	Jederzeit	Mittel [4])
Bequemlichkeit	Hoch	Hoch	Hoch	Hoch
Mindestanlagebetrag	500 bis 5000 Euro [1])	500 Euro	110 Euro	52 Euro

[1]) Kann je nach Anbieter variieren
[2]) Kündigungsfrist drei Monate; 2000 Euro pro Monat jederzeit verfügbar
[3]) Beim Kauf über die Bundeswertpapierverwaltung (→ Seite 83), da dann keine Depot- und Transaktionskosten anfallen
[4]) Ausstieg nach einem Jahr möglich. Limit: 5000 Euro pro 30 Zinstage, Person und Serie

Sparer, die wie Klara Meier Wert auf örtliche Nähe, persönliche Beratung und leichte Handhabbarkeit – und alles möglichst aus einer Hand – legen, sollten sich allerdings darüber im Klaren sein, dass sie für diesen Komfort mit einer geringeren Rendite „bezahlen" müssen. Der Wechsel zu einer Direktbank (→ Seite 70) zum Beispiel, die vielfach deutlich bessere Konditionen, dafür aber keine umfassende persönliche Beratung bieten, kommt schließlich für sie kaum infrage. Das sollte allerdings Anleger nicht davon abhalten, bei einem geplanten Neuabschluss die Konditionen mehrerer Institute vor Ort abzufragen und durchaus den Wechsel der Bankverbindung ins Auge zu fassen, wenn ein Anbieter bessere Zinsen bietet als die Hausbank.

Auch Bundesschatzbriefe, Bundesobligationen oder Finanzierungsschätze sind eine sichere und lohnende Alternative für Anleger, die nicht allzu viel Zeit in ihr Geld investieren möchten. Dafür sollten sie ein Schuldbuchkonto bei der Bundeswertpapierverwaltung einrichten. Das klingt zwar erst einmal kompliziert, ist aber ganz einfach. Das Antragsformular gibt es online (www.bwpv.de) oder auf telefonische Bestellung (0 61 72/1 08-2 22). Wer Fragen hat, bekommt unter dieser Telefonnummer auch umfassende Auskünfte zur Einrichtung des Kontos und den aktuellen Zinshöhen. Besteht das Schuldbuchkonto einmal, ist der Kauf von Bundeswertpapieren mit minimalem Zeitaufwand per Überweisung vom Girokonto möglich (→ Seite 113).

Anlageziel: Immer flüssig sein

Ich will jederzeit an mein Geld herankommen – ein Anleger, der diese Maxime bei seiner Anlage verfolgt, sollte dies vernünftigerweise nur aus zwei Gründen tun:

- Entweder weil er flexibel bleiben und in der Lage sein will, auch kurzfristig auf sein Geld zurückgreifen zu können, beispielsweise, weil er überhaupt noch keine Vorstellung davon hat, wie das Geld auf Dauer angelegt werden soll, oder weil das Geld in Kürze für eine Anschaffung benötigt wird
- oder er möchte sich aufgrund der niedrigen Marktzinsen nicht langfristig binden und setzt darauf, dass das Zinstal in ein paar Monaten durchschritten ist, um dann wieder deutlich bessere Zinssätze für mittel- bis langfristige Anlagen zu erhalten.

Beispiel: Susanne Schmidt, Beamtin bei der Stadt, hat über die fünfzehn Jahre hinweg, die sie bereits in ihrem Beruf tätig ist, 30 000 Euro angespart. Langfristig anlegen will sie das Geld zunächst nicht, denn erstens möchte sie rund ein Drittel der Summe als Reserve für Notfälle. Zweitens hat sie sich noch nicht entschieden, welchen Teil des verbleibenden Betrages sie dauerhaft anlegen und welchen sie für eine Reihe von Anschaffungen, unter anderem ein neues Auto, verwenden möchte. Auch der Zeitpunkt, wann sie dies alles umsetzen möchte, ist noch vollkommen offen. Fest steht allein, dass es eine sichere Anlage sein sollte. Gerade deshalb möchte sie sich sehr gründlich über die geeigneten Anlagemöglichkeiten informieren und die jeweils besten Angebote recherchieren.

Grundsätzlich gibt es drei Anlagemöglichkeiten, die sich für diesen Fall anbieten: die Anlage auf einem Tagesgeldkonto, die Anlage als kurzfristiges Festgeld oder der Kauf von Geldmarktfonds (für eine Übersicht → Tabelle, Seite 145).

Kriterium Verfügbarkeit

Entscheidend in diesem Fall ist, dass Susanne Schmidt noch keine konkreten Vorstellungen davon hat, zu welchem Zeitpunkt sie über ihr Sparvermögen verfügen will. Daher hat das Kriterium Verfügbarkeit Priorität bei der Auswahl. Sowohl mit einem Geldmarktfonds als auch mit dem Tagesgeldkonto bleibt sie uneingeschränkt flexibel, denn bei diesen Anlagen kommt sie von einem auf den anderen Tag an ihr Geld heran – was wichtig ist, sollte beispielsweise ihr betagter Gebrauchtwagen von heute auf morgen den Dienst verweigern. Demgegenüber ist sie beim Festgeld für die Dauer der abgeschlossenen Laufzeit fest gebunden – das ist im kürzesten Fall ein Monat. Will sich Susanne Schmidt die Möglichkeit offen halten, auch ganz spontan und schnell entschlossen zu handeln, ist ein Festgeldkonto daher für sie nur zweite Wahl.

Tipp: Splitten schafft Flexibilität

Anleger wie Susanne Schmidt haben natürlich auch die Möglichkeit, den Anlagebetrag zu splitten und auf alle drei Möglichkeiten – Tagesgeldkonto, Festgeld und Geldmarktfonds – zu setzen. Das ist vor allem dann sinnvoll, wenn sie weder eine konkrete Entscheidung zur Anlagedauer noch zur Verwendung des Geldes getroffen haben. Infrage kommt dies bei Anlagebeträgen ab zirka 10 000 Euro.

Kriterium Rendite

Generell muss Susanne Schmidt sich dessen bewusst sein, dass sie erfahrungsgemäß nur vergleichsweise magere Renditen erzielen kann, wenn sie das Geld stets zu Kurzfristzinsen anlegt. Allerdings locken viele Banken und Sparkassen gerade beim Tagesgeld immer wieder mit – meist befristeten – Sonderangeboten. Das bietet ihr

Tipp für Renditejäger

Die aktuellen Konditionen von Tages- und Festgeldkonten und die Qualität von Geldmarktfonds werden regelmäßig von der STIFTUNG WARENTEST zusammengestellt und in FINANZtest veröffentlicht. Darüber hinaus können Sie die Information kostenpflichtig von der Homepage der STIFTUNG WARENTEST herunterladen: www.finanztest.de, Suche „Tagesgeldkonten und Festgelder".

die Möglichkeit, so genanntes „Tagesgeld-Hopping" zu betreiben. Das heißt, sie „springt" von einem Kreditinstitut zum anderen und legt ihr Geld immer dort an, wo sie die jeweils besten Kurzfristzinsen bekommt. Zahlt eine Bank bessere Sätze oder endet das Sonderangebot, zieht sie sofort ihre Einlage ab und wechselt die Bankverbindung.

Wer es einfacher haben möchte, greift dagegen zu einem Tagesgeldanbieter, dessen Zinssätze in der Vergangenheit stabil über dem Marktdurchschnitt lagen oder einem Geldmarktfonds, der in der Vergangenheit gute Anlageergebnisse erzielt hat.

Kriterium Sicherheit

Was die Sicherheit ihres Geldes angeht, können Sparer sowohl bei Festgeld- als auch bei Tagesgeldkonten ruhig schlafen, wenn sie darauf achten, dass die gewählte Bank einen Einlagenschutz garantiert, der über das staatliche Mindestniveau hinausgeht. Dies ist vor allem beim Tagesgeld-Hopping wichtig. Denn unter den Anbietern mit Top-Konditionen sind viele ausländische Institute zu finden, die in der Regel nur die staatliche Absicherung ihres Heimatlandes bieten (→ Seite 40). Geldmarktfonds sind als Sondervermögen vor Pleiten geschützt. Um Kursverluste zu vermeiden, sollte der Anleger darauf achten, dass der Fonds ausschließlich in täglich fällige Einlagen, festverzinsliche Wertpapiere mit kurzer Restlaufzeit und Kontenanlagen investiert und keine Beimischungen von riskanten Wertpapieren enthält (→ Seite 112).

Kriterium Bequemlichkeit

Was Tagesgeld- und Festgeldkonten auszeichnet, ist, dass sie von vielen Banken und Sparkassen angeboten werden. Die Eröffnung und Verwaltung ist genauso unkompliziert wie bei einem Girokonto. Das macht beide Anlageformen zu einem Angebot für Anleger, die sich nur wenig um ihr Geld kümmern möchten. Arbeit erfordert allein der regelmäßige Vergleich der Marktkonditionen und die damit verbundene Frage, ob das eigene Institut noch marktgerechte Zinsen zahlt.

Tagesgeld-Hopper müssen sich jedoch über die ständig neuen Sonderangebote auf dem Laufenden halten. Das kostet Zeit. Noch mühsamer ist der Konditionenvergleich beim Festgeld, denn hier sind die Zinssätze oft reine Verhandlungssache – das gilt im Übrigen

Möglichkeiten für Anleger, die jederzeit an ihr Geld wollen

	Tagesgeldkonten (→ Seite 40)	Geldmarktfonds (→ Seite 112)	Kurzlaufendes Festgeld (→ Seite 43)
Verzinsung	Variabel	Variabel	Fest
Renditechance	Mittel	Mittel bis schlecht	Mittel bis schlecht
Sicherheit	Hoch	Hoch	Hoch
Laufzeit	Unbegrenzt	Unbegrenzt	Mindestens 1 Monat
Verfügbarkeit	Jederzeit	Jederzeit	Nicht vor Ablauf der Laufzeit
Bequemlichkeit	Hoch	Hoch bis mittel	Hoch
Mindestanlagebetrag	Ab 1 Euro [1])	100 Euro [1])	2500 bis 5000 Euro [1])

[1]) Kann je nach Anbieter variieren

auch bei der Wiederanlage der fällig gewordenen Einlage. Auch hier müssen Anleger also Zeit dafür einkalkulieren, sich über die Marktsituation zu informieren.

Für Geldmarktfonds gilt in abgeschwächter Form das Gleiche wie bei Rentenfonds: Aufgrund der relativ großen Auswahl ist es mit einer gewissen Mühe und Zeit verbunden, einen guten Fonds zu finden. Entscheidend für die Wertentwicklung, also die Rendite, sind vor allem die internen Kosten. Je niedriger sie liegen, desto wahrscheinlicher ist es, dass der Fonds eine vergleichsweise hohe Rendite abwirft. Der interessierte Anleger muss diese Informationen aber nicht alle selbst zusammentragen, sondern kann auf die Hilfe von Experten wie etwa der STIFTUNG WARENTEST zurückgreifen (→ Seite 115).

Anlageziel: Die optimalen Zinsen mit relativ wenig Aufwand

Wer bereit ist, zumindest einen größeren Teil seines Geldes für einen längeren Zeitraum anzulegen, kann dafür im Gegenzug im Normalfall höhere Zinsen kassieren als beispielsweise auf einem Tagesgeldkonto oder dem normalen Sparbuch gezahlt werden. Dabei wird die Anlage in aller Regel bis zur Fälligkeit gehalten und das Geld dann wieder neu angelegt. Die für viele Anleger entscheidende Frage ist jedoch, auf welche Laufzeit sie dabei setzen sollen, um die optimalen Zinsen zu erzielen.

Beispiel: Paul Hofmann hat bereits über 20 000 Euro auf verschiedenen Spar- und Tagesgeldkonten mit unterschiedlichen Laufzeiten angespart. Aus einer kleineren Erbschaft stehen ihm 5 000 Euro zu, die er nun ebenfalls anlegen will. Da geplant ist, das Geld zur privaten Absicherung der Rente zu verwenden, soll es sicher und auf Dauer investiert werden. Dabei möchte sich Herr Hofmann vor dem Hintergrund niedriger Zinsen allerdings nicht für eine zu lange Laufzeit festlegen, weil er die Hoffnung hat, dass in ein paar Jahren die Zinsen steigen. Andererseits will er sich darüber nicht mehr Gedanken als notwendig machen und auch nicht gezielt spekulieren – zum einen, weil er sich dies nicht zutraut, und zweitens, weil er kein Interesse daran hat, sich so ausführlich mit den Entwicklungen an den Kapitalmärkten zu beschäftigen. Schließlich sucht er vor allem eine sichere und bequeme Zinsanlage.

In diesem Fall läuft der Auswahlprozess in zwei Stufen ab. Zunächst geht es für Anleger wie Paul Hofmann darum, sich für eine bestimmte Laufzeit zu entscheiden. In der Vergangenheit hat sich gezeigt, dass drei- bis siebenjährige Zinspapiere den besten Kompromiss zwischen Rendite und Anlagedauer darstellen. Sie werfen deutlich höhere Zinsen ab als die kurzfristigen Tages- und Festgeldkonten. Dennoch riskieren Sparer nicht, einen zukünftigen Zinsaufschwung völlig zu verpassen, sondern wahren die Chance, das Geld auf höherem Zinsniveau wieder anlegen zu können.

Die zweite Stufe besteht darin, dass sich Paul Hofmann Zinspapiere mit der passenden Laufzeit heraussucht. Da er auf eine sichere Anlage Wert legt, kommen dafür die Sparprodukte der Banken, also Sparbriefe und Sondersparformen mit drei bis sieben Jahren Laufzeit, und Anleihen von Herausgebern mit erstklassiger Bonität, die eine entsprechende Laufzeit oder Restlaufzeit haben, infrage: Bundesschatzbriefe, Bundesobligationen, Pfandbriefe und Bankschuldverschreibungen. Einen Überblick über alle Anlagemöglichkeiten, die für Anleger wie Paul Hofmann infrage kommen, bietet die Tabelle auf Seite 148/149.

Eine Alternative ist auch der Kauf eines Rentenfonds Euro, der Anleihen mit unterschiedlichen Laufzeiten mischt (→ Seite 110).

Sicherheit versus Rendite

In puncto Sicherheit ganz oben auf der Rangliste stehen Bundeswertpapiere, also Schatzbrief und Obligation, und die entsprechenden Sparangebote der Banken, wenn das jeweilige Kreditinstitut einen hundertprozentigen Einlagenschutz bietet (→ Seite 37). Diese Anlageformen sind erste Wahl, wenn Paul Hofmann wirklich jedes Risiko ausschließen will. Wie eingangs dieses Buches jedoch erläutert (→ Seite 20), schließt ein niedriges Risiko eine hohe Rendite aus. Greift er zu den ganz sicheren Anlageformen, muss er sich meist mit einer geringeren Rendite zufrieden geben als bei den Bankschuldverschreibungen. Die wiederum können im direkten Vergleich bei der Sicherheit nicht ganz mithalten.

Kriterium Verfügbarkeit

Wollen Anleger sich das Hintertürchen eines vorzeitigen Ausstiegs offen halten, um bei einem Zinsanstieg vor Ablauf der Anlagefrist in besser verzinste Anlagen umzuschichten, sind Bundesschatzbriefe die bessere Wahl. Sie können nach einem Jahr in bestimmten Grenzen ohne Kursrisiko wieder zurückgegeben werden (→ Seite 80). Gleiches gilt für viele Sondersparformen der Banken, bei denen der Anleger nach Einhaltung einer dreimonatigen Kündigungsfrist uneingeschränkt an sein Geld heran kann.

Bei Anleihen, Pfandbriefen, Bankschuldverschreibungen und Bundesobligationen drohen hingegen bei einem vorzeitigen Verkauf Kursverluste, wenn die allgemeinen Marktzinsen steigen (→ Seite 158) – also im Grunde genau die Entwicklung, auf die Paul Hofmann hofft.

Allerdings, und hier zeigen sich die Tücken des magischen Dreiecks der Geldanlage: Paul Hofmann kann umso höhere Renditen erzielen, je eher er bereit ist, auf die Möglichkeit eines vorzeitigen Ausstiegs zu verzichten. Davon würde er vor allem dann profitieren, wenn er sich für die Sparbriefe, Pfandbriefe und Bankschuldverschreibungen entscheidet. Bei den Pfandbriefen und Bankpapieren hat er zwar oftmals die theoretische Möglichkeit, diese während der Laufzeit über die Börse zu verkaufen. Doch ist die Nachfrage häufig gering, sodass er womöglich deutliche Kursabschläge in Kauf nehmen muss, will er vorzeitig aussteigen (→ Seite 85). Außerdem fallen beim Verkauf Transaktionskosten an.

Kriterium Bequemlichkeit

Die Kontenangebote der Banken stehen wiederum ganz oben auf der Auswahlliste, wenn es für Sparer darum geht, eine bequeme Anlageform zu finden. Das Angebot an Sonder-Sparkonten und Sparbriefen ist groß und ihre Konditionen lassen sich leicht erfragen und miteinander vergleichen. Der Kauf und die Verwaltung von Bundesschatzbriefen über die Bundeswertpapierverwaltung ist allerdings auch nicht kompliziert – nur fehlt der direkte Ansprechpartner vor Ort.

Alternative für Anleger, die größere Beträge investieren wollen

Nicht jeder Anleger wird sich freilich damit zufrieden geben wollen, sein Geld in ein einziges Papier zu investieren – auch, weil er dabei den schwierigen Kompromiss zwischen Rendite, Sicherheit und Verfügbarkeit suchen muss. Viel bessere Möglichkeiten, dieses Problem zu lösen, ergeben sich, wenn es darum geht, größere Beträge anzulegen.

Beispiel: Max Schnitzler hat bereits ein gewisses Vermögen gespart. Nach dem Tod seiner Eltern erbt er 50 000 Euro, die er nun auf Dauer sicher und ohne allzu viel Aufwand anlegen möchte.

Für Sparer wie Max Schnitzler, die einen größeren Betrag zur Verfügung haben, wäre es wenig sinnvoll, die Gesamtsumme ausschließlich in einem Papier anzulegen. Dazu kommt, dass es, anders als im Beispiel zuvor, nun auch unter Kostengesichtspunkten möglich ist, den Anlagebetrag in Teilbeträge zu splitten und nach einem bestimmten „System" anzulegen – beispielsweise, indem zu gleichen Teilen zehn Papiere mit Laufzeiten von einem bis zehn Jahren gekauft werden. Eine Übersicht darüber, welche Anlagemöglichkeiten für eine Mischung infrage kommen, bietet die Tabelle unten.

Die Idee dabei ist, dass die einmal gewählte Struktur beibehalten wird. Das heißt, dass das nach einem Jahr fällige Papier bei Rückzahlung durch ein neues zehnjähriges ersetzt wird. Bei der Fälligkeit des zweijährigen im Jahr darauf wird wieder ein zehnjähriges gekauft und so weiter. Der Vorteil für Anleger ist, dass sie auf diese Weise auf jeden Fall von zwischenzeitlichen Zinsänderungen –

Möglichkeiten für Anleger, die Laufzeiten mischen möchten

	Bundeswertpapiere			Fonds
	Bundesschatzbriefe (→ Seite 80)	**Bundesobligationen** (→ Seite 81)	**Bundesanleihen** (→ Seite 82)	**Rentenfonds Euro** (→ Seite 111)
Verzinsung	Feste Zinstreppe	Fest	Fest, teilweise variabel	Variabel
Renditechance	Mittel [1])	Mittel [1])	Mittel	Gut bis mittel
Sicherheit	Hoch	Hoch	Hoch	Hoch
Laufzeit	Typ A 6 Jahre Typ B 7 Jahre	5 Jahre	10 bis 30 Jahre	Unbegrenzt
Verfügbarkeit	Mittel [2])	Jederzeit	Jederzeit	Jederzeit
Bequemlichkeit	Hoch	Hoch	Mittel	Mittel bis schlecht
Mindestanlagebetrag	52 Euro	110 Euro	Keiner [3])	100 Euro [4])

[1]) Beim Kauf über die Bundeswertpapierverwaltung (→ Seite 83), da dann keine Depot- und Transaktionskosten anfallen

[2]) Ausstieg nach einem Jahr möglich. Limit: 5 000 Euro pro 30 Zinstage, Person und Serie

gleich, in welche Richtung – profitieren. Steigen die Sätze, macht sich das bei der Wiederanlage der fällig gewordenen Anleihen bemerkbar. Sinken dagegen die Zinsen, haben sie sich die hohen Sätze mit den Papieren im Bestand „gesichert". Zudem profitieren Anleger durch dieses System von den höheren Renditen, die langjährige Anlagen in der Regel abwerfen, und haben dennoch die Möglichkeit jedes Jahr zumindest über Teilbeträge verfügen zu können.

Ganz ohne Nachteile ist aber auch diese Methode nicht, denn sie erfordert, dass sich Max Schnitzler in regelmäßigen Abständen um die Wiederanlage fälliger Papiere kümmert. Diese jährlichen Neuanlagen können außerdem Kosten verursachen. Realistisch betrachtet hält sich allerdings sowohl der zeitliche als auch der persönliche Aufwand in Grenzen. Dennoch: Wer es einfacher haben möchte oder weniger Geld zur Verfügung hat, kauft einfach eine kleinere Anzahl von Anleihen und baut ein gröberes so genanntes „Leiterdepot" zusammen – zum Beispiel mit fünf Anleihen, deren Laufzeiten zwei, vier, sechs, acht und zehn Jahre betragen. Effekt: Es müssen nicht jedes Jahr neue Papiere gekauft werden. So entstehen zwar Lücken zwischen den „Sprossen", dafür sinken die Transaktionskosten ebenso wie der Aufwand, den der Anleger betreiben muss.

Die bequemste Variante indes ist der Kauf eines entsprechenden Rentenfonds (oder die Mischung mehrerer Fonds). Dies ist auch mit kleineren Anlagebeträgen möglich und hat den Vorteil, dass der Anleger, vereinfacht gesagt, den Fondsmanager damit beauftragt, verschiedene Papiere zu kaufen, zu mischen und fällige Anleihen durch neue zu ersetzen.

Bankprodukte		Andere Anleihen	
Einmalanlagen mit vorzeitiger Verfügbarkeit (→ Seite 47)	**Einmalanlagen ohne vorzeitige Verfügbarkeit: Sparbriefe & Co.** (→ Seite 48)	**Pfandbriefe** (→ Seite 84)	**Bankschuldverschreibungen** (→ Seite 86)
Fest	Fest	Fest	Fest
Mittel	Gut	Gut bis mittel	Gut bis mittel
Hoch	Hoch	Hoch	Mittel
1 bis 7 Jahre	1 bis 10 Jahre	1 bis 30 Jahre	1 bis 30 Jahre
Mittel	Schlecht	Gut bis mittel [5]	Mittel
Hoch	Hoch	Mittel bis schlecht	Mittel bis schlecht
500 Euro [4]	500 bis 5 000 Euro [4]	Ab 50 Euro [3] [4]	Ab 100 Euro [3] [4]

[3] Wegen der Kosten lohnen sich meist erst Anlagebeträge ab mehreren tausend Euro
[4] Kann je nach Anbieter variieren
[5] Pfandbriefe sind unterschiedlich liquide

Anlageziel: Optimale Zinsen durch Spekulation auf den Zinstrend

Nicht jeder Anleger wird bereit sein, sich allein mit dem Ertrag zufrieden zu geben, den die Bank oder der Herausgeber einer Anleihe in Form von Zinsen zahlt. Der eine oder andere wird seine Rendite zusätzlich aufpolieren wollen und dafür auch mehr Zeit investieren. Eine Möglichkeit besteht darin, das Auf und Ab der Zinsen am Kapitalmarkt aktiv auszunutzen – etwa durch die Wahl der richtigen Ein- und Ausstiegszeitpunkte und die stärkere Gewichtung von Zinsanlagen mit einer bestimmten Laufzeit.

Beispiel: Da Max Schnitzler bereits über ausreichend eigenes Vermögen verfügt, kann er sich auch dafür entscheiden, die 50 000 Euro, die er geerbt hat, grundsätzlich sicher, aber dennoch etwas spekulativer anzulegen als in Sparbriefen und Bundesschatzbriefen. Dazu will er auf die zukünftige Zinsentwicklung spekulieren.

Wer diese Anlagestrategie verfolgt, muss sich natürlich zunächst einmal eine Meinung dazu bilden, in welche Richtung die Zinsen in naher Zukunft aller Wahrscheinlichkeit nach tendieren werden. Erst dann kann der Anleger die dazu passenden Anlageentscheidungen treffen. Erwartet Max Schnitzler zum Beispiel, dass die Zinsen bald steigen werden, muss er sein Depot mit ganz anderen Papieren bestücken, als wenn er davon ausgeht, dass das allgemeine Zinsniveau fällt.

Die Marktanalyse: Das A und O für Zinsspekulanten

Nur vordergründig resultiert das Auf und Ab der Zinsen aus dem tagtäglichen Spiel zwischen Angebot und Nachfrage nach Kapital. Tatsächlich sind dafür eine Reihe volkswirtschaftlicher Größen bestimmend, die spekulative Zinsanleger unter die Lupe nehmen müssen. Dabei heißt es, aus einer Vielzahl von Zahlen und Faktoren ähnlich wie bei einem Puzzle ein Gesamtbild entwerfen.

Konjunktur

Das Entwicklungstempo einer Volkswirtschaft, die Konjunktur, ist einer der wichtigsten Faktoren für die Zinsrichtung am Kapitalmarkt. Denn die Nachfrage nach Kapital wird in erster Linie von der Konjunkturentwicklung bestimmt. Generell gilt: Kommt nach einer Flaute die Wirtschaft auf Touren, treibt das über kurz oder lang auch die Zinsen nach oben. Denn immer mehr Unternehmen brauchen frisches Geld, etwa weil sie in neue Anlagen investieren und die Produktion ausweiten, um die steigende Nachfrage zu bedienen. Zusätzlich sorgt die allgemein gute Stimmung bei den Verbrauchern dafür, dass sie verstärkt auf Pump konsumieren. Folge: Kapital wird knapper, sodass der Preis dafür, also der Zins, steigt. Umgekehrt gehen die Zinsen zurück, wenn die Konjunktur in eine Abschwungphase gerät, weil Unternehmen Investitionsvorhaben wegen der schlechten Wirtschaftslage zurückstellen und die privaten Haushalte ihr Geld lieber sparen als es für Konsumzwecke auszugeben. Folge: Das Angebot an Kapital steigt.

Was die ganze Sache vermeintlich kalkulierbar macht, ist die Tatsache, dass die Wirtschaftsentwicklung in den meisten Industrieländern in Wellen verläuft. Auf mehr oder minder ausgeprägte Aufschwungphasen mit steigenden Zinsen folgen Perioden, in denen sich das wirtschaftliche Klima abkühlt und damit das Zinsniveau wieder sinkt. Kein noch so renommierter Wirtschaftsexperte kann jedoch mit Sicherheit sagen, wie lange diese einzelnen Phasen

Infos im Netz in Sachen Konjunktur

- **www.bundesbank.de**: Unabhängige Berichte zu Konjunktur, Währung, Zinsen und Aktien. In Auszügen deutsche Übersetzungen des EZB-Monatsberichts, umfangreiche Link-Liste.
- **www.destatis.de**: Die Seite des Statistischen Bundesamts bietet Daten zur volkswirtschaftlichen Gesamtrechnung, Produktion, Auftragseingängen, Preisen etc.
- **www.census.gov**: Seite des US-amerikanischen Pendants zum Statistischen Bundesamt.
- **www.dbresearch.com**: Hauseigenes „Wirtschaftsforschungsinstitut" der Deutschen Bank mit Analysen zu Branchen, Ländern, Zinsen und Kursen.
- **www.dismal.com**: Aufbereitung und Analyse überwiegend US-amerikanischer, aber auch internationaler Wirtschaftsindikatoren. Eine der umfangreichsten Seiten zu diesem Thema, von Ökonomen gemacht, allerdings nur in englischer Sprache.
- **www.ecb.int**: Seite der Europäischen Zentralbank mit zahlreichen Statistiken und Berichten, nur teilweise in deutscher Sprache.
- **www.federalreserve.gov**: Seite der US-Notenbank Federal Reserve mit vergleichbar umfangreichem Angebot wie die Seite der EZB.
- **www.markt-daten.de**: Umfangreiche deutschsprachige Seite zu fast allen US-Konjunkturdaten mit Veröffentlichungskalender.
- **www.diw.de, www.hwwa.de, www.ifo.de, www.iwh.uni-halle.de, www.rwi-essen.de, www.uni-kiel.de/ifw**: Internetseiten der sechs führenden deutschen Wirtschaftsforschungsinstitute, bekannt vor allem durch die Frühjahrs- und Herbstgutachten zur Konjunktur. Jedes Institut setzt eigene Schwerpunkte, daher alle empfehlenswert, jedoch eher für Nutzer mit fortgeschrittenen wirtschaftlichen Kenntnissen geeignet.

Tipp zur Marktanalyse

Regelmäßige Informationen zur Entwicklung des deutschen Anleihenmarktes, Renditen, Laufzeiten und Emittenten finden Sie im Wirtschaftsteil jeder großen, überregionalen Tageszeitung und im Internet.

dauern und vor allem, wann eine Trendwende ansteht. Professionelle Zinsanleger schauen deshalb auf eine Reihe von Indikatoren wie zum Beispiel die Auftragseingänge in der Industrie, die Arbeitslosenzahlen oder die regelmäßigen Stimmungsumfragen unter Managern. Von ihnen erhoffen sie sich Rückschlüsse auf den Konjunkturtrend. Allerdings ergeben sich daraus lediglich Anhaltspunkte und nicht etwa der hundertprozentig sichere Tipp.

Inflation

Die Inflation, also die laufende Preisentwicklung, hat für Zinsanleger zunächst eine ganz direkte Folge: Sie mindert unter dem Strich den realen Wert des angelegten Geldes und die laufende Verzinsung. Denn von der nominellen Verzinsung seiner Anlagen muss der Sparer die Inflationsrate realistisch gesehen abziehen. Das Ergebnis wird daher auch als Realzins bezeichnet.

Zinskurven interpretieren

Um dem Inflationstrend auf die Spur zu kommen, ist der Anleger allerdings nicht allein auf statistische Daten und Informationen

Der Inflation ein Schnippchen schlagen

Wenn die Inflationsraten anziehen, haben vor allem die Besitzer von langlaufenden Anleihen das Nachsehen. Schutz vor einer schleichenden Geldentwertung bieten Zinsanlegern so genannte inflationsgebundene Anleihen. Ihr Prinzip: Die laufende Verzinsung und/oder der Rückzahlungskurs ist an einen bestimmten Index gekoppelt, der die Entwicklung der Verbraucherpreise widerspiegelt. In der Fachsprache werden diese Papiere daher auch Linker genannt. Beträgt die Teuerung zum Beispiel 2,5 Prozent, steigt der Nennwert von angenommen 100 auf 102,50 Euro oder der Zinssatz für dieses Jahr wird auf 2,5 Prozent plus Basisverzinsung festgesetzt. Ergebnis: Der Käufer der Anti-Inflations-Anleihe erzielt auf jeden Fall eine positive Realverzinsung, egal, wie sich Marktzinsen und Inflation während der Laufzeit entwickeln.

Linker
(engl.) Vom Verb to link: koppeln.

Einziges Manko: Die Rendite der Linker liegt unter der von „normalen“ Bonds mit vergleichbarer Laufzeit. Dennoch erfreuten sich diese Papiere bei den Investoren in den vergangenen Jahren immer größerer Beliebtheit. Ganz oben auf der Rangliste stehen dabei entsprechende Staatspapiere der USA, Großbritanniens und Frankreichs. 2005 will erstmals auch der Bund eine inflationsindexierte Anleihe auflegen.

Wichtig ist dabei, dass diese speziellen Anleihen Anleger nur vor der Inflation schützen, die sie direkt betrifft: Das heißt zum Beispiel, dass deutsche Anleger einen Linker kaufen müssen, der sich auf die deutsche Inflation oder zumindest die Inflation in Euroland bezieht, US-Anleihen mit Inflationsschutz bringen für sie dagegen wenig.

Benchmark
Am Anleihemarkt sind die Renditen erstklassiger Staatspapiere die Richtgröße, in der Fachsprache Benchmark genannt, für die Papiere aller anderen Emittenten.

(→ Kasten, Seite 151) angewiesen. Die Inflationserwartungen spiegeln sich auch in der so genannten Zinsstrukturkurve wider. Darunter versteht man die grafische Darstellung der effektiven Renditen etwa von Bundesanleihen (→ Seite 82) über das Laufzeitspektrum von einem bis zu zehn Jahren hinweg. Die Renditen von Bundesanleihen deshalb, weil sie als Trendsetter gelten, die die Zinsrichtung vorgeben. Benchmark.

Die Bedeutung der Zinsstrukturkurve liegt darin, dass sich in ihr die gesammelten Zinserwartungen der Marktteilnehmer ausdrücken. Meist ist dabei zu beobachten, dass langfristige Anleihen höhere Zinsen abwerfen als kurzfristige. In diesem Fall wird die Kurve als „normal" bezeichnet. Die Anleger verlangen eine Art „Entschädigung" dafür, dass sie sich für einen längeren Zeitraum binden. Zusätzlich erwarten sie eine „Risikoprämie", deren Höhe von den Inflationserwartungen bestimmt wird, denn die Preissteigerungen während der Laufzeit entwerten das angelegte Geld.

Wird allgemein mit anziehenden Preissteigerungsraten und/ oder einem starken Wirtschaftsaufschwung gerechnet, steigen die Renditen bei langen Laufzeiten. Folge: Die Zinskurve verläuft steiler als normal. Eine besonders steile Kurve gilt deshalb meist als Hinweis für eine anstehende Konjunkturerholung, in deren Folge die Kurve wieder flacher wird, aber insgesamt noch steigt.

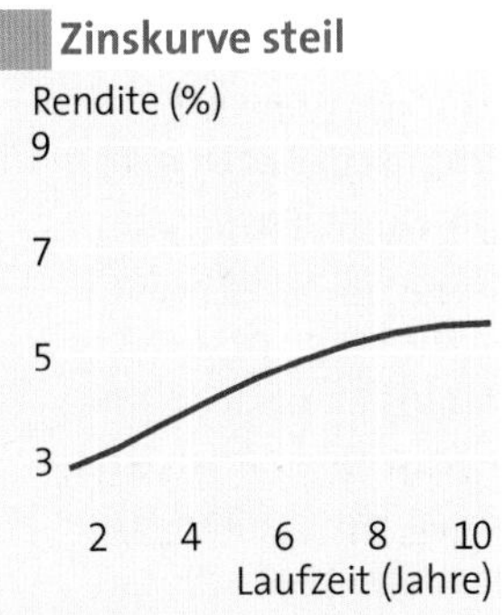

Das Gegenteil einer steilen Zinskurve ist eine inverse Zinsstruktur. Das heißt, Kurzfristanlagen bringen höhere Renditen als langlaufende Papiere. Diese eher seltene Situation tritt vor allem dann auf, wenn die Anleger mittelfristig von einem deutlichen Rückgang des Wirtschaftswachstums ausgehen, obwohl die Konjunktur aktuell immer noch auf Hochtouren läuft und hohe Leitzinsen (→ Seite 154) der Notenbank die kurzfristigen Sätze oben halten. Daher: Langlaufende Anleihen versprechen in dieser Situation, die bessere Wahl zu sein, auch wenn es zum Zeitpunkt des Kaufs zunächst nicht so aussieht.

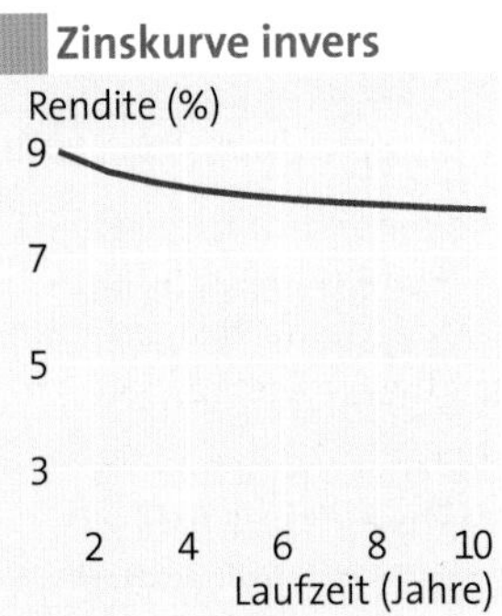

Flache Zinskurven markieren dagegen meist das Übergangsstadium zwischen einer inversen und einer normalen oder einer steilen Zinskurve.

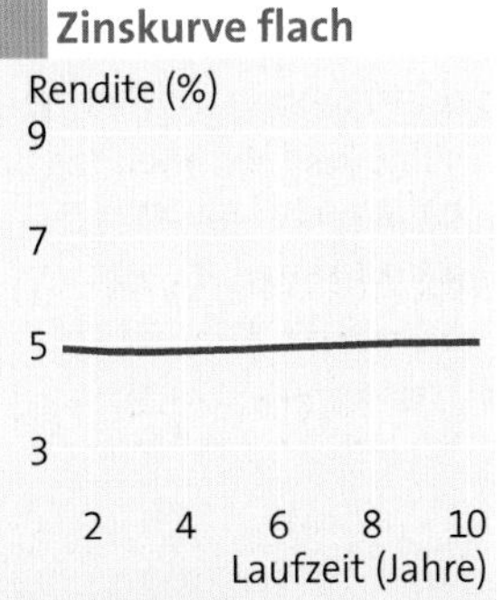

Geldpolitik: Der Einfluss der Notenbank

Die Inflationserwartungen und die Preisentwicklung haben allerdings nicht nur wegen der Realverzinsung und der Zinsstruktur Bedeutung am Kapitalmarkt. Wenn die Konjunktur anzieht, müssen die Unternehmen höhere Zinsen für ihre Anleihen und für Bankkredite zahlen. Diese höheren Kapitalkosten führen zu steigenden Produktions- und Lagerkosten, die die Firmen umso eher in Form von Preiserhöhungen weitergeben, je besser die Geschäfte laufen. Die Arbeitnehmer wiederum reagieren darauf mit höheren Lohnforderungen. Folge: Für die Unternehmen steigen die Kosten erneut. Damit dadurch keine laufende Spirale der Geldentwertung in Gang kommt, schreitet die Notenbank meist frühzeitig ein. Im Fall von Euroland hat die Bekämpfung der Inflation für die Währungshüter der Europäischen Zentralbank (EZB) absolute Priorität. So wollen sie verhindern, dass das Vertrauen in den Euro erschüttert wird. Geht es darum, die Preisentwicklung in Schach zu halten, erhöhen die Banker die Leitzinsen (→ Kasten) und verteuern so die Kreditkosten, was viele Investitionen zunächst unrentabel macht. Das bremst das Konjunkturtempo. Umgekehrt versucht die Notenbank in wirtschaftlichen Schwächephasen, die meist von geringen Inflationsraten begleitet werden, mit niedrigen Zinsen die Wirtschaft wieder anzukurbeln.

Die Zinswaffe der Notenbanken

Zu den stärksten Waffen, die die Zentralbanken zur Verfügung haben, um die Inflation in Schach zu halten, zählen die Leitzinsen. Zu diesen Zinssätzen können, vereinfacht gesagt, die Geschäftsbanken bei der Notenbank Kredite aufnehmen. Steigen die Sätze, geben die Geldhäuser dies fast umgehend an ihre Kunden weiter – beispielsweise in Form höherer Zinsen für Dispositionskredite.

Die Zinspolitik der Notenbanken ist erfahrungsgemäß sehr langfristig ausgerichtet. Das heißt, bei einem Trendwechsel, etwa einer Zinserhöhung nach einer Phase kontinuierlicher Zinssenkungen, können sich die Anleger in der Regel auf weiter steigende Zinsen einstellen. Mit den Leitzinsen können die Notenbanken allerdings lediglich das kurzfristige Zinsniveau direkt beeinflussen.

Aber sie haben noch einen weiteren Hebel, mit dem sie Einfluss auf die Zinsen nehmen können: die Geldmenge. Versorgt die Zentralbank Wirtschaft und Kapitalmärkte ausreichend mit frischem Geld, führt das zu einem ausreichenden Angebot auf dem Kapitalmarkt und damit zu sinkenden oder zumindest stabilen Zinsen. Umgekehrt schlägt sich eine Verknappung der Geldmenge auch in tendenziell steigenden Renditen nieder. Damit sie sich in ihrer Wirkung nicht neutralisieren, achtet die Notenbank darauf, dass Geldmengensteuerung und Zinspolitik Hand in Hand gehen und gleichzeitig auf die konjunkturelle Entwicklung abgestimmt werden.

Finanzpolitik

Auch die finanzielle Situation des Staates spielt bei der Zinsentwicklung am Kapitalmarkt eine Rolle. Ein maroder Haushalt und eine überbordende Verschuldung führen dazu, dass der Staat regelmäßig durch die Ausgabe von Staatsanleihen neue Finanzmittel aufnehmen muss. Diese zusätzliche Nachfrage nach Kapital wirkt sich zinstreibend aus. Umgekehrt entlastet ein solide wirtschaftender Finanzminister den Kapitalmarkt.

Ausland

Für die Frage, in welche Richtung sich die Zinssätze bewegen, ist letztlich auch maßgeblich, wie der Zinstrend im Ausland verläuft – insbesondere in den großen Industrienationen außerhalb der Eurozone: Japan, Großbritannien und den USA. Wegen der zunehmenden Globalisierung der Weltwirtschaft können sich die Renditen am deutschen Kapitalmarkt einem weltweit steigenden Zinstrend – wenn auch nur abgeschwächt – kaum entziehen und umgekehrt. Schließlich stehen die einzelnen Märkte und Währungen in gegenseitiger Konkurrenz um Anlagegelder.

1. Variante: Auf steigende Zinsen setzen

Wenn Max Schnitzler nach eingehender Analyse der Konjunktur- und Markttrends zu dem Schluss kommt, dass die Zinsen aller Wahrscheinlichkeit nach in absehbarer Zeit steigen werden, besteht für ihn die Strategie darin, die 50 000 Euro in Anleihen mit kurzen (Rest-)Laufzeiten von Emittenten mit erstklassiger Bonität (Bundeswertpapiere, Pfandbriefe, Bankschuldverschreibungen) zu investieren. Oder er parkt sein Geld, bis es höhere Zinsen gibt, in Kurzfristanlagen (→ Tabelle unten). Auf diese Weise vermeidet er es, sein Geld allzu lange zu binden. Geht seine Spekulation auf, legt er sein Kapital nach Fälligkeit der Papiere zu den dann höheren Zinsen langfristig an.

Möglichkeiten für Anleger, die auf steigende Zinsen spekulieren

	Tagesgeldkonto (→ Seite 40)	**Geldmarktfonds** (→ Seite 112)	**Kurzlaufendes Festgeld** (→ Seite 49)	**Floater** Gute Bonität (→ Seite 68)
Verzinsung	Variabel	Variabel	Fest	Variabel
Renditechance	Mittel	Mittel bis schlecht	Mittel bis schlecht	Mittel
Sicherheit	Hoch	Hoch	Hoch	Hoch
Laufzeit	Unbegrenzt	Unbegrenzt	Mindestens 1 Monat	3 bis 10 Jahre
Verfügbarkeit	Jederzeit	Jederzeit	Nicht vor Ablauf der Laufzeit	Jederzeit
Bequemlichkeit	Hoch	Hoch bis mittel	Hoch	Hoch
Mindestanlagebetrag	Ab 1 Euro [1])	100 Euro [1])	2 500 bis 5 000 Euro [1])	1 000 Euro [1])

[1]) Kann je nach Anbieter variieren
Bundeswertpapiere, Pfandbriefe, Bankschuldverschreibungen → Tabelle, Seite 148/149

Eine Alternative stellen Floater dar. Deren Zinssatz wird laufend an die aktuelle (kurzfristige) Zinsentwicklung angepasst (→ Seite 68), sodass sich anziehende Marktzinsen in einer steigenden Verzinsung des Papiers niederschlagen.

Den Pferdefuß beachten

Auf steigende Zinsen zu hoffen, ist allerdings nicht ohne Tücken – vor allem dann, wenn der Anleger sein Geld eigentlich langfristig anlegen will, aber darauf aus ist, den optimalen Zeitpunkt abzupassen, an dem die Zinsen ihren vorläufigen Gipfel erreicht haben, ehe sie wieder abwärts tendieren. Wer unter diesem Gesichtspunkt zunächst eine Anleihe mit kurzer oder mittlerer Laufzeit wählt, muss auf den Renditevorteil verzichten, den Langläufer aufgrund

Rechenhilfe für Zinsoptimisten

Die Tabelle zeigt, welcher Anschlusszins bei verschiedenen Laufzeiten nötig ist, um auf die gleiche Endrendite zu kommen, und sie stellt die Rendite gegenüber, die zum Stichtag 1. März 2005 für eine entsprechende Bundesanleihe zu bekommen war. Wer etwa statt einer zehnjährigen Bundesanleihe mit einer Rendite von 3,74 Prozent eine fünfjährige Bundesobligation mit einer Rendite von 3,09 Prozent kauft, müsste bei der Wiederanlage für das neue Papier mindestens 4,39 Prozent bekommen, um den Zinsnachteil wettzumachen.

Die Berechnung verschiedener Zinsszenarien ist kompliziert und daher nur für mathematisch Geübte möglich. Die Experten der Stiftung Warentest haben jedoch ein Rechenprogramm ins Internet gestellt, mit dessen Hilfe sich verschiedene Möglichkeiten durchrechnen lassen: www.finanztest.de, Rubrik „Geldanlage + Banken“ Menüpunkt „Rechner“, Stichwort „Zins-Rechner“.

Wenn Anleger, statt gleich eine zehnjährige Bundesanleihe zu kaufen, mit einer kürzeren Laufzeit beginnen, brauchen sie ...

beim Wechsel nach ...	diesen Anschlusszins	So viel gibt es für Bundesanleihen
1 Jahr	3,91 %	9-jährige: 3,65 %
2 Jahren	4,05 %	8-jährige: 3,54 %
3 Jahren	4,22 %	7-jährige: 3,41 %
4 Jahren	4,31 %	6-jährige: 3,27 %
5 Jahren	4,39 %	5-jährige: 3,09 %
6 Jahren	4,45 %	4-jährige: 2,89 %
7 Jahren	4,51 %	3-jährige: 2,64 %
8 Jahren	4,54 %	2-jährige: 2,49 %
9 Jahren	4,55 %	1-jährige: 2,23 %

Stand 1. März 2005

der Zinsstruktur gegenüber den Papieren mit geringerer Laufzeit in der Regel bieten. Der Anleger sollte daher seine Wette auf steigende Zinsen genau kalkulieren und sich ausrechnen, wie hoch der Anschlusszins beispielsweise in zwei, drei oder etwa fünf Jahren sein muss, damit er unter dem Strich am Ende der gesamten Laufzeit in beiden Fällen mindestens die gleiche Rendite erzielt. Ist dieser Anschlusszins aufgrund der jeweils aktuellen Konditionen unrealistisch hoch, kann sich der Kauf der langlaufenden Anleihe trotz der Zinserwartung als das bessere Investment erweisen (→ Kasten, Seite 156).

2. Variante: Auf fallende Zinsen setzen

Anders sieht das Vorgehen von Max Schnitzler aus, wenn er zu dem Schluss kommt, dass die Zinsen fallen werden, und er auf sinkende Zinsen vor allem im langfristigen Bereich spekuliert. In diesem Fall kauft er zehn Jahre und länger laufende Anleihen erstklassiger Emittenten – je nach persönlicher Risikoneigung. Denn Langläufer versprechen den größten Kursgewinn, wenn es mit den Marktrenditen bergab geht. (Zum Zusammenhang von fallenden Zinsen und Kursgewinnen bei Anleihen → Seite 58.) Gleiches gilt als Anlagealternative für Rentenfonds, die auf lange Laufzeiten setzen (→ Seite 110).

Sparprodukte und -briefe mit Festzins schreiben den Zins einer Hochzinsphase ebenfalls fest. Sie haben aber den Nachteil, dass sie nicht vorzeitig gekündigt werden können.

Möglichkeiten für Anleger, die auf sinkende Zinsen spekulieren

	Langlaufende Bundesanleihen (→ Seite 82)	**Langlaufende Pfandbriefe** (→ Seite 84)	**Langlaufende Bankschuldverschreibungen** (→ Seite 86)	**Rentenfonds Euro** Lange Laufzeiten (→ Seite 111)
Verzinsung	Fest [1]	Fest	Fest	Variabel
Renditechance	Mittel	Gut bis mittel	Gut bis mittel	Gut bis mittel
Sicherheit	Hoch	Hoch	Mittel	Hoch
Laufzeit	10 bis 30 Jahre	7 bis 30 Jahre	7 bis 30 Jahre	Unbegrenzt
Verfügbarkeit	Jederzeit	Gut bis mittel [2]	Mittel	Jederzeit
Bequemlichkeit	Mittel	Mittel bis schlecht	Mittel bis schlecht	Mittel bis schlecht
Mindestanlagebetrag	Keiner [4]	Ab 50 Euro [3] [4]	100 Euro [3] [4]	100 Euro [3]

1) Anleger, die auf sinkende Zinsen spekulieren, sollten einen Festzins wählen
2) Pfandbriefe sind unterschiedlich liquide
3) Kann je nach Anbieter variieren
4) Wegen der Kosten lohnen sich meist erst Anlagebeträge ab mehreren tausend Euro

Exkurs: Der Zusammenhang zwischen Marktzins und dem Kurs einer Anleihe

In diesem Zusammenhang stellt sich die Frage, wie es bei Anleihen zu Kursgewinnen oder zu Kursverlusten kommen kann. Dazu muss man sich bewusst machen, dass die Kurse von börsengehandelten Anleihen Schwankungen unterworfen sind, die sich vor allem aus der Veränderung des allgemeinen Zinsniveaus ergeben: Steigt das Zinsniveau, geht es mit den Anleihekursen bergab. Umgekehrt legen sie zu, wenn die Zinsen auf breiter Front sinken.

Dies erscheint auf den ersten Blick unlogisch, lässt sich aber leicht erklären: Wenn die Zinsen allgemein anziehen, heißt das, dass auch neue Anleihen mit einem höheren Nominalzinssatz auf den Markt kommen, sonst würde sich dafür kein Abnehmer finden. Für die Anleger gibt es somit zunächst keinen vernünftigen Grund, zu den älteren, niedriger verzinsten Papieren zu greifen, die an der Börse gehandelt werden. Da die laufende Verzinsung einer Anleihe jedoch feststeht, wenn sie einmal auf dem Markt ist, und nicht beliebig nach oben oder unten angepasst werden kann, gibt es keine andere Möglichkeit als über einen niedrigeren Preis, also einen niedrigeren Kurs, der veränderten Marktlage Rechnung zu tragen. Der Abschlag fällt dann umso größer aus, je länger die Restlaufzeit des Papiers ist. Schließlich muss sich der Besitzer der Anleihe entsprechend länger mit einer vergleichsweise schlechten laufenden Verzinsung bescheiden.

Ein Beispiel: Angenommen, am Markt gibt es ausschließlich Anleihen mit einem Zinssatz von 6 Prozent. Da der Staat, Banken und Industrieunternehmen, die Anleihen herausgeben, plötzlich mehr Kapital nachfragen als es die Anleger bis zu diesem Zeitpunkt zur Verfügung stellen, müssen diese Emittenten höhere Zinsen zahlen, um zusätzliche Gelder anzulocken. Dahinter steckt ein fundamentales Marktgesetz: Die Nachfrage nach Kapital steigt, also steigt auch der Zins, denn er ist nichts anderes als der Preis für die Überlassung von Kapital.

Nun lassen sich beispielsweise neue Anleihen nur noch mit einem Zins von 7 Prozent am Markt unterbringen. Für die alten 6-prozentigen Anleihen heißt das: Sie sind weniger wert, bieten sie doch eine um einen Prozentpunkt niedrigere Verzinsung als die neuen Papiere. Folglich muss der Kurs der Sechsprozenter sinken, damit die effektive Rendite (→ Seite 99) steigt – so lange, bis das Papier mit den neuen Angeboten mithalten kann.

Wenn umgekehrt die Zinsen sinken, werden die bereits laufenden höher verzinsten Anleihen wertvoller, was die Kurse so weit nach oben treibt, bis sich die Renditen neuer und alter Papiere gleicher Laufzeiten wiederum angeglichen haben. Auch hier gilt in gleicher Weise der Zusammenhang zwischen Preisveränderung und Restlaufzeit, schließlich kann sich der Anleger mit einem Langläufer den hohen Zins über einen vergleichsweise längeren Zeitraum hinweg sichern.

Vom Auf und Ab der Kurse sind natürlich nur diejenigen Anleger unmittelbar betroffen, die ihre Zinspapiere vorzeitig verkaufen wollen. Wer seine Anleihen dagegen behält, bekommt am Ende sein Kapital zu 100 Prozent zurück – unabhängig davon, wie stark der Kurs während der Laufzeit geschwankt hat.

3. Variante: Auf gleichbleibende Zinsen setzen

Ist das Ergebnis der Marktanalyse, dass wesentliche Zinsbewegungen nach oben oder unten nicht zu erwarten sind, erscheint eine gezielte Spekulation auf Zinsausschläge wenig sinnvoll. In diesem Fall bietet es sich an, das Geld in mittlere Laufzeiten von vier bis sieben Jahren anzulegen oder die vorher beschriebene Leiterstrategie (→ Seite 148) zu verfolgen.

4. Variante: Auf dem Zinstrend reiten

Neben der mehr oder weniger spekulativen Gewichtung von Laufzeiten haben Anleger wie Max Schnitzler auch die Möglichkeit, eine etwas weniger riskante Strategie zu fahren, die das beschriebene Problem des Zinsnachteils bei der Wahl eher kurzfristiger Anlagen besser berücksichtigt. Dazu nehmen sie die aktuelle Zinsstrukturkurve (→ Seite 153) genau unter die Lupe. In der Praxis verläuft diese nur selten schnurgerade, sondern in manchen Laufzeitbereichen gekrümmt. Dadurch ist ein „Ritt auf der Zinskurve" möglich, wie Fachleute sagen. Der Anleger wählt Anleihen aus Laufzeitbereichen, in denen die Kurve steiler verläuft als in anderen. Das heißt: Papiere aus diesem Bereich sind besonders lukrativ, weil sie eine vergleichsweise günstige Kombination aus Laufzeit und Rendite besitzen. Die Papiere halten Profis so lange im Depot, bis deren Restlaufzeit in einen „flacheren" Bereich gewandert ist. Dann werden sie mit Gewinn verkauft.

Dieses Spiel funktioniert auch dann, wenn das allgemeine Zinsniveau bis dahin unverändert bleibt. Ein zusätzlicher Renditerückgang am Markt ist jedoch das Tüpfelchen auf dem i.

Zusätzliche Anlageidee: In andere Währungen investieren

Gezielt Zinstrends auszunutzen ist eine Möglichkeit, eine spekulative Note in die Zinsanlage hereinzubringen. Eine andere ist, das Geld in Papieren anzulegen, die auf ausländische Währungen lauten. Je nach Anlageland sind auf diese Weise mitunter deutlich bessere Zinsen als am heimischen Kapitalmarkt zu holen. Schließlich sind hierzulande in den vergangenen Jahren die Sätze stetig zurückgegangen. Viele Anleger schielen daher auf die höheren Zinsen, die jenseits der Landesgrenzen gezahlt werden. Doch der Sprung aus der Eurozone hat seine Tücken.

Beispiel: Sabine Kühn ist Architektin und lebt in Düsseldorf. Sie hatte in den letzten Jahren lukrative Aufträge und hat bereits 55 000 Euro gespart. 40 000 Euro hat sie ganz konservativ in Bundesobligationen und Pfandbriefe gesteckt. Zusätzlich 10 000 Euro hat sie auf Tagesgeldkonten geparkt, da sie für die nahe Zukunft eine größere Urlaubsreise ins Auge gefasst hat. 5 000 Euro möchte sie jedoch höherverzinslich anlegen und plant dafür den Kauf von Fremdwährungspapieren.

Für eine Währungsanlage steht Anlegern wie Sabine Kühn im Grunde des gleiche Spektrum an Anlageformen und Laufzeiten zur Verfügung wie bei den heimischen Zinspapieren. Das alles klingt zunächst recht einfach. Die Tücke von Währungsanlagen liegt jedoch darin, dass ein Zinsplus, das zum Beispiel eine US-Dollar-Anleihe oder ein Zloty-Tagesgeldkonto bietet, durch eine gegenläufige Währungskursentwicklung nicht nur gemindert oder sogar aufgezehrt werden kann, sondern das Risiko eines satten Verlustes beinhaltet – nämlich dann, wenn die eigene Landeswährung, also der Euro, nach dem Kauf gegenüber der entsprechenden Fremdwährung deutlich an Wert gewinnt.

Beispiel: Sabine Kühn hat Anfang 2004 eine US-Staatsanleihe bei einem Kurs von 1,10 Dollar/Euro gekauft. Innerhalb eines Jahres ist die Notierung auf 1,35 Dollar/Euro gefallen, was aufgrund der historischen Kursschwankungen nicht mal ungewöhnlich ist.

Für die Anlegerin bedeutet das eine Dollarabwertung von knapp 20 Prozent, die durch den vergleichsweise geringen Zinsmehrertrag bei weitem nicht ausgeglichen worden sind. Natürlich ist auch der umgekehrte Fall möglich. Eine für den Anleger günstige Wechselkursentwicklung kann die Rendite zusätzlich verbessern.

Um das Risiko, aber auch die Chancen eines Währungsinvestments abzuschätzen, muss genauso wie bei einer Spekulation auf den Zinstrend zuerst eine sorgfältige Marktanalyse erfolgen. Dabei gilt es auf die Faktoren ein Auge zu werfen, die für den Wert einer Währung maßgeblich sind.

Das ist zunächst der Außenhandel der betreffenden Volkswirtschaft. Je nachdem, ob ein Land mehr exportiert oder importiert, entsteht ein entsprechendes Devisenangebot beziehungsweise eine Nachfrage. Die Gefahr tendenziell schwächerer Wechselkurse besteht, wenn ein Land im internationalen Verhältnis eine hohe Preissteigerungsrate aufweist. Dabei kann die Währung den Wettbewerbsnachteil durch die hohen Preise ausgleichen. Hohe Zinsen und eine boomende Wirtschaft wirken wie ein Magnet auf ausländisches Kapital. Folge: Der Außenwert der Währung steigt. Umgekehrt kann ein niedriges Zinsniveau in Verbindung mit einer schwächelnden Wirtschaft den Kurs einer Währung auf Talfahrt schicken. Und nicht zuletzt spielen auch Spekulanten eine Rolle am Devisenmarkt, die mit riesigen Summen versuchen, den Kurs einer Währung in eine bestimmte Richtung zu bewegen.

Kosten beachten

Neben dem Kursrisiko muss der Anleger beachten, dass er für den Tausch seines Anlagekapitals von Euro in die jeweils fremde Währung mit Umtauschgebühren zur Kasse gebeten wird – und zwar beim Kauf und zusätzlich noch einmal beim Verkauf. Zusätzlich muss er den Unterschied zwischen Devisenan- und -verkaufskurs berücksichtigen. Alles zusammengenommen, kommen so leicht ein paar Prozentpunkte zusammen, die mit der vermeintlich guten Bruttorendite erst wieder reingeholt werden müssen.

Fazit: Allein von den hohen Zinsen, die Anlagen in einer fremde Währung versprechen, sollte sich kein Anleger blenden lassen. Und: Währungsinvestments sind keine pflegeleichte Anlage. Wer Erfolg haben will, muss ständig die Entwicklung des Devisenkurses im Blick haben und sich bei entsprechenden Kursgewinnen überlegen, seine Anlagen schon vor dem Fälligkeitstermin aufzulösen oder zu verkaufen.

Sowohl unter Kosten- als auch unter Risikogesichtspunkten sollte der Anleger über ein Gesamtvermögen von mindestens 50 000 Euro verfügen, bevor er direkt in Währungsanlagen investiert. Dabei sollten Währungspapiere nur zu höchstens 10 Prozent einem gut gestreuten Zinsdepots beigemischt werden. Den Kauf von entsprechenden Währungsfonds kann ein Anleger der einfacheren Handhabung und des geringeren Risikos wegen bereits bei einem Vermögen von 20 000 Euro erwägen, wobei der Anteil 20 bis 30 Prozent nicht übersteigen sollte.

Zusätzliche Anlageidee für Spekulanten: Unterschiedliche Herausgeber mischen

Für renditeorientierte Anleger, die sich weder mit Zinstrends noch Devisenkursen beschäftigen wollen, gibt es zu guter Letzt eine dritte Alternative. Statt auf den Zinstrend zu setzen, stellen sie einen Mix von Papieren zusammen, deren Emittenten eine unterschiedliche Kreditwürdigkeit besitzen.

Beispiel: Michael Bauer ist Maschinenbauingenieur. Er hat über die Jahre 140 000 Euro gespart. Bisher hatte er nie viel Zeit, sich um sein Geld zu kümmern. Daher hat er es bequem und sicher in Bundeswertpapieren angelegt. Nun möchte er sich aber doch ein wenig mehr Zeit nehmen und seine Rendite aufbessern. Dafür möchte er auslaufende Papiere umschichten.

Michael Bauer kann seine Rendite optimieren, indem er einen Teil seines Geldes (bis zu 25 Prozent) in Euro-Anleihen mit durchschnittlicher bis schlechter Bonität investiert. Dies wäre eine gemäßigte Variante. Wesentlich spekulativer ist es, ausschließlich Anleihen von Emittenten unterdurchschnittlicher Bonität, so genannte Hochzinsanleihen (→ Seite 87) zu kaufen. Erkennen kann man diese Papiere an den Rating-Noten (→ Seite 95). Sie sind schlechter als „Baa3“ beziehungsweise „BBB–“.

Dabei gilt folgender Grundsatz: Je geringer die Bonität (spekulativer Rating-Bereich), desto wichtiger ist es, ein Prinzip zu beherzigen, das sonst vor allem bei Aktien Anwendung findet, nämlich viele verschiedene Anleihen von Emittenten aus unterschiedlichen Märkten und Branchen zu kaufen und zu mischen. Dass diese Empfehlung den Grundregeln der Aktienanlage entnommen ist, hat durchaus seine Berechtigung. Denn das Risiko dieser Anleihen steht dem von Aktien kaum nach. Vor den negativen Auswirkungen eines Ausfalls kann sich ein Anleger daher am besten schützen durch eine breite Streuung, in der Fachsprache auch Diversifizierung (→ Seite 24) genannt. Das Gesamtrisiko sinkt dadurch gegenüber dem Kauf eines einzelnen Papiers drastisch. Das Prinzip dabei: Selbst wenn einer der Herausgeber seinen Zahlungsverpflichtungen nicht mehr nachkommen kann und die Anleihe notleidend wird, kann der Ausfall durch die Mehrrendite der Papiere, die am Ende auch tatsächlich wieder eingelöst werden, nahezu ausgeglichen werden.

Damit diese Methode allerdings funktioniert, benötigt ein Privatanleger ein erhebliches Vermögen, um eine solch breite Streuung in Eigenregie zu erzielen. Konkret: Er sollte über ein Gesamtvermögen von deutlich mehr als 100 000 Euro verfügen, damit er eine ausreichend große Zahl einzelner Hochzinsanleihen kaufen kann (mindestens 10 verschiedene Titel sollten es sein), ohne dass die einzelne Transaktion unter Kostengesichtspunkten unrentabel wird. Dabei sollten die Risikoanleihen nur zu höchstens 10 Prozent beigemischt werden.

Tipps für die Käufer von Hochzinsanleihen

Trotz aller Mischung – eine sorgfältige Analyse ist das A und O vor dem Kauf von Hochzinsanleihen. Diese Fragen sollten Sie sich bei der Auswahl stellen:

Allgemeine Risiken

Länderrisiken: In welcher Situation befindet sich das Land, das Anleihen herausgibt oder in dem der Herausgeber seinen Sitz hat? Wie stabil ist die Wirtschaft? Wie stabil die politischen Verhältnisse? Sind Finanz- und Währungskrisen zu befürchten, die auch an privaten Unternehmen nicht spurlos vorübergehen werden? Wie regelmäßig ist der Herausgeber in der Vergangenheit seinen Verpflichtungen nachgekommen?
Konjunkturrisiken (bei Unternehmensanleihen): Wie wird die Konjunktur verlaufen? Sind negative Ereignisse oder Entwicklungen (zum Beispiel steigende Rohstoffpreise) zu erwarten, die die Profitabilität und damit am Ende die Zahlungsfähigkeit des Unternehmens betreffen? Dieser Konjunkturtrend läuft dem Zinstrend meist etwas entgegen (Zum Einfluss: Konjunktur und Zinsentwicklung, → Seite 150).
Bonität: Verfügt der Emittent über ein Rating?

Unternehmensspezifische Risiken (bei Unternehmensanleihen)

Unternehmensstellung: Wie viel Geld gibt das Unternehmen für Forschung und Entwicklung aus? Welchen Ruf hat es bei Kunden und Wettbewerbern? Ist das Unternehmen nur auf einen Bereich fokussiert oder deckt es ein breiteres Produktspektrum ab? Grundsätzlich gilt: Die Anleihen von Großkonzernen sind besser einzustufen als die von Mittelständlern. Ein Warnsignal für Anleihekäufer ist auch eine kontinuierliche Abwertung des Unternehmens durch die Rating-Agenturen. Auch ein Blick auf den Aktienkurs kann nicht schaden.
Marktstellung: Welche Stellung hat das Unternehmen im unmittelbaren Wettbewerbsumfeld inne? Welchen Marktanteil besitzt es und welcher Trend zeichnet sich dabei in den letzten Jahren ab (Zugewinn, Stagnation)? Ist es überwiegend national oder international tätig?
Verschuldung: In welchem Verhältnis stehen die Schulden zu den Eigenmitteln des Unternehmens, in welchem Verhältnis Jahresumsatz und Zinskosten zueinander?
Profitabilität: Erwirtschaftet die Firma aus dem laufenden Geschäft ausreichende Erträge, um ihre Schulden zu bedienen?

Fazit

Zugegeben, mit der selbstständigen Beantwortung dieser Fragen ist ein unerfahrener Anleger hoffnungslos überfordert. Allerdings findet sich im Internet eine Fülle von Informationen, etwa Bankstudien, Urteile von Experten, die das Unternehmen beziehungsweise das Land näher unter die Lupe genommen haben, die Urteile der Rating-Agenturen etc., die dabei Hilfestellung geben.

Einmalanlagen sollten nur die Ausnahme sein. Hier spielen Fonds ihre Trümpfe (Risikostreuung, geringe Mindestanlagebeträge etc.) aus.

Ein auf Hochzinspapiere spezialisierter Fonds hingegen schafft es wesentlich besser, die einzelnen Risiken zu streuen. Mit einem Fondsinvestment können sich risikoorientierte Zinsanleger daher auch schon ab einem Vermögen von 20 000 Euro beschäftigen, wobei der Beimischungsanteil 20 bis 30 Prozent nicht übersteigen sollte.

Service

Das bedeuten die Pfeile

In diesem Buch werden die wichtigsten Zinsanlagen hinsichtlich der Aspekte Rendite, Sicherheit, Verfügbarkeit, Steuereffekt und Bequemlichkeit eingeordnet. Die grafische Darstellung erfolgt dabei mittels Pfeilen. Für die Einordnung wurden folgende Kriterien zugrunde gelegt:

Rendite

↗ Die Anlageform wirft im Schnitt eine höhere Rendite ab als Bundeswertpapiere mit vergleichbarer Laufzeit.

→ Die Anlageform wirft im Schnitt die gleiche Rendite ab wie Bundeswertpapiere mit entsprechender Laufzeit – oder es handelt sich um ein Bundeswertpapier.

↘ Die Anlageform wirft im Schnitt eine schlechtere Rendite ab als Bundeswertpapiere mit vergleichbarer Laufzeit.

Wichtig: Mit diesem Einordnungsschema werden relative und keine absoluten Aussagen zur Rendite getroffen. Kurzfrist- und Langfristanlagen werden jeweils nur untereinander verglichen. Ein waagerechter Pfeil bei einer Kurzfristanlage wie ein Tagesgeldkonto und einer Langfristanlage wie eine Bundesanleihe bedeutet somit nicht, dass beide Anlageformen die gleiche Rendite bringen.

Sicherheit

↗ Die Anlageform weist die gleiche Sicherheit auf wie Bundeswertpapiere.

→ Bei dieser Anlageform besitzen die Anleger im Fall eines Zahlungsverzugs oder Konkurses des Herausgebers lediglich nachrangige Ansprüche.

↘ Das Rating der Anlageform ist schlechter als „BBB“ (→ Seite 95).

Verfügbarkeit

↗ Der Sparer kann seine Anlage werk- beziehungsweise börsentäglich kündigen oder verkaufen und wieder zu Bargeld machen.

→ Der Sparer kann seine Anlage innerhalb einer bestimmten Frist, auf jeden Fall aber vor Fälligkeit kündigen oder verkaufen.

↘ Eine vorzeitige Rückgabe oder Kündigung ist nicht möglich.

Steuereffekt

↗ Da bei allen besprochenen Anlageformen steuerpflichtige Zinserträge anfallen, wurde diese Wertung nicht vergeben.

→ Der Gewinn besteht aus Zinserträgen, die steuerpflichtig sind. Aber darüber hinaus besteht die Möglichkeit, nach einem Jahr Spekulationsfrist steuerfreie Kursgewinne zu erzielen. Die Kursgewinne können durch Zins-, Bonitäts- und/oder Währungsveränderungen entstehen.

↘ Der Gewinn der Anlageform besteht nur aus Zinserträgen und ist daher bis auf die Freibeträge voll steuerpflichtig.

Bequemlichkeit

↗ Der Anleger hat sowohl mit der Auswahl als auch mit dem Abschluss der Zinsanlage keinen größeren Aufwand und er muss sich auch danach kaum darum kümmern.

→ Auswahl und Abschluss erfordern eine erhöhte Sorgfalt. Der Anleger muss mindestens ein- bis zweimal pro Jahr kontrollieren, ob er seine Anlage weiter hält oder das Geld umschichten muss.

↘ Der Anleger muss bereit sein, sowohl für Auswahl als auch Abschluss Zeit und Arbeit zu investieren und sich danach mindestens in monatlichen Abständen um sein Investment kümmern und es kontrollieren.

So lesen Sie den Kursteil der Zeitung

1 Name der Anleihe
2 Aktueller Börsenkurs
3 Kurs des Vortages
4 Laufende Verzinsung der Anleihe in Prozent → Glossar: Kupon
5 Zinstermin: an diesem Tag zahlt der Herausgeber seine Zinsen
6 Jahr der Emission beziehungsweise der Fälligkeit
7 Ratings der verschiedenen Rating-Agenturen (→ Seite 95)
8 ISIN (International Securities Identification Number) → Glossar
9 Emissionsvolumen: Gesamtsumme, die der Herausgeber mit der Anleihe aufnimmt
10 Anleihewährung → Seite 64
11 Emittent → Glossar
12 Ausgabekurs, zu dem die Anleihe im Rahmen der Emission an die Anleger verkauft wird.
13 Laufzeit der Anleihe: Anzahl der Jahre bis zur Rückzahlung des Kapitals
14 Konsortialführer → Glossar
15 Zinsvaluta → Glossar

Quelle: Frankfurter Allgemeine Zeitung vom 8. April 2005

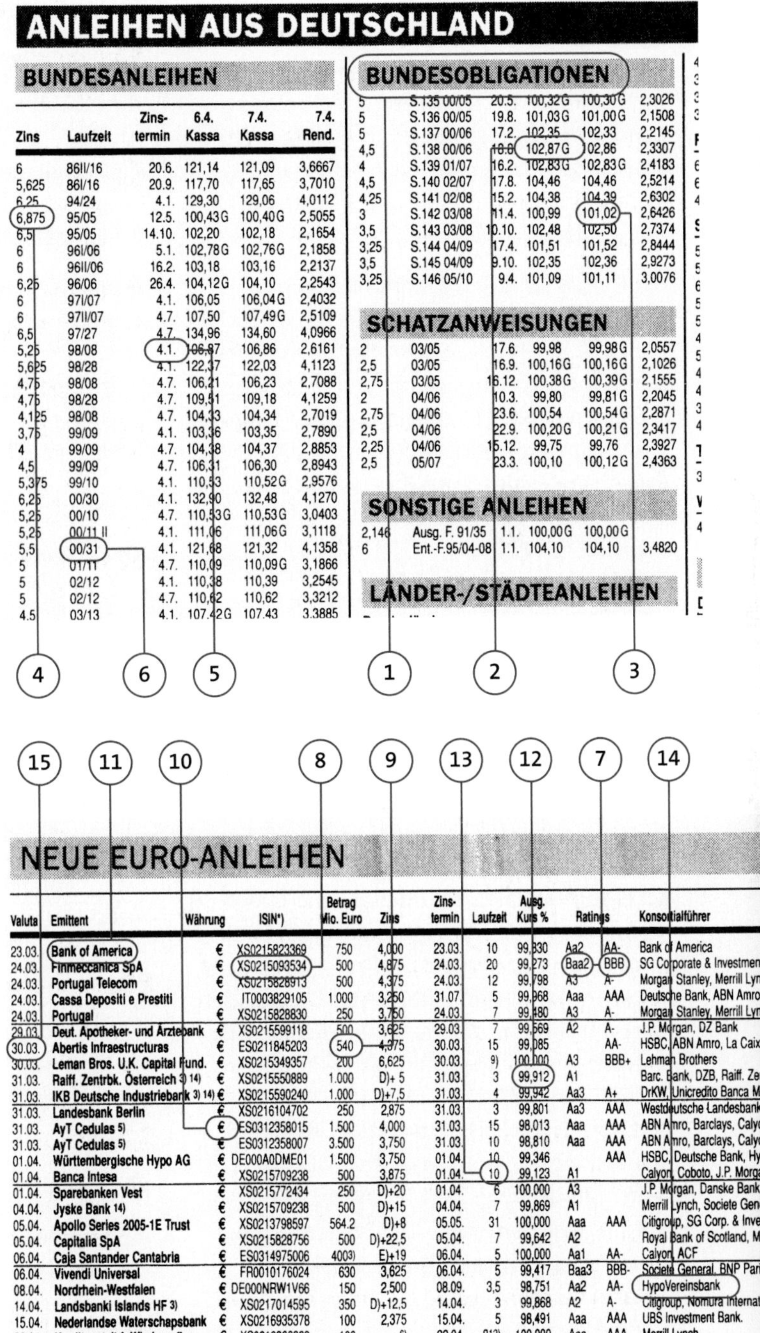

ANLEIHEN AUS DEUTSCHLAND

BUNDESANLEIHEN

Zins	Laufzeit	Zinstermin	6.4. Kassa	7.4. Kassa	7.4. Rend.
6	86II/16	20.6.	121,14	121,09	3,6667
5,625	86I/16	20.9.	117,70	117,65	3,7010
6,25	94/24	4.1.	129,30	129,06	4,0112
6,875	95/05	12.5.	100,43G	100,40G	2,5055
6,5	95/05	14.10.	102,20	102,18	2,1654
6	96I/06	5.1.	102,78G	102,76G	2,1858
6	96II/06	16.2.	103,18	103,16	2,2137
6,25	96/06	26.4.	104,12G	104,10	2,2543
6	97I/07	4.1.	106,05	106,04G	2,4032
6	97II/07	4.7.	107,50	107,49G	2,5109
6,5	97/27	4.7.	134,96	134,60	4,0966
5,25	98/08	4.1.	106,87	106,86	2,6161
5,625	98/28	4.1.	122,37	122,03	4,1123
4,75	98/08	4.7.	106,21	106,23	2,7088
4,75	98/28	4.7.	109,51	109,18	4,1259
4,125	98/08	4.7.	104,33	104,34	2,7019
3,75	99/09	4.1.	103,36	103,35	2,7890
4	99/09	4.7.	104,38	104,37	2,8853
4,5	99/09	4.7.	106,31	106,30	2,8943
5,375	99/10	4.1.	110,53	110,52G	2,9576
6,25	00/30	4.1.	132,90	132,48	4,1270
5,25	00/10	4.7.	110,53G	110,53G	3,0403
5,25	00/11 II	4.1.	111,06	111,06G	3,1118
5,5	00/31	4.1.	121,68	121,32	4,1358
5	01/11	4.7.	110,09	110,09G	3,1866
5	02/12	4.1.	110,38	110,39	3,2545
5	02/12	4.7.	110,62	110,62	3,3212
4.5	03/13	4.1.	107.42G	107.43	3.3885

BUNDESOBLIGATIONEN

Zins	Laufzeit	Zinstermin	6.4. Kassa	7.4. Kassa	7.4. Rend.
5	S.135 00/05	20.5.	100,32G	100,30G	2,3026
5	S.136 00/05	19.8.	101,03G	101,00G	2,1508
5	S.137 00/06	17.2.	102,35	102,33	2,2145
4,5	S.138 00/06	18.8.	102,87G	102,86	2,3307
4	S.139 01/07	16.2.	102,83G	102,83G	2,4183
4,5	S.140 02/07	17.8.	104,46	104,46	2,5214
4,25	S.141 02/08	15.2.	104,38	104,39	2,6302
3	S.142 03/08	11.4.	100,99	101,02	2,6426
3,5	S.143 03/08	10.10.	102,48	102,50	2,7374
3,25	S.144 04/09	17.4.	101,51	101,52	2,8444
3,5	S.145 04/09	9.10.	102,35	102,36	2,9273
3,25	S.146 05/10	9.4.	101,09	101,11	3,0076

SCHATZANWEISUNGEN

Zins	Laufzeit	Zinstermin	6.4. Kassa	7.4. Kassa	7.4. Rend.
2	03/05	17.6.	99,98	99,98G	2,0557
2,5	03/05	16.9.	100,16G	100,16G	2,1026
2,75	03/05	16.12.	100,38G	100,39G	2,1555
2	04/06	10.3.	99,80	99,81G	2,2045
2,75	04/06	23.6.	100,54	100,54G	2,2871
2,5	04/06	22.9.	100,20G	100,21G	2,3417
2,25	04/06	15.12.	99,75	99,76	2,3927
2,5	05/07	23.3.	100,10	100,12G	2,4363

SONSTIGE ANLEIHEN

Zins	Laufzeit	Zinstermin	6.4. Kassa	7.4. Kassa	7.4. Rend.
2,146	Ausg. F. 91/35	1.1.	100,00G	100,00G	
6	Ent.-F.95/04-08	1.1.	104,10	104,10	3,4820

LÄNDER-/STÄDTEANLEIHEN

NEUE EURO-ANLEIHEN

Valuta	Emittent	Währung	ISIN*)	Betrag Mio. Euro	Zins	Zinstermin	Laufzeit	Ausg. Kurs %	Ratings		Konsortialführer
23.03.	**Bank of America**	€	XS0215823369	750	4,000	23.03.	10	99,830	Aa2	AA-	Bank of America
24.03.	**Finmeccanica SpA**	€	XS0215093534	500	4,875	24.03.	20	99,273	Baa2	BBB	SG Corporate & Investmen
24.03.	**Portugal Telecom**	€	XS0215828913	500	4,375	24.03.	12	99,798	A3	A-	Morgan Stanley, Merrill Lyn
24.03.	**Cassa Depositi e Prestiti**	€	IT0003829105	1.000	3,250	31.07.	5	99,968	Aaa	AAA	Deutsche Bank, ABN Amro
24.03.	**Portugal**	€	XS0215828830	250	3,750	24.03.	7	99,480	A3	A-	Morgan Stanley, Merrill Lyn
29.03.	**Deut. Apotheker- und Ärztebank**	€	XS0215599118	500	3,625	29.03.	7	99,569	A2	A-	J.P. Morgan, DZ Bank
30.03.	**Abertis Infraestructuras**	€	ES0211845203	540	4,375	30.03.	15	99,085		AA-	HSBC, ABN Amro, La Caix
30.03.	**Leman Bros. U.K. Capital Fund.**	€	XS0215349357	200	6,625	30.03.	9)	100,000	A3	BBB+	Lehman Brothers
31.03.	**Raiff. Zentrbk. Österreich** 3) 14)	€	XS0215550889	1.000	D)+ 5	31.03.	3	99,912	A1		Barc. Bank, DZB, Raiff. Ze
31.03.	**IKB Deutsche Industriebank** 3) 14)	€	XS0215590240	1.000	D)+7,5	31.03.	4	99,942	Aa3	A+	DrKW, Unicredito Banca M
31.03.	**Landesbank Berlin**	€	XS0216104702	250	2,875	31.03.	3	99,801	Aa3	AAA	Westdeutsche Landesbank
31.03.	**AyT Cedulas** 5)	€	ES0312358015	1.500	4,000	31.03.	15	98,013	Aaa	AAA	ABN Amro, Barclays, Calyo
31.03.	**AyT Cedulas** 5)	€	ES0312358007	3.500	3,750	31.03.	10	98,810	Aaa	AAA	ABN Amro, Barclays, Calyo
01.04.	**Württembergische Hypo AG**	€	DE000A0DME01	1.500	3,750	01.04.	10	99,346		AAA	HSBC, Deutsche Bank, Hy
01.04.	**Banca Intesa**	€	XS0215709238	500	3,875	01.04.	10	99,123	A1		Calyon, Coboto, J.P. Morga
01.04.	**Sparebanken Vest**	€	XS0215772434	250	D)+20	01.04.	6	100,000	A3		J.P. Morgan, Danske Bank
04.04.	**Jyske Bank** 14)	€	XS0215709238	500	D)+15	04.04.	7	99,869	A1		Merrill Lynch, Societe Gen
05.04.	**Apollo Series 2005-1E Trust**	€	XS0213798597	564.2	D)+8	05.05.	31	100,000	Aaa	AAA	Citigroup, SG Corp. & Inve
05.04.	**Capitalia SpA**	€	XS0215828756	500	D)+22,5	05.04.	7	99,642	A2		Royal Bank of Scotland, M
06.04.	**Caja Santander Cantabria**	€	ES0314975006	4003)	E)+19	06.04.	5	100,000	Aa1	AA-	Calyon, ACF
06.04.	**Vivendi Universal**	€	FR0010176024	630	3,625	06.04.	5	99,417	Baa3	BBB-	Societe General, BNP Pari
08.04.	**Nordrhein-Westfalen**	€	DE000NRW1V66	150	2,500	08.09.	3,5	98,751	Aa2	AA-	HypoVereinsbank
14.04.	**Landsbanki Islands HF** 3)	€	XS0217014595	350	D)+12,5	14.04.	3	99,868	A2	A-	Citigroup, Nomura Internat
15.04.	**Nederlandse Waterschapsbank**	€	XS0216935378	100	2,375	15.04.	5	98,491	Aaa	AAA	UBS Investment Bank.
22.04.	**Kreditanstalt f. Wiederaufbau**	€	XS0216866383	100	6)	22.04.	812)	100,000	Aaa	AAA	Merrill Lynch

Glossar

Assetklasse: Jede Anlageform lässt sich einer Vermögensklasse zuordnen („asset“, engl.: Vermögensgegenstand). Zu den wichtigsten Assetklassen zählen Aktien, Anleihen und andere Zinsanlagen, Währungsinvestments, Immobilien sowie Bargeld.

Benchmark: Eine Art Richtgröße oder aber auch Vergleichsmaßstab. Dies ist am Aktienmarkt oft ein → Index, am Anleihemarkt eine bestimmte Anleihe – in Euroland zum Beispiel die langlaufenden Bundesanleihen. Die aktuelle Verzinsung (→ Marktzinsniveau) dieser Papiere mit erstklassiger Bonität und hoher Liquidität gilt als Maßstab für die Papiere anderer Emittenten.

Bond: Englische Bezeichnung für Anleihe.

Bonität: Die Kreditwürdigkeit eines Anleiheherausgebers.

Bund-Future: Der Euro-Bund-Future gilt als Stimmungsbarometer am deutschen Anleihemarkt, sodass dessen Kursentwicklung in vielen Marktberichten erwähnt wird.

Der Euro-Bund-Future ist ein Termingeschäft auf eine idealtypische Bundesanleihe. Grundlage ist ein fiktives Papier, das auf eine Nominalverzinsung von 6 Prozent und auf eine Laufzeit von zehn Jahren standardisiert ist. Der Inhaber eines Bund-Future-Kontraktes hat das Recht, zu einem festgelegten Zeitpunkt eine diesem Kontrakt zugeordnete Bundesanleihe mit einer Restlaufzeit von 8,5 bis 10,5 Jahren im Wert von nominal 100 000 Euro zu kaufen oder zu verkaufen. Pro Jahr werden vier Laufzeiten gehandelt, die jeweils im März, Juni, September und Dezember enden. Der aktuelle Futurestand bildet genau den Preis ab, den man am Markt für eine Bundesanleihe mit exakt zehnjähriger Laufzeit und einer Verzinsung von 6 Prozent bezahlen müsste.

Convertible: Wandelanleihe (→ Seite 92).

Corporate-Bond: (Engl.) Unternehmensanleihe.

Covered Bonds: (Engl.) „gedeckte Anleihen“. Anleihen, deren Ansprüche durch Pfandrechte an Grundstücken abgesichert sind. In Deutschland heißen diese Papiere Pfandbriefe (→ Seite 84).

Daueremission: Bei einer Daueremission gibt es kein festes Emissionsvolumen. Die Papiere werden in fortlaufender Stückzahl aufgelegt und es werden so viele davon verkauft, wie nachgefragt werden.

Bei einer Einzelemission legt der Emittent fest, wie viel Geld er einmalig am Kapitalmarkt aufnehmen will. Dieser Betrag wird in Urkunden verbrieft und an die Anleger verkauft, bis alle Papiere vergriffen sind.

Default: Bezeichnung dafür, dass ein Anleiheemittent mit seinen Zins- und gegebenenfalls Tilgungszahlungen in Verzug geraten ist und damit gegen seine Vertragspflichten verstößt. Ein Default berechtigt die Anleiheinhaber zur unverzüglichen Kündigung.

Diversifikation: Fachausdruck für die Streuung eines Vermögens oder Wertpapierdepots auf viele verschiedene Anlageformen (→ Assetklassen), Märkte und einzelne Emittenten beziehungsweise Papiere.

Duration: Maßzahl dafür, wie empfindlich der Kurs einer Anleihe auf Änderung des → Marktzinsniveaus reagiert.

Effektive Anleihe: Bezeichnung für eine physische Anleiheurkunde (→ Seite 63).

Effektive Verzinsung: Die Rendite, die der Anleger auf sein effektiv eingesetztes Kapital bis zur Fälligkeit einer Zinsanlage oder bis zu einem vorzeitigen Verkauf erzielt. Die Berechnung der effektiven Verzinsung bei Anleihen berücksichtigt neben der laufenden Verzinsung (→ Kupon) entstandene Kursverluste oder -gewinne.

Emerging Markets: (Engl.) aufstrebende Märkte. Diejenigen Länder, die sich in einer Art Zwischenstadium von einem Entwicklungsland hin zu einer hochentwickelten Industrienation befinden (zum Beispiel Südafrika, Russland und Indien). Für sie wird auch der Begriff Schwellenländer verwendet.

Emissionsrendite: Diejenige Rendite, die ein Anleger erzielt, wenn er eine Anleihe von der Ausgabe bis zur Fälligkeit im Depot behält. Die Emissionsrendite lässt sich bereits zum Ausgabezeitpunkt errechnen beziehungsweise wird vom Emittenten genannt.

Emittent: Herausgeber einer Anleihe.

Fondsbank: Spezialinstitut, das die Verwahrung und Verwaltung von Investmentfonds verschiedener Fondsgesellschaften, nicht aber den Verkauf und eine etwaige Anlageberatung anbietet.

Fondsvermittler: Eine Art freier Handelsvertreter für Fonds, der seinen Kunden Fonds lediglich vermittelt, aber keine Beratung bietet und Fonds nicht selbst initiiert (→ Seite 107).

Genussrecht: Bei einem Genussrecht hat der Anleger keinen Anspruch auf eine feste Verzinsung seines Kapitals, stattdessen verkörpert das Recht den Anspruch auf Beteiligung am Gewinn des Emittenten. Verbrieft werden Genussrechte in einem Genussschein → Seite 91.

High-Yield-Bond: (Engl.) Hochzinsanleihe. Bei diesen Papieren muss der Emittent wegen seiner schlechten oder zweifelhaften → Bonität einen hohen Zinsaufschlag gegenüber der Verzinsung erstklassiger Anleihen zahlen.

Index: Eine Art Marktbarometer, das die durchschnittliche Kursentwicklung einer bestimmten Zahl gleichartiger Wertpapiere widerspiegelt. Das kann eine Gruppe von Aktien ebenso sein wie eine bestimmte Zahl von Anleihen.

ISIN: (Engl.) Abkürzung für International Securities Identification Number, eine Art Bestellnummer für Wertpapiere. Damit die Bank angesichts Zehntausender von Wertpapieren auch die von ihren Kunden gewünschten Aktien oder Anleihen an der Börse besorgt, bekommt jedes Wertpapier mit der Emission eine Nummer, anhand derer es sich zweifelsfrei identifizieren und zuordnen lässt. Die ISIN wird auf jedem Kauf- und Verkaufsauftrag vermerkt. Sollte der Kunde die Nummer nicht selbst wissen, setzt sie der Bankmitarbeiter ein.

Junkbond: (Engl.) wortwörtlich übersetzt: „Abfallanleihe", auch Schrottanleihe genannt, Bezeichnung für Anleihen von Emittenten mit sehr schlechter Bonität, im Extremfall besteht bereits Zahlungsunfähigkeit.

Konsortialführer: Will zum Beispiel ein Unternehmen eine Anleihe herausgeben, so ist es dabei auf die Hilfe einer Bank angewiesen. Diese erledigt die Formalitäten, spricht gezielt Investoren an und platziert schließlich die Papiere bei den Anlegern. Bei größeren Emissionen reicht die Platzierungskraft einer einzelnen Bank selten aus. Daher stellt die mit der Emission beauftragte Bank eine Gruppe von Instituten, ein Konsortium, zusammen, an deren Spitze sie selbst als Konsortialführerin federführend steht.

Konversion: Im Normalfall stehen die Merkmale einer Anleihe mit der Emission fest. Will der Emittent einzelne Punkte ändern, beispielsweise die Verzinsung, weil er in finanzielle Schwierigkeiten geraten ist, kann er das nicht einseitig tun. Er muss den Anleiheinhabern ein Konversionsangebot oder anders gesagt ein Umschuldungsangebot vorlegen. Erst wenn die Anleger dem zustimmen, gilt die entsprechende Änderung zwischen beiden Parteien als vereinbart und kann in den Anleihebedingungen vermerkt werden.

Kupon: Bezeichnung für die Ertragsscheine, die zu einem Wertpapier gehören. Im Fall einer Anleihe sind das die Zinsscheine, weswegen der nominelle Zinssatz einer Anleihe in der Börsensprache auch kurz als Kupon bezeichnet wird. Bei einer Aktie spricht man dagegen von den Dividendenscheinen. Nur wenn der Inhaber einer effektiven Anleihe den Kupon bei der Bank vorlegen kann, bekommt er die fälligen Zinsen ausgezahlt.

Liquidität: Ausdruck dafür, wie schnell eine Kapitalanlage zu Geld gemacht werden kann (→ Seite 21). Im engen Sinn: Qualitative Maßzahl dafür, wie rege ein bestimmtes Papier an der Börse gehandelt wird.

Marktzinsniveau: Der Zinssatz, der für Papiere mit einer bestimmten Laufzeit zu einem bestimmten Zeitpunkt als marktüblich gilt. Durch Zusammenstellung der marktüblichen Zinsen für alle wichtigen Laufzeiten ergibt sich die Zinsstruktur eines Marktes (→ Seite 153). Kennzahlen für das Zinsniveau am deutschen Kapitalmarkt sind zum Beispiel die → Umlaufrendite öffentlicher Anleihen oder die Rendite zehnjähriger Bundesanleihen (→ Seite 82).

Nominelle Verzinsung: Der Zinssatz, mit dem der Nennwert der Anleihe verzinst wird (→ auch Seite 66).

pari: Ausdruck dafür, dass der Kurs einer Anleihe genau bei 100 Prozent liegt, dementsprechend heißt unter-pari, dass das Papier unter 100 Prozent gehandelt wird, bei über-pari wird es zu mehr als 100 Prozent gehandelt.

Platzierung: Technischer Ausdruck für das Unterbringen eines neu herausgegebenen Wertpapiers beim breiten Anlegerpublikum, siehe auch → Konsortialbank.

Rdax: Neuer → Index der deutschen Börse für Unternehmensanleihen. Er soll die Wertentwicklung der Anleihen der 30 Unternehmen abbilden, die im deutschen Aktienindex Dax vertreten sind.

Referenzzinssatz: Fester Orientierungsmaßstab, aus dem sich die Verzinsung eines Papiers ableitet. Bei einer Gleitzinsanleihe kann das zum Beispiel der Euribor (→ Seite 68) sein, bei Banksparplänen die → Umlaufrendite öffentlicher Anleihen, siehe auch → Benchmark.

Umlaufrendite öffentlicher Anleihen: Eine Art Durchschnittszins, der aus über hundert Anleihen öffentlicher Herausgeber mit unterschiedlichen Restlaufzeiten errechnet wird. → Benchmark für einige Riester-Banksparpläne.

Zerobond: Anleihe, bei der das Kapital nicht laufend verzinst wird. Die Rendite besteht in einem über die Laufzeit hinweg planmäßig steigenden Kursgewinn, der entsteht, weil das Papier zu einem Bruchteil des Nennwertes ausgegeben und zum Fälligkeitszeitpunkt zu 100 Prozent eingelöst wird.

Zinsarbitrage: Ausnutzen von Zinsdifferenzen (→ Marktzinsniveau) an den internationalen Kapitalmärkten.

Zinsperiode: Der zeitliche Abstand zwischen zwei Zinszahlungsterminen; gängig sind viertel-, halb- und ganzjährige Zinsperioden.

Zinstreppe: Festzinsvariante, die von Banken bei Einmalanlagen und Sparplänen mit vorzeitiger Kündigungsmöglichkeit angeboten wird. Der Nominalzins steigt während der Laufzeit jährlich. Damit werden die Anleger mit einer steigenden Rendite belohnt, die die Anlage halten oder weiter besparen. Bekanntes Produkt dieser Kategorie ist der Bundesschatzbrief (→ Seite 80).

Zinsvaluta: Der Tag, ab oder bis zu dem der Zinslauf bei einem Anleihegeschäft gerechnet wird, siehe auch Stückzinsen → Seite 100.

Adressen

Börsenplätze in Deutschland

BÖAG Börsen AG
(Hamburg/Hannover)
Zippelhaus 5
20457 Hamburg
Tel. 0 40/36 13 02-0
und
Rathenaustraße 2
30159 Hannover
Tel. 05 11/32 76 61
www.boersenag.de
www.boerse-hannover.de

Börse Berlin-Bremen
Fasanenstraße 85
10623 Berlin
Tel. 0 30/31 10 91-0,
www.berlinerboerse.de

Börse Düsseldorf AG
Ernst-Schneider-Platz 1
40212 Düsseldorf
Tel. 02 11/13 89-0
www.boerse-duesseldorf.de

Börse München
Bayerische Börse
Lehnbachplatz 2a
80333 München
Tel. 0 89/54 90 45-0
www.boerse-muenchen.de

Börse Stuttgart AG
(inkl. Euwax)
Schlossstraße 20
70174 Stuttgart,
Tel. 07 11/22 29 85-0,
www.boerse-stuttgart.de
www.euwax.de

Deutsche Börse AG (Frankfurt/Main)
Neue Börsenstraße 1
60487 Frankfurt/Main
Tel. 0 69/211-0
www.deutsche-boerse.com

Börsen- und Bankenaufsicht

Bundesanstalt für Finanzdienstleistungsaufsicht (BaFin)
Abt. Wertpapieraufsicht
Lurgiallee 12
60439 Frankfurt

Abt. Banken- und Versicherungsaufsicht
Graurheindorfer Straße 108
53117 Bonn
Tel. 02 28/41 08-0
www.bafin.de

Bankenverbände und -organisationen

Deutscher Sparkassen- und Giroverband (DSGV)
Charlottenstraße 47
10117 Berlin
Tel. 0 30/2 02 25-0
www.dsgv.de

Bundesverband der Deutschen Volksbanken und Raiffeisenbanken e. V. (BVR)
Schellingstraße 4
10785 Berlin
Tel. 0 30/20 21-0
www.bvr.de

Bundesverband Deutscher Banken (BdB)
Burgstraße 28
10178 Berlin
Tel. 0 30/16 63-0
www.bdb.de

Verband Deutscher Hypothekenbanken e. V.
Georgenstraße 21
10117 Berlin
Tel. 0 30/2 09 15-1 00
www.hypverband.de

Sonstige Adressen

Bundesverband Investment und Asset Management e. V. (BVI)
Eschenheimer Anlage 28
60318 Frankfurt/Main
0 69/15 40 90-0
www.bvi.de

Bundeswertpapierverwaltung
Bahnhofstraße 16–18
61352 Bad Homburg v. d. Höhe
Tel. 0 61 72/1 08-2 22
(Service-Center)
und 0 61 72/1 08-9 30
(24-Stunden-Computer-Service)
www.bwpv.de

Entschädigungseinrichtung der Wertpapierhandelsunternehmen
Behrendstraße 31
10865 Berlin
Tel. 0 30/20 36 99-0
www.e-w-d.de

Fondsvermittler

AAV Fondsvermittlung
Postfach 1930
73409 Aalen
Tel. 0 73 61/68 04-75
Fax 0 73 61/68 04-06
www.fondsvermittlung.de

AVL-Finanzdienstleistung Investmentfonds
Burghaldenstraße 39
71384 Weinstadt
Tel. 0 71 51/99 69-06
Fax 0 71 51/99 69-07
www.
avl-finanzdienstleistung.de

Dima 24.de
Direkt Anlage Beratung GmbH
Postfach 11 55
85765 Unterföhring
Tel: 0 800/2 42 50 00
Fax 0 180 5/55 81 55
www.dima24.de

direktfonds24 e.K.
Keesburgstraße 30
97074 Würzburg
Tel. 0 180 5/00 04 61
Fax 09 31/8 04 41 19
www.direktfonds24.de

FD Fonds-Sparkauf GmbH
Weichs 73
84082 Laberweinting
Tel. 0 87 72/13 03
Fax 0 87 72/13 02
www.fonds-discount.de

fin@nzoptimierung.de
Discountbroker AG
Bahnhofstraße 29A
37154 Northeim
Tel. 0 55 51/91 41 00
Fax 0 55 51/9 14 10 11
www.finanzoptimierung.de

Finanzpartner.de
Gneisenaustraße 10
53721 Siegburg
Tel. 0 22 41/97 58 10
Fax 0 22 41/97 58 11
www.finanzpartner.de

fit4fonds e.K.
Marktplatz 6
97437 Haßfurt
Tel. 0 800/9 74 37 00
Fax 0 95 21/95 35 55
www.fit4fonds.de

Fonds4you.de
Lerchenweg 13
04349 Leipzig
Tel. 03 42 98/3 47 44
Fax 03 42 98/3 47 56
www.fonds4you.de

FondsClever.de
Postfach 10 01 09
68001 Mannheim
Tel. 0 180 5/77 24 77
Fax 06 21/8 67 50 75
www.fondsclever.de

FondsDiscount.de
c/o Wallstreet:online trading GmbH
Bouchéstraße 12
12435 Berlin
Tel. 0 30/20 45 64 10
Fax 0 30/20 45 64 15
www.fondsdiscount.de

Fondseasy-Investment
c/o Rendite Garant
Emailfabrikstraße 12
92224 Amberg, Oberpf.
Tel. 0 96 21/7 88 25 25
Fax 0 96 21/7 88 25 30
www.fondseasy.de

fonds-im-Netz.de
c/o Martius Finanzdienstleistungen
Madame-Blanc-Straße 21
61381 Friedrichsdorf
Tel. 0 61 72/26 90 00
Fax 0 61 72/26 90 01
www.fonds-im-netz.de

Fund-Discount
Postfach 12 20
55241 Mainz-Kostheim
Tel. 0 800/5 35 26 26
Fax 0 800/5 35 26 27
www.fund-discount.de

Infos GmbH
International Fonds Selection
Hohbuchstraße 59
72762 Reutlingen
Tel. 0 800/7 44 74 42
Fax 0 800/7 44 74 46
www.infos.com

Invextra AG
Neuenhöfer Allee 49–51
50935 Köln
Tel. 02 21/57 09 60
Fax 02 21/5 70 96 20
www.invextra.de

Laransa Fonds-Broker AG
Rankestraße 17
10789 Berlin
Tel. 0 30/30 10 96 10
Fax 0 30/30 10 96 12
www.laransa.de

Portfolio Concept GmbH
Max-Pechstein-Straße 23
50858 Köln
Tel. 02 21/9 48 61 0
Fax 02 21/94 86 11 40
www.portfolioconcept.de

Trigonus Financial Solutions GmbH
Villa Salis
Am Wiesengrund 27
63456 Hanau
Tel. 0 61 81/90 80 61 10
Fax 0 61 81/90 80 61 29
www.trigonus.de

VSP Financial Services GmbH
Postfach 3029
65020 Wiesbaden
Tel. 0 180/50 10 56 01
Fax 0 180/50 10 56 02
www.fondsvermittlung24.de

Stichwortverzeichnis

Impressum

Herausgeber und Verlag
Stiftung Warentest
Lützowplatz 11–13
10785 Berlin
Tel. 0 30/26 31-0
Fax 0 30/26 31-25 25
www.stiftung-warentest.de

Vorstand
Dr. jur. Werner Brinkmann

Weitere Mitglieder der Geschäftsleitung
Hubertus Primus (Publikationen)
Dr.-Ing. Peter Sieber (Untersuchungen)

Autor
Thomas Luther

Lektorat
Uwe Meilahn (Leitung)
Ursula Rieth
Heike Plank (Assistenz)

Fachliche Beratung
Uwe Döhler, Stephan Kühnlenz,
Jörg Sahr, Stephanie Zipp

Verifikation
Heinz Johann Brakenhoff

Layout und Produktion
Punkt 8, Berlin

Fotos
GettyImages, Photonica

Titel
Anne-Katrin Körbi
Foto: Photonica, Neo Vision
U4: Matthias Tunger

Verlagsherstellung
Rita Brosius, Kerstin Uhlig

Litho
tiff.any GmbH, Berlin

Druck
Stürtz GmbH, Würzburg

Einzelbestellung
Stiftung Warentest
Vertrieb, Postfach 81 06 60
70523 Stuttgart
Tel. 0 180 5/00 24 67
(12 Cent pro Minute aus dem Festnetz)
Fax 0 180 5/00 24 68
(12 Cent pro Minute aus dem Festnetz)
www.stiftung-warentest.de

Redaktionsschluss: März 2005